여우호텔

[illegible] 옮김

세레나북스
Serena Books

Copyright

도서명	여우호텔
저자	최수지
번역	이새롬
표지 그림	이새롬
기획	최수지, 이새롬
편집, 디자인	이성민, 이새롬
도서출판	세레나북스
출판사 등록번호	제 649-91-00292호
도서 발행일	2024.03.10.
ISBN	979-11-986635-0-4
값	20,500원

* 이 책은 tvN 즐거운이야기체, 강원교육모두체, Edwardian Script ITC체를 사용하여 제작되었습니다. *

목차

* 등장인물......4

1. 인간의 탄생......8

2. 새로운 세상......22

3. 만남......50

4. 진실과의 조우......68

5. 분열의 시작......79

6. 전쟁의 서막......97

7. 어딘가 이상한 일들이 벌어지다......123

8. 짧은 저항......136

9. 통제가 시작되다!......156

10. 진실의 발견......166

11. 소통과 단절......174

12. 갈등의 극대화......206

13. 새로운 힘의 발견......221

14. 절망과 탈출......232

15. 다른 목적, 같은 목적지......244

16. 회상......258

17. 현실적인 희망의 시작......274

18. 기적......289

* 옮긴이의 말......308

* 등장인물

존: [인간] 론과 벤이 만들어낸 첫 인간. 인간이지만 여우처럼 수명이 길고, 여우의 마음을 가지고 있어서, '괴물' 또는'실패작'으로 불린다. 자신의 정체성에 대해 늘 의문을 품고 있으며, 자신이 창조되었음을 안 뒤에도 여우면 여우 혹은 인간이면 인간으로 불리고 싶다는 생각을 종종 한다. 늘 '자기편'을 찾고 싶어 하고, 주변 사람들을 돕는 걸 좋아한다. 어떤 게 맞다 생각되면 절대 자기주장을 굽히지 않는 편이다.

론: [여우→인간] 실수를 싫어하는 완벽주의자. 여우일 때는 과학자였고, 인간이 된 이후에는 호텔 주인으로, 여우와 인간 사이를 이간질하고 전쟁을 이끈다. 여우를 혐오하고 인간을 예찬하며, 가장 진화된 종족에 대한 환상을 품고 있다. 아이러니하게도 론이 생각하는 진화란 수명도 짧고 자연과의 교감능력도 제한적인 존재를 말한다. 무한한 생명과 공감능력을 갖춘 기존 동물들은 전체와의 조화를 너무 중요시한 나머지, 개인의 개성이 부족하고, 한계를 뛰어넘게 도와주는 상승 욕구 등이 약하기 때문이다. 론은 전쟁, 바이러스, 그리고 인간을 만든 것에 대한 자부심이 크다. 자신의 유일한 실수인 [존의 창조]가 콤플렉스이며, 이 때문에 존을 엄청나게 혐오한다.

벤: [여우→인간] 한때는 과학자로서 론과 동업하며 인간을 창조했지만, 론의 배신으로 인해 서로 관계가 좋지 않은 편. 인간 아이로서 몹시도 혐오하던 존과 함께 일하게 되면서 점점 마음을 열게 된다. 론 때문에 어쩔 수 없이 존을 떠난 뒤에도, 생명의 나무를 이용해 존을 구원의 섬으로 이끈다. 다양한 사람과 함께하다 보니 의심도, 비밀도 많은 편이다.

아가타: [여우] 9개의 종교를 믿는 사차원 아줌마이자 여우 왕국의 유능한 공무원으로, 인간 훈련 센터에서 인간 교육을 맡는다. 존을 특별하다 여기며, 늘 적극적으로 밀어준다. 여우 동상에 마법을 건 유능한 여우이며, 인간들의 변한 모습을 안타까워한다. 또한, 인간창조사건을 발견한 장본인이며, 자연의 법칙을 어긴 론과 벤을 엄청나게 싫어한다. 다른 신하들과 달리 아부와는 거리가 먼 편이라 왕과 늘 갈등을 빚는다.

여우 왕: [여우] 열심히 하지만, 조금 예민하고, 살짝 무능하다. 병에 걸린 뒤로는 어디엔가 분명히 문제의 근원이 있다는 생각에 집착하다가, 그만 '자신이 신임하는 신하'로 변신한 론의 최면에 걸리게 된다.

아가타 아이들: [여우] 장난꾸러기들 그 자체! 엄마의 책을 훔쳐보다 보니 왕국 내 각종 스캔들에 빠삭한 편. 자랑과 수다를 좋아하는 평범한 아이들 같아 보이지만, 실제로는 또래에 비해 의젓하고 용감한 편이다. 바쁜 부모님 때문에 집에 혼자 있는 시간이 많다.

여우 아이들 (어텀, 마리나, 미드나잇, 오로라, 스프라웃, 드리머): [여우] 생명의 나무가 도움을 요청한 아이들 중 일부. 어리다 보니 인간에 대한 편견보다 호기심이 많다. 어리지만 굉장히 똑똑하고, 어떨 땐 어른보다 더 성숙하고 명석해 보이기까지 한다. 더 어린 스프라웃과 드리머가 형, 누나들을 이끌어 가는 편.

여우 아이들 부모 (스톰, 선샤인): [여우] 서로 정반대의 성격이라 부부 싸움이 일상. 하지만 은근히 서로 챙겨주는 면이 있다. 아이들은 부모님을 그저 잔소리 대마왕으로 치부하지만, 사실 둘은 그 누구보다 아이들을 아낀다. 아이들이 실종되자 금세 인간들과 협업하며 여우 왕국의 문제들을 해결하는 데에 앞장선다.

인간 아이들 (이든, 에마, 잭슨, 섀넌, 알렉스, 타블로): [인간] 동화책 속에 등장하는 영악한 여우 캐릭터가 익숙한 편이라 실제 여우들과 대화를 나누는 것만으로 이미 동화 주인공이 된 느낌이다. 여우 아이들만큼 똑똑하고 성숙하지만, 간혹 내분이 생기고, 사춘기가 온 누나들은 동생들만큼 열정적이지 않을 때도 많다.

인간 아이들 부모 (리암, 웬디): [인간] 기자로서 늘 바쁘게 살아가는 워킹맘 웬디와 느긋해 보이지만 할 일이 생기면 우직하고 성실하게 처리하는, 무려 571종의 식물을 키우고 있는 정원사 남편 리암. 부부는 아이들이 납치된 후, 늘 신경이 곤두서있다. 그러다가 우연히 여우들을 만나며 이 문제를 해결할 다른 방식이 있다는 걸 깨닫는다. 웬디의 출중한 말솜씨와 글솜씨, 그리고 리암 특유의 우직함으로 세상을 바꿔 나간다.

인간의 탄생

1. 인간의 탄생

어느 화창한 아침, 여우 부족의 왕은 평화롭게 창밖을 내다보며 휴식을 취하고 있었다. 왕은 이보다 더 완벽한 아침은 없다고 생각했다. 하지만, 또다시 문밖에서는 노크 소리가 들려왔고, 왕은 한숨을 쉬었다.

"개 부족에 관한 소식입니다." 병사 한 명이 말했고, 왕은 얼굴을 찌푸렸다.
"개들이 다시 고약한 장난을 치기 시작했습니다. 왕국 일부를 공격했지만, 우리 군대가 즉시 난동을 진압했습니다."
"다행이군."
"하지만 폐하, 이렇게 넘어갈 일이 아닙니다. 고양이들을 보십시오. 범을 필두로 제국을 세우지 않았습니까? 우리도 그들처럼 강력한 제국이 되어야 합니다! 폐하가 개들까지 다스리셔야 합니다. 보십시오, 우리 종족이 얼마나 더 우월한 종족인지! 천년을 사는 부유한 우리, 그리고 삼백년을 사는 가난한 개들이 우리와 같은 권리를 가지고 있다니! 폐하, 개 부족은 몇 년간 우리에게 극심한 피해를 줬습니다. 중요한 사안이니 부디…"
"생각해보겠다."

왕이 창밖을 내다보니 한 번도 본 적이 없는 큰 나무가 창문을 덮고 있었다.

"당장 저 나무를 치워 버려라!"
왕이 명령했다. 아가타라는 관리가 조심스럽게 입을 열었다.

"폐하, 전설을 알고 계시지 않습니까. 저 나무를 베면 악이 창궐할 것입니다."

"나는 그따위 전설은 믿지 않는다! 당장 저 나무를 내 눈앞에서 치워!"

"예, 폐하."

그리고 곧 생명 나무는 치워졌고, 모든 것이 괜찮아 보였다. 며칠 후, 이상한 일들이 일어나기 시작했다. 나무는 어둡게 변했고, 왕은 시름시름 앓기 시작했다. 많은 사람이 아무 이유 없이 죽었다. 사람들은 분노했다. 모두 걱정하기 시작했고, 그래서 론과 벤이라는 두 과학자가 이 수상한 생명 나무에 관해 알아보기 위해 길을 떠났다.

처음에는 나무의 마법적인 힘과 왕이 아프게 된 이유에 초점을 맞췄는데, 곧 그들은 씨앗이 생물의 수명을 줄인다는 사실을 알아차렸다. 씨앗 때문에 왕이 아픈 듯했는데, 론에게는 새로운 아이디어가 생겼다. 론은 벤에게 물었다.

"우리가 새로운 생물을 만들어 보는 건 어때?"

"그건 안 되지. 생명을 불어넣는 방법을 모르잖아."

"생명을 불어넣을 수 있어! 여우 꼬리털을 좀 넣으면 되지 않을까? 그러니까, 씨앗을 넣고 여우 꼬리털을 좀 넣으면… ."

"괜찮은데?"

벤이 물었다.

"그럼 그 생물 이름은 뭐로 할 거야?"

론은 조용하게 대답했다.

"인간이라고 이름 붙이고, 특히 첫 번째 인간은 존이라고 하려고."

"그럼 당장 만드는 게 어때?"
"내 정신 좀 봐! 그래 지금 바로 만들어 보자!"

그들은 너무 흥분해서, 많은 일을 그르쳤다. 일단 씨앗은 넣지 않은 채 너무 많은 여우 꼬리를 넣었다. 론과 벤은 그들의 첫 번째 인간이 실패작이라는 것에 매우 실망했다. 그들은 존이 싫었다. 그러면서도 존에 대해서만 생각했다. 정확히 말하자면, 다른 인간들을 존처럼 '잘못된' 인간이 되지 않게 만드는 방법만 생각했다. 벤은 제안했다.
"다음에는 많은 양의 씨앗을 넣어보자. 그러면 문제가 해결될 거야."

론이 동의했다. 그리고 계속 같은 방식으로 인간을 만들기로 했다. 그런데 처음에 너무 많은 씨앗을 써버린 탓에, 얼마 후부터는 점점 더 적은 양의 씨앗을 넣게 되었다. 그 때문인지 인간들은 어색한 소리를 내기 시작했고, 그들은 그것을 '울음'이라고 불렀다.

그러던 어느 날 9개 종교를 믿는 신하 아가타는 자신이 믿는 모든 신이 여우 왕국의 영역 밖에 있는 곳으로 가라고 하는 꿈을 꾸었다. 아가타는 매우 종교적이었기 때문에, 그곳에 가기로 했다. 그리고 그곳에서 수상한 여우 둘이 생물체들을 만드는 것을 보았다.

며칠 후, 아가타는 한 군인에게 어떤 여우들이 생물체를 만들고 있다고 말했다. 그리고 군인들을 재빨리 숲으로 보냈다. 그 숲은 바로 군인들이 생명 나무를 던져버렸던 곳이었다. 군인들은 거기서 론과 벤을 발견했다. 론과 벤은 왕의 이름 모를 병의 원인을 찾기 위해 파견한 과학자들이었다.

"동작 그만!"

그제야 론과 벤은 여우 왕국에서 생물을 만드는 게 불법이라는 것을 기억해냈다. 재빨리 인간 아기들을 숨기려 했지만 숨길 수가 없었다. 그래서 론은 도망쳐서 숨었다. 하지만 벤은 남았다. 벤은 도망치고 싶지 않았다. 몇 분 후, 벤은 잡혔다. 군인들은 누군가가 생물체를 만들고 있는 것을 보고 매우 언짢았고, 놀랐고, 화가 났다. 벤은 인간들을 숨기려 했지만, 소용이 없었다. 인간은 잠시도 가만있지 않았다. 이에, 군인들은 벤을 감옥으로 보냈다. 그리고 벤이 떠난 후 숲의 상황은 완전히 변했다.

인간은 점점 더 오래 살게 되어, 마침내 100살까지 살 수 있게 되었다. 수명이 늘어난 인간은 더 많은 것을 배울 수 있었다. 예를 들어, 인간은 지구를 오염시키는 법을 깨우쳤고, 이로써 더 많은 동물이 병에 걸렸다. 지구를 해치는 것은 동물들 사이에서 엄격하게 금지되었기 때문에, 이는 매우 큰 문제였다. 인간들은 또한 동물의 왕국에서 사용되지 않았던 불을 사용했다 (이와 달리, 대부분 동물은 마법을 사용할 줄 알았기 때문에 특별히 불을 사용할 필요가 없었다). 그래서 모든 왕국은 매우 진지하게 회의를 열어, 인간을 다루는 방법에 대해 논쟁을 벌였다.

동물들은 인간이 인위적으로 만들어졌기 때문에 자연과 협력할 수 없다는 것을 깨달았다. 인간은 오직 자신만을 돌보았기에, 동물에게 인간은 매우 위협적이라고 느꼈다. 그리고 환경 오염 또한 큰 문제였다. 그래서, 동물들은 인간을 엄격하게 통제해야 한다고 생각했다. 하지만 모든 동물이 동의하지는 않았기 때문에 아무것도 할 수 없었고 그들은 계속해서 논쟁을 벌였다.

여우 왕국의 왕은 제안했다.

"거대한 건물을 짓는 것은 어떨까요? 우리는 거기서 모든 인간에게 무엇을 해야 하는지 가르칠 것입니다. 단, 첫 번째 인간은 좀 다르게 만들어졌으니 우리가 그를 돌볼 것입니다. 왜냐하면, 만약 다른 인간들이 그의 존재를 알게 된다면, 매우 심각한 문제가 생길 것이기 때문입니다. 일단, 인간에게 최면을 걸어 지구를 오염시킬 능력을 없앨 겁니다. 그리고, 몇 년 후에는, 불에 대한 인간들의 기억 역시 지울 겁니다. 최면술은 우리 신하들이 맡겠습니다. 우리는 약 300년 후에 인간과 대화를 할 것입니다. 현재, 더 중요한 것이 있습니다. 최초의 인간은 이에 대해 알면 안 됩니다. 이 문제를 해결하기 위해 우리는 매주 만났으면 합니다."

인공 건물을 짓는 것이 잘못된 것 같다고도 생각했지만, 문제를 해결할 수 있는 유일한 방법인 것 같았기에, 동물들은 동의했다. 왕은 바로 일을 시작했다. 여우 왕은 공무원들에게 가서, 모든 군인을 투입해 그동안 본 적도 들은 적도 없는 가장 큰 건물을 세우라고 명령했다. 군인들은 바로 일을 시작했다. 며칠, 그리고 몇 달이 지났다. 그리고 마침내, 2년 후에 기념비적인 건물이 완성되었다. (인간으로서는 20년이라는 시간이 흘렀다.)

아가타를 포함한 여우들과 공무원들은 모든 것이 아주 순조롭게 진행되고 있다고 생각했다. 아가타는 만약 그녀가 인간에게 종교를 전파한다면 인간에게 최면을 거는 것은 매우 쉬운 일이 되리라 추측했다. 그것이 매우 좋은 생각이라 여겨서 그녀는 인간들에게 종교에 대한 모든 것을 가르치기로 했다. 곧, 인간의 절반이 종교를 갖게 되었다. 그녀는 인간들에게 종교를 전파하는 데 오랜 시간이 걸리지 않아서 매우 기뻤다.

어느 날, 존은 여우 왕이 계신 성을 향해 걸어가고 있었다. 존이 성에 도착하자마자, 여우들은 그를 화장실이 있는 큰 방에 데려가 살게 했다. 욕실 바닥에는 작은 나무문이 잠겨 있고 그 위에 작은 매트가 깔려 있었다. 존은 매일 성장하고 성장했다.

어느 날 존은 매트 밑에 숨겨진 나무문을 발견했다. 그는 마른 칫솔을 꺼내 열쇠 구멍 안으로 밀어 넣었다. 곧 문이 열렸다. 문은 어른에게는 충분히 크지 않았지만, 존에게는 딱 맞는 크기였다. 문으로 기어들어 가니 이번엔 터널이 보였다. 그래서, 터널을 기어갔다. 터널은 매우 축축하고 어두웠다. 다행히도, 존은 작은 손전등을 가지고 왔다.

갑자기, 존이 멈추었다. 뭔가가 그의 길을 막고 있었다. 그것은 어딘가로 통하는 또 다른 문이었다. 그는 숨을 들이마셨다가 내쉬었다. 그러고 나서, 문을 밀어서 열었다. 안타깝게도, 문은 아래로 내려가기에는 너무 작았지만, 그의 얼굴을 통과시키기에는 충분했다. 그는 긴 복도 외에는 아무것도 볼 수 없었지만, 이상한 언어들을 들었다. 그는 재빨리 문을 쾅 닫고는 뒤도 안 보고 달려갔다. 존은 비밀을 발견하는 것에 관심이 있었지만, 그것은 여전히 매우 무서운 일이기도 했다.

이 불가사의한 사건이 존의 침실에서 일어나는 동안, 동물 왕국의 통치자들은 회의하고 있었다. 그들은 이상한 생물인 존을 어떻게 다룰 것인지에 대해 이야기했다. 바로 그때, 그들은 존의 침실에서 딸깍하는 소리를 들었다. 그들 중 한 명이 그것을 조사하러 갔고 작은 소년을 보았다. 여우 왕국의 왕은 이 소식을 듣자마자, 회의를 마치기로 했다.

그러나 존은 그의 침실 아래에 있는 곳에 더 큰 관심을 끌게 되었다. 그의 칫솔은 이미 반으로 부러졌지만, 개의치 않았다. 존은 간신히 문 안으로 비집고 들어가 어두운 터널을 기어갔다. 다시 한번 그가 본 것을 기억하려고 노력했다. 그는 안을 들여다보며 문을 살짝 열었다. 그는 지난번과 같은 낯선 언어를 들었지만, 이번에는 두려워하지 않았다. 이번에는 안을 들여다보았고, 여우들 말고도 '자신과 매우 비슷하게 생긴 생물들'이 있는 것을 보았다.

그는 실제로 자신이 태어났을 때 무슨 일이 일어났는지 몰랐기 때문에 전 우주에 자신과 같은 존재는 없으리라 생각해왔다. 자신의 탄생에 대해 질문해도 아무도 대답하지 않았다. 그는 부모님이 있는 다른 사람들을 부러워했다. 그래서 자기와 비슷한 존재들을 발견하자 행복한 감정이 들었다. 왜냐하면, 자기에게도 가능성이 있다고 생각했기 때문이다. 그들이 바로 그의 부모님일 수도 있었다.

놀란 그는 눈을 한 번 더 비비고 바라보았지만, 여전히 자기와 비슷한 생물들이 있었다. 만약 그 구멍이 조금만 더 컸다면 그는 아래로 기어 내려올 수 있었을 것이다. 벽은 매우 얇았다. 너무 얇아서, 가볍게 밀어 넘어뜨릴 수 있었다. 존은 좋은 생각이 났다. 이제 밤에 몰래 빠져나가기만 하면 되겠다.

완벽한 계획을 세운 후, 존은 터널에서 빨리 나가기로 했다. 그들이 위를 쳐다볼 때, 존을 볼 수도 있다는 두려움 때문이었다. 그는 성큼성큼 터널을 가로질러 성으로 돌아왔다. 그는 재빨리 편안한 침대로 뛰어들어 조용히 밤까지 기다렸다.

오래된 괘종시계가 열두 번 울리자마자 그는 침대에서 뛰쳐나와 소리 없는 터널로 들어갔다. 끝에 다다랐을 때, 존은 문 옆의 벽을 부수고 지금까지 본 것 중 가장 높은 찬장으로 뛰어올랐다. 찬장에 먼지가 너무 많아서 재채기를 몇 번 했다. 존은 재빨리 코를 닦고는 뛰어내릴 돗자리가 있는지 방을 한 번 더 살폈다. 존은 곰팡이 핀 매트를 발견했다.

그곳은 착륙하기에 가장 좋은 장소는 아니었지만 없는 것보다는 나았다. 그래서 존은 뛰어내렸다. 그의 앞에는 많은 작은 방들이 있었지만, 그 방들에서 약간의 소음이 들렸기 때문에, 존은 그 방들에 들어가지 않기로 했다. 존은 새벽 5시가 될 때까지 계속 놀았다.

그리고 다시 돌아가려 할 때, 존은 찬장 위로 올라가기가 조금 어렵다는 것을 알아차렸다. 존은 한동안 발버둥을 치다가 마침내 터무니없이 미끄러운 찬장을 기어올라 다시 축축한 터널 안으로 들어갔다. 이 과정이 익숙하지 않았기에 존은 아직도 재채기를 조금 했다. 모든 먼지를 무시하려고 노력하면서, 존은 할 수 있는 한 조용히 문을 열었다. 그러고 나서, 그는 침대로 풍덩 뛰어들었다.

"아아!" 존은 갑자기 온몸에 땀을 흘리며 잠에서 깨어났다. 비밀 낙하에 대한 좋은 꿈 대신, 사람들이 모두 존을 지목하고 비난하는 악몽을 꾸었다. 존은 그 꿈에 관한 생각을 버리려고 노력했지만, 쉽지 않았다. 존은 자신의 비밀스러운 모험에 대해 더 생각하려고 노력했고 얼마 후에 마침내 눈꺼풀이 감겼다.

그 끔찍한 밤이 지나고 며칠 후, 존은 자기 비밀 장소를 다시 방문하는 것에 대해 더 많이 생각했다. 그는 심지어 터널을 청소하는 것에 대해서도 생각했다. 그리고 마침내 아침이 되어 터널로 들어갈 수 있었다. 위생을 위해 모든 청소 도구를, 편안함을 위해서는 담요와 베개를 챙겼다.

3시간에 걸쳐 청소를 다 끝냈다. 그는 매우 피곤했지만, 매우 행복해졌다.

청소를 마치니 존은 심지어 터널 안에 있는 생명체들조차 더는 무섭지 않았다. 청소를 마친 그는 잠시 자기가 한 일을 살피기 위해 천천히 안으로 들어갔다. 사실, 그는 자기 결과에 매우 만족했다. 존은 항상 그가 만든 구멍을 통해 지켜보곤 했다. 그는 그 어색한 생물들을 너무 많이 봐서 그 생물들을 더는 무서워하지 않았다.

여우 나이로 7살이 되었을 때, 존은 학교에 보내졌다. 취학이 다소 늦은 것처럼 보였지만, 존은 특별히 더 천천히 늙었기 때문에 이런 결정이 내려졌다. (존은 전에 3년 동안 재택교육을 받았다!) 인간의 나이로는 70세였다.

일주일 후에 존은 학교에 다니기 시작했다. 그가 건물에 들어서자마자 몇몇 아이들은 그를 비웃기 시작했고 꼬리가 없다고 놀리기 시작했다. 존은 매우 감정이 상했다. 그의 얼굴은 빨강에서 주황으로 변했다. 그는 교실에서 재빨리 뛰쳐나와서 소리 없이 울었다. 존은 학교가 끔찍하다고 생각했다! 다음날 존은 군인 중 한 명에게 친구들이 항상 다르게 생겼다고 놀리기 때문에 학교를 좋아하지 않는다고 말했다! 신경이 안 쓰일 때는 오직 공부할 때였기에, 존은 학업에만 집중했다.

존은 계속해서 불평했다. 그래서 존이 여우 나이로 열여섯 살이 되었을 때, 여우 군인들은 존을 스파이를 훈련하는 데에 사용되는 매우 특별한 학교로 옮기기로 했다. 그러나 존은 이 학교 역시 좋아하지 않았다. 왜냐하면, 학교에 가자마자, 무거운 장비를 입고 훈련을 했기 때문이다. 존은 집에 돌아오자마자 군인들에게 학교를 그만둘 수 있는지 물었다. 그들은 모두 "한 달만 더 시도해 보고 그래도 마음에 들지 않는다면, 너를 학교에서 빼낼 방법을 찾아줄게!"라고 말했다. 그나마 다행인 것은, 마술을 배울 수 있다는 것이었다. (다른 학생들이 배운 것보다 쉬운 것은 기본적인 마술에 불과했지만!)

종소리 외에는 아무도 존에게 인사하지 않았다. 매우 우울했지만, 이 시간이 하루 중 최악이 될 줄은 미처 몰랐다. 왜냐하면, 역사 시간에, 선생님은 그가 항상 갔던 터널을 정확하게 묘사했고, "재채기는 그 증상 중 하나다."라고 그를 두렵게 하는 것들에 대해 말했기 때문이다.

"너무 자주 가면 죽을 수도 있어."

사실, 여우들은 존이 터널 탐험을 멈추기를 원했다. 학생들이 존과 관련하여 배운 모든 것들은 사실이 아니었다. 존을 제외한 모든 여우는 이미 그것을 알고 있었다.

이 말만 들어도 그는 간담이 서늘해져서 다시는 그곳에 가지 않겠다고 결심했다. 그는 온종일 너무 무서워서 손톱을 물어뜯기까지 했다. 그래서 그가 귀가했을 때, 모든 여우는 그가 손톱을 완전히 잃었다고 생각했다! '나는 절대로 거기에 가지 않을 거야!'라고 결심한 후에도 몇 시간 동안 두려움에 떨어야 했다.

운 좋게도, 뛰어난 성적 덕분에, 존은 17살에 졸업할 수 있었다. 그런데 학교를 떠난 후에도 존은 터널 및 터널과 관련된 다른 모든 것들을 두려워했다. 존은 제대로 겁을 먹었다.

한편, 아가타는 사람들에게 과학을 가르치고 있었다. 그러나 곧, 그녀는 지루해지기 시작했고, 그래서 그녀는 몇 분 동안 종교를 가르치기 시작했다. 그런데 갑자기 아가타가 과학을 가르치지 않고 종교를 가르치는 교실에 수석 공무원이 들어왔다. 공무원은 "다시 이런 짓을 하면 해고할 겁니다!"라고 말했다.

아가타가 물었다, "이런 짓이 뭔데요?" 공무원들의 우두머리는 "종교 가르치는 거요!!"라고 말했다. 아가타는 "알겠습니다."라고 대답했다 하지만 그가 떠나자마자 그녀는 다시 종교를 가르쳤다. 이런 점 때문에 인간들은 아가타 선생님을 제일 좋아했다. 아가타는 인간들이 매료될 만한 것이 없다면, 결국 그 속에서 아무것도 배우지 못하리라 생각했다.

인간들은 아가타를 너무 좋아한 나머지 그녀를 위한 '여우 동상'을 만들어주었다. 그녀는 여우 동상을 너무 좋아해서, 자신의 마법으로 여우 동상에 거의 모든 것을 말해주고 거의 모든 것을 도와줄 수 있는 주문을 걸었다. 그러고 나서, 그녀는 여우 동상을 극도로 긴 특별한 터널 안에 숨겼다. 이 터널에는 7백 개의 마법과 멈춤 장치, 화난 쥐와 같은 것들이 있었다. 하지만 그 오래된 건물 안의 어떤 것도 이런 비밀을 감추고 있는 것처럼 보이지는 않았다. 여우 동상을 숨긴 터널은 침실로 사용되던 방과 연결되어 있었다.

얼마간의 시간이 흐르자, 한때 잘 훈련되었던 이 인간들은 여우의 관점에서 다시 끔찍해지기 시작했다. 처음 몇 년 동안만, 인간들은 여우들이 돕거나 보호하지 않아도 스스로 잘 해냈다. 어쨌거나 인간들은 여우들이 이따금 거는 주문 덕분에 여우들 존재 자체를 잊어버렸는데, 이것은 이것대로 큰 문제가 되고 있었다.

한편, 먼 곳에서 론은 그가 인간을 만드는 데 사용했던 식물과 매우 비슷하게 생긴 다른 식물을 발견했다. 수년간의 연구 끝에, 그는 이 이상한 식물이 자신을 다른 생명체로 만든 식물이라는 것을 깨달았다. 론이 이 식물에 대해 싫어하는 게 하나 있다면, 그것은 인간이 된 후에는 여우였을 때 자신에게 무슨 일이 일어났는지 기억할 수 없다는 것이었다. 단지 이름만 기억날 뿐, 그의 기억은 식물을 가진 다른 인간의 기억으로 바뀌게 될 것이다.

론은 동물들이 항상 협동심을 우선시하기 때문에 새로운 시도를 잘 못한다고 생각했다. 더욱이 동물들은 너무 오래 살아서 뭔가를 서두르는 법도 없었다. 론은 이런 점들이 마음에 들지 않았기에, 유한한 인간으로 변하고 싶었다. 이것은 그의 인생에서 가장 어려운 결정 중 하나였다. 빨리 해결해야 하는 문제는 아니었지만, 론은 조금 서두르고 있었다. 그는 마침내 그가 무엇을 할지 결정했다! 론은 그냥 인간으로 변화시켜 수명을 줄여주는 씨앗을 먹기로 했다. 론은 여우들의 옛 속담 때문에 이 결정을 내렸다. 경험하기 전에 두려워하지 말라. "안될 건 뭐야?" 그는 작은 식물을 입에 넣으면서 혼잣말을 했다.

과거를 잊는 데 시간이 조금 걸리리라 생각했지만, 론은 틀렸다. 당시 시간은 12시 45분쯤이었고, 1시가 되자 그는 이미 기억 대부분을 잃었다. 그러나 존에 대한 기억이 매우 강했기 때문에, 식물조차도 그의 모든 기억을 지우기에는 충분하지 않았다. 그것만 빼면 그는 완전히 인간이었다. 딱 인간이 할 법한 생각과 행동을 할 것이다. 그의 마음속에 존을 싫어하는 강한 감정이 아직도 남아 있다는 것을 제외하고는 다른 사람들과 다른 것은 아무것도 없었다.

여우 왕국 안으로 돌아온 아가타는 종교 축제를 세 개씩이나 준비하고 있었다. 그러나 외출할 때 그녀는 제례 도구를 챙기는 것을 잊었다는 것을 기억해냈다. 하지만 시간이 늦었기 때문에, 아가타는 과일을 발견하자 곧 출발하기로 했다.

아가타는 축제에 참여한 사람에게 나눠주고 싶어서 과일 하나를 잡았다. 그리고 바로 그 순간, 덫이 그녀의 머리 위로 날아왔다! 그녀는 밖으로 나가기 위해 발버둥 쳤지만, 아무 소용이 없었다. 몇몇 사냥꾼들이 아가타를 데려갔다. 아가타는 두 가지 이유로 화가 났다. 첫째, 자신은 한때 인간 전체가 가장 좋아하는 선생님이었기 때문이고, 둘째, 아무것도 가져오지 못했기 때문이었다. 그리고 이제, 인간들은 그녀를 "동물원"이라고 부르는 장소로 데려가고 있었다

아가타는 동물원이란, 그게 뭐든 간에, 미친 동물들과 관련된 것이라고 들었다. 우연히 동물원에 갇히게 되자, 동물원에는 미친 동물들만 있는 것이 아니라는 것을 알게 되었다. 미친 인간들은 미치지 않은 아가타에게 물건을 던졌고, 자유와 사생활을 박탈했다. 생명의 존엄성 따위는 개나 줘버렸으며, 기타 끔찍한 일들이 많이 벌어졌다.

아무리 좋게 다시 생각해봐도 여전히 인간을 이해할 수 없었다. 불과 300년 전, 아가타는 가장 사랑받는 선생님으로 그곳에 있었다. 이제는 모두가 비명을 지르며 그녀에게 물건을 던진다. 그녀는 20마리의 다른 여우들과 1m 남짓 너비의 새장을 공유했고, 이는 여기서 아무런 문제가 되지 않았다. 아가타에게는 사생활이 전혀 없었다.

새로운 세상

2. 새로운 세상

아가타에게 이런 일이 일어나는 동안 론은 중년의 인간으로 변해 있었다. 여우에 대한 기억을 잃은 론은 사업가가 되었다. 론은 호텔을 지을 장소를 찾고 있었다. 그는 건물 하나를 신축하는 것에 대해서도 생각해 봤지만, 건물 짓는 법을 알지 못했다. 그는 고급 호텔을 지을 충분한 돈이 없었기 때문에 버려진 좋은 건물을 찾아야 했다. 바로 그때 그는 과학에 관한 책들과 무성한 오렌지색 털이 여기저기 널려 있는 건물을 발견했다. 그는 [인간훈련센터]라고 쓰인 작은 간판을 보지 못하고 재빨리 그곳을 훑어보고는 인수인계를 결정했다. 몇 달 후, 수리가 끝났고 론은 직원을 고용하기 시작했다.

존은 다시 터널을 탐험하려던 차에, 여우 왕국으로부터 특별 임무를 부여받았다. 존은 매우 슬퍼하였다. 그는 터널에 갈 수 없었고 대신 여우 동상을 찾기 위해 지루한 장소에 가야만 했다. 그는 어쨌든 이 임무를 수행하며, 개와 인간의 언어를 배울 수 있다는 것을 알아차렸다. 존은 새로운 언어를 배우는 것을 즐겼기 때문에 임무를 받아들였다. 존은 물론 그 동상이 왕을 위해 꼭 필요하다는 점도 잘 알고 있었다.

여우들은 존에게 한 달 동안 무엇을 하고, 말하고, 무엇을 해야 하는지를 가르쳤고, 그 후 존은 떠났다. 존이 처음 인간의 영역에 발을 들여놓았을 때, 그는 모든 것이 멋지다고 생각했다. 아무도 동굴이나 구멍에 살지 않았다. 성곽은 잔가지와 덤불로 지어지지 않았다. 모두가 옷을 입었다.

존은 그의 목적지인 큰 호텔에 도착했다. 표지판에는 모든 것이 개의 언어로 쓰여 있었다. 이상했다. 표지판엔 직원을 구한다고 쓰여 있었다.

"바로 이거야! 위장 취업! 이 계획은 효과가 있을지도 몰라."

존은 혼잣말했다. 먹힐 것 같다. 그는 직원이 되기 위해 머리를 굴렸다. 이 순간, 그는 호텔 직원이 되고 싶어 하는 엄청난 무리의 사람들과 마주쳤다. 그는 바지 지퍼를 올리고, 성안에서는 절대 입지 않아도 되는 벨트를 매었다. 바로 그때, 표지판을 다시 읽었다. 선착순 100명만 지원할 수 있다고 쓰여 있었다. 아마 입사 시험을 치러야 하겠지. 100명 정도라면 자기도 합격할 수 있겠다고 생각했다. 존은 취업생 무리를 바라보았다. 이 호텔에서 일자리를 얻기 위해 적어도 500명의 사람이 기다리고 있는 것처럼 보였다. 바로 그때 그는 다른 사람들이 모두 자기를 닮았다는 것을 알아차렸다. 평소라면 매우 이상한 일이었지만, 존은 이 임무를 무사히 수행해야 한다는 걸 알고 있었고, 그래서 이 이상한 일에 대해 깊이 생각하지 않았다.

"집중!!!"

뒤에서 우렁찬 소리가 들렸다. "호텔 주인 론 밀러입니다." 론은 5분 후에 직원을 추첨할 것이라고 말했다. 존은 안도의 숨을 크게 내쉬었다. 그는 호텔에 대해 아무것도 몰랐기 때문에 시험이라면 어떻게 대처해야 할지 몰랐다. 존은 보통 운이 좋지 않았지만, 추첨이 시험보다는 훨씬 더 좋았다. 앞으로 나가서 추첨용지를 한 움큼 집어 들고는 그중 한 장을 제외하고는 모두 털어냈다. 그는 론이 한 말을 곱씹어 보았다. 이상하게 그 말이 꼭 개의 언어처럼 들렸다.

'혹시?' 그는 어렸을 때 터널에서 이 사람들을 본 적이 있다는 것을 기억해냈다. 이제 그는 부모님을 찾을 수 있을지도 모른다고 생각했다! 아마, 이 임무는 그렇게 지루하지 않을 것이다. 그가 터널에서 본 것들이 정말 이 사람들이었다면, 아마도 언어가 바뀌었을 것이다. 이 사람들이 쓰는 언어는 학교에서 배운 개의 언어와 비슷했다. 잡념이 스며들었다. 걱정도 스멀스멀 다시 몰려왔다. 존은 개의 언어로 글을 쓰고 싶지는 않았다. 존은 개의 언어에 능숙하지 못했다. 존은 앞으로 자신의 직장에서 자판을 두드리거나 글을 쓸 필요가 없기를 바랐다.

그는 한숨을 쉬며 옆을 바라보았고 어떤 남자가 종이에 특이한 글자가 인쇄된 종이를 들고 있는 것을 보았다. 어떤 남자가 기뻐서 펄쩍펄쩍 뛰었다. 이것은 그가 합격했다는 의미였다. 존은 자기 손에 들려진 종이를 펴보았다. 같은 글자가 씌어 있었다. 그는 특이하게 보이고 싶지 않았기 때문에, 그 남자가 소리 지르던 것처럼 똑같이 소리 질렀다. 그는 이제 서류 작업을 거부할 수 있기만을 바랐다.

사장은 지나가는 모든 사람을 쳐다보았다. 신입직원들은 어두운 복도를 따라가서 근무복을 받았다. 존은 후드티를 입는 것도 불편한데 정장인 근무복을 입고 어떻게 살아남을지 한숨이 나왔다. 그는 자신에게 주어진 정장 바지와 정장 셔츠, 그리고 조끼를 내려다보았다. 그러고 나서 그들은 탈의실에 도착했다. 옷을 갈아입을 때, 존은 또한 넥타이와 재킷의 존재를 알아차렸다. 옷은 대부분 검은색이었지만 셔츠는 흰색이었고, 조끼와 넥타이는 모두 회색이었다. 존은 여우들에게 배운 덕분에 모든 것을 올바르게 입었지만, 넥타이만큼은 손목에 묶는 실수를 했다. 그래도, 다른 사람들이 넥타이를 올바르게 매는 것을 보자마자 재빨리 고쳐 매었다.

그러고 나서 그들은 모두 줄을 섰다. 존은 글을 쓸 수 없다고 몸으로 말하려 했지만, 론은 그를 뚫어지게 쳐다보기만 하고 노트에 뭔가를 휘갈겨 썼다. 존의 기이한 행동으로, 론은 존이 외국인이라는 것을 깨달았지만, 어찌 된 일인지 론은 존을 힘들게 하고 싶은 강한 의지를 느꼈다.

론은 신입직원들에게 내일 아침에 앞으로 할 일을 알려줄 것이며, 그들이 할 일에 따라 급여는 달라질 수 있다고 쩌렁쩌렁 말했다. 존은 급여가 무엇을 의미하는지 몰랐기 때문에 두 번째 부분은 신경 쓰지 않았다. 그러나 론이 말한 첫 번째 부분을 해석해 보자면, 오늘 밤 묵을 곳이 필요하다는 것이었다.

다른 직원들은 머물 집이 아주 가까웠지만, 존의 성은 걸어서 3시간 이상이 걸리는 먼 거리였다. 그곳을 왕복하는 데는 너무 많은 시간이 걸릴 것이다. 그의 취침 시간은 보통 오후 3시였고, 그는 새벽 2시에 일어났다. 다른 여우들처럼 말이다. 그는 시계를 보고 나서 잠자기 전에 30분밖에 없다는 걸 깨달았고, 숙면을 위해 나무 뒤로 가서 나뭇잎을 푹신하게 깔고, 공처럼 둥글게 웅크렸다.

다음 날 아침, 존은 일어나서 호텔로 달려갔다. 그가 도착했을 때, 그는 새로운 표지판을 보았다. 그는 이 표지판을 읽는 것을 도와줄 사람을 찾았지만, 어떤 이유에서인지 오전 2시에는 아무도 나오지 않았다. 존은 그저 앉아서 누군가가 와서 그를 도와주기를 기다렸다.

마침내, 몇 시간의 기다림 끝에, 6시에 한 노인이 왔다. 존이 어색한 억양의 개 언어로 물었다. "이 표지판에 뭐라고 쓰여 있는지 아세요?" "물론이지! '호텔은 오전 8시에 문을 엽니다.'라고 씌어 있네." "감사합니다." 노인은 갑자기 그에게 다른 나라에서 왔는지 물었다. 존은 '국가'가 무엇을 의미하는지 확신하지 못했지만 "네."라고만 말했다. 노인은 수긍하며 길을 떠났다.

존은 자신이 제대로 답을 한 것처럼 느꼈다. 앞으로 만약 누군가가 그의 억양에 대해 지적한다면, 그는 다른 나라에서 왔다고 말할 것이다. 시계를 보았다. 7시 43분을, 터널에서 주워온 오래된 시계가 가리키고 있었다. 이는 호텔에서 임무를 배정받을 때까지 아직 17분이 남아있다는 것을 의미했다. 그러고 나서, 그가 생각을 마치자마자, 시계는 8시를 가리켰고 사람들은 잔디를 가로질러 호텔로 달려가기 시작했다.

존도 호텔 안이 더 따뜻하다는 것을 알았기 때문에 덩달아 뛰기 시작했다. 곧, 모든 사람이 호텔 안으로 들어갔다. 그리고 몇 분 후, 론은 방으로 들어가 모두를 바라보며 큰 소리로 말했다. "업무를 알려 드리겠습니다." "네~~" 모두가 동시에 아우성쳤다. 론은 직원들의 업무를 발표했고, 존은 접객 업무를 맡았다. 존 또한 자신의 이름이 적힌 갈색 이름표를 받았다.

먼저, 그는 문서 작업을 많이 해야 하는 사무실에서 일할 필요가 없다는 것에 기뻐했지만, 앉자마자, 잘 모르는 단어가 난무하는 9통의 전화를 받아야 했다. 게다가, 한 남자가 찾아와서 자신만을 위한 7개의 방을 요구했고, 존은 그것을 감당할 수 없었다. 이런 고객들이 거의 매 순간 찾아와서 그는 정말 피곤했다. 그는 또한 몇 가지 서류 작업을 해야 했다. 반면 그와 함께 일하는 다른 9명의 사람은 훨씬 일이 수월했다.

바로 그때, 존은 산책하는 한 가족을 보았다. 아이가 다친 것 같았다. 존은 한숨을 쉬었다. 그는 심지어 그의 부모님이 누군지도 몰랐다! 그러고 나서 그는 '왜 나는 부모님이 없을까?'라고 자문했다. 자신을 의심할수록 존은 더욱 침울해졌다.

점심시간이 시작되었을 때, 존은 테이블에 앉았다. 수저를 다루기가 힘들었고, 음식도 매우 달랐다. 존은 호텔에 여우 먹이는 없는지 살펴보고 싶었다. 존은 또한 이상한 것도 보았다. 모두가 개를 가지고 있었다! 그것도 모두 사람보다는 작은 개를 키웠다. 근무하는 동안, 존은 이런 것들을 계속 보았다.

모든 일이 끝난 후, 론은 존에게 전화를 걸어 매니저용 스위트룸에 머물 것인지를 물었다. 그러자 존은 무슨 말을 하려는지 생각도 하지 않고 매니저의 스위트룸이 무엇이냐고 물었다. 론은 그에게 잠을 잘 수 있는 곳이라 말했다. 론은 존의 태도가 좀 기이하다고 생각했다. 존은 스위트룸에 머물겠다고 했고, 론은 그를 방으로 안내했다.

'청소 좀 해야 할 것 같네.' 존은 생각했다. 그의 방에는 찬장, 침대, 침대 옆 테이블, 미니 냉장고, 전자레인지, 그리고 작은 커피 내리는 기계가 있었고, 둥근 테이블과 두 개의 의자가 있었다. 그리고 구석에는 작은 샤워 부스, 그 옆에 화장실과 싱크대가 빽빽이 들어차 있었다. 청소를 마친 후, 존은 재빨리 샤워했고, 잠에 빠졌다.

다음날 퇴근 후 존은 자신을 위한 선물을 사려고 마음먹었지만, 아무것도 구하지 못했다. 가게에 갔을 때 가게에서 일하는 사람은 물건을 사려면 돈이 필요하다고 했다. 대신 여우 역사책을 읽기로 했다. 그 책은 존이 성에서 발견하고 가져간 것이었다. 여우 역사책은 매우 두꺼웠는데, 여우의 역사에서 일어난 모든 일이 스스로 기술되는 책이었다. 존은 73페이지까지 읽고 나서 그 위에 금 책갈피를 꽂고 잠을 잤다.

존은 자기가 가서 여우 동상을 찾지 않으면 왕이 죽을 수도 있다는 걸 알고 있었지만, 지금까지는 동상을 찾으려고 노력하지 않았다. 그래서 이제부터는 그 동상을 찾는 데만 집중하기로 했다. 그는 목요일마다 연차를 쓰고, 터널을 찾으려고 노력했다.

어느 날 호텔을 둘러보려는데 론이 들어와서 목요일에는 왜 출근하지 않냐며, 그들은 일손이 필요하다고 말했다. 존은 혹시 여우 동상을 직장에서 찾을 수 있을지도 모른다고 느껴서 다시 목요일에도 출근하기로 했다. 그러고 나서 달력을 보니, 오늘은 목요일이었다! 그는 근무복으로 갈아입고 운동화를 신었다. 그러고 나서, 일을 시작했다. 그날, 일이 늦게 끝났고 그는 9시 30분에 잠자리에 들었다.

따르릉! 1시 37분이었지만 존은 일찍 일어난 이유가 있었다. 그는 한밤중에 산책했다. 그는 한 시간만 걸으면 이렇게 일찍 문을 연 가게에 가서 온갖 물건을 살 수 있다는 것을 알고 있었다. 그것들은 모두 마법의 물건들이었다. 그는 책에서 그와 닮은 생명체를 인간이라 부르는데 인간들은 마법의 존재를 모른다는 설명을 읽었다. 존은 그것이 이상하다고 생각했다. 그는 〈극한의 마술을 하는 법〉이라는 책과 지팡이를 손에 넣었다.

호텔에 되돌아온 그는 약간의 마법을 사용하려고 했지만 이미 마법 주문이 잔뜩 걸려 있어서 마법을 사용할 수 없었다. 존은 포기하고 자신을 위해 레모네이드 한 잔을 만들었다. 충분히 행복했다.

이렇게 즐겁게 지내고 있던 존과 달리 아가타는 동물원 안에서 다른 동물들과 우울한 시간을 보내고 있었다. 어느 날, 우리 안에 갇혀있을 때, 그녀는 한 생명체가 그녀 근처에서 걸어오는 것을 보았다. 그 생명체는 구멍을 파고 있었다. 처음에, 그녀는 혼자 있는 것이 그나마 다행이라고 생각했지만, 그 후에 아이디어가 생겼다. 땅굴! 그것이 동물원을 탈출하는 가장 쉬운 방법이었다.

아가타는 계산하기 시작했다. 마법을 쓸까도 생각했지만, 혹시라도 들킬지도 모른다는 생각에 머리로 계산을 계속했다. 그녀의 우리에서 문까지 거리는 대략 12m가 될 것이다. 그녀는 1분에 1.1m를 파낼 수 있었기 때문에 가는 데 11분쯤 걸릴 것이다. 그녀는 음식 한 보따리를 들고 땅을 파기 시작했다. 반쯤 왔을 때, 침대에 쓸 이끼를 가지러 돌아가야 했다. 하지만 그녀는 군중 속으로 나갈 수 없었다. 왜냐하면, 발각되면 아마 사람들은 그녀를 다시 동물원에 가둘 것이기 때문이었다.

그녀는 이제 제법 인간 전문가였기 때문에 3시에서 3시 30분 정도가 탈출하기에 가장 좋은 시간이라는 것을 알고 있었다. 그래서 2시 45분에 그녀는 일어났다. 그러고 나서 그녀는 자신이 여우 왕국과 매우 가깝다는 것을 깨달았고, 여우 왕국 근처에 도착했을 때, 그녀는 내부에 인간의 그림자가 어려있는 호텔을 보았다! 그녀는 그 호텔이 인간 훈련소와 같은 건물이라는 것을 보고 꽤 놀랐다.

아가타는 밖에서 밤을 보내기로 하고 이끼를 땅에 내려놓고 잠을 잤다. 그녀가 깨어났을 때, 그녀는 곧장 성으로 갔다. 왕은 그녀를 보고 매우 놀랐다. 그가 "아니 무슨 일이 생긴 게냐?"라고 물었다. 아가타는 왕에게 상황을 아뢰었고 그는 인간들이 여우를 홀대하는 것에 분노했다. 그러고 나서, 아가타는 개들이 어떻게 인간들로부터 그렇게 좋은 보살핌을 받았는지에 대해서 이야기했다.

왕은 갑자기 의자에서 일어나, "존은 잘 지내고 있는지 궁금하다. 존이 동상을 손에 넣으면, 우리는 개들과 싸울 수 있으니까!"라고 말했다.

존은 그날 몸 상태가 좋지 않았다. 그는 매우 심한 감기에 걸렸고 손님들과 힘든 하루를 보냈다. 다음 날 아침, 그는 여우 동상을 찾아 헤맸지만 찾을 수 없었다. 그래도 그는 포기하지 않고, 다시 날이 밝아지는 대로 수색을 시작했다. 바로 그때, 존은 터널을 발견했다. '여우 동상이 여기에 있겠지!' 그는 기뻐하면서도 좀 쉬고 싶어서 여우들에게 터널의 위치를 찾았다고 말하고(마법을 써서 이렇게 했다), 곧 탐험하겠다고 스스로 말하고는 잠을 청했다.

다음 날은 일요일이었고, 존은 숲으로 산책하러 가기로 했다. 걷는 동안 그는 피로를 느끼기 시작했고 눈꺼풀이 나른해졌지만, 동시에 등골이 오싹해지는 느낌도 들었다. 어떤 이유에서인지 그는 죽을 정도로 무서웠고 알 수 없는 이유로 소름이 끼쳤다. 그는 집으로 돌아가기로 했다. 그가 방에 도착했을 때, 그는 그 숲에 관한 생각을 떨쳐버릴 수가 없었다. 왜냐하면, 그것은 그에게 왠지 안개가 끼고 나른한 느낌을 주었기 때문이다. 그는 그가 언제든지 그곳에 갈 수 있다는 걸 알았지만, 그럴 때마다 강한 감정이 그를 엄습했다. 그것은 그가 무시할 수 없는 감정이었다. 그는 그 강한 감정을 매일 반복해서 느꼈다.

다음 날, 그는 누군가와 이것에 관해 이야기하고 싶어서 론의 사무실로 갔다. 존이 그의 기분을 말했을 때, 론은 무심코 미소를 지으며 존에게 말했다.

"저쪽에 뭔가 있을 것 같진 않은데. 거기에 들어갈 수 없거나 들어가면 안 될 이유는 딱히 없어."

그러자 존이 말했다.

"너무 무서워서 못 가겠어요. 무언가가 나에게 그곳에 들어가지 말라고 계속해서 경고하고 있어요."

론은 웃으며 말했다.

"이리 와. 네가 그렇게 겁이 난다면, 나는 기꺼이 너와 함께 가줄게. 괜찮을 거야."

"정말요?"

존이 다시 물었지만, 론은 그때 대답이 없었다.

"이러한 감정이 사라질 때까지 그곳에 절대 가지 않겠다고는 말 못 하겠어요. 아무도 내가 왜 이렇게 느끼는지, 얼마나 오래 갈지 알 수 없어요. 쉽지 않아요…."

론은 존에게 미소를 지으며 그의 등을 토닥였다.

"어쨌든 감사합니다."라고 존은 말하고는 그의 방으로 걸어갔다.

아마도 론의 말이 옳았을 것이다. 두려움에 확신이 드는 것은 아니었지만, 존은 단지 그 오싹한 감정을 믿었을 뿐이었다. 그는 창문을 바라보다가 한숨을 쉬었다. 존은 너무 무서워서 산책조차 힘든데 왜 여우들이 그에게 그렇게 중요한 임무를 맡겼는지 이해하지 못했다. 존은 또한 론의 말을 들어야만 하는 것이 유감스러웠다.

바로 그때, 존은 좋은 생각이 떠올랐다. 론이 시를 좋아한다는 것을 알았기에 그에게 작은 시집과 신문을 사주기로 했다. 시집과 신문을 사서 돌아오는 동안, 존은 신문을 읽었다.

신문 첫 장에 대문짝만하게 다음과 같이 씌어 있었다.
〈근처 숲에서 보고된 살인 사건〉.

존은 이제 그 두려운 감정을 신뢰해야 한다는 것을 깨달았다. 그는 론도 이 사실을 알기를 원했다. 만약 론이 이 사실을 모른다면, 론은 숲으로 갈지도 모른다. 존은 사무실에 책과 신문을 내려놓았다.

론은 복도를 확인한 후에 복도를 따라 그의 사무실로 걸어가서 무언가를 보았다. 그것은 존이 준 선물이었다. 론은 책상 위에 책을 내려놓고 신문 먼저 읽기 시작했다. 그는 5초 후에 종이를 떨어뜨리고 신음했다. '존이 알아차렸을 수도 있을까? 그랬을 리는 없겠지.' 론은 충격을 받고 진정하려고 애썼다. 아무도 알 수 없다는 걸 알았기 때문에 진정하는 것이 어렵지는 않았다. 기사에 적힌 희생자들은 사실 모두 론에게 최면이 걸려 서로를 죽였던 것이다!!!!!

한편, 여우 왕국의 지하 감옥에서 벤은 이 오래된 감옥을 탈출할 방법을 생각하고 있었다. 그는 이 무시무시한 지하 감옥에 창문이라도 있었으면 좋겠다고 생각했다. '창문이 있다면 탈출하기가 수월할 텐데!' 벤은 모두가 하루 동안 감옥 밖으로 나가는 '그날'을 기다릴 필요가 있다는 것을 알았다.

그는 일주일 후에 그날이 오리라는 것을 알았고 그는 탈출할 수 있을 것이었다. 탈옥에 실패하면 무척 가혹한 결과가 기다리고 있으므로 죄수들은 아무도 감히 탈출할 수 없었다. 벤은 탈출이 꼭 불가능한 것만은 아니라는 것을 증명하고 싶었다. 마침내 '그날'이 되어, 말하자면 길지만, 벤은 '가까스로' 탈출했다.

그는 근처에서 결혼식이 진행되는 것을 보고 그곳에 숨었다. 곧, 그는 아가타와 그녀의 남편이 결혼식을 올린다는 것을 알게 되었다. 그 결혼식 직후, 그는 들키지 않고 움직이는 방법을 계획하기 시작했다. 그는 위험을 느꼈다. 몇몇 경찰들이 그를 쫓고 있는 것 같았다. 그는 재빨리 덤불 아래로 몸을 피해서 그들이 사라지는 것을 볼 때까지 그곳에 숨었다.

벤은 1년, 10년, 심지어 영원히 숨어 있어야 한다는 것을 알았지만, 매우 행복했다.

그는 물 한 방울도 가져오지 않았고 그 어느 때보다 걱정이 많았다. 그는 바다가 어디에 있는지 기억하려고 노력했다. 그는 바다에서 물을 모으는 방법을 알고 있었고, 그가 조개와 물고기를 찾을 수 있다는 것을 알았기 때문에 그가 해야 할 일은 바다가 어디에 있는지 알아내는 것뿐이었다. 그러고 나서, 그는 정오까지 바다에 도착할 수 있기를 바라며 바다로 떠났다.

어쨌든, 벤이 바다로 가는 동안, 존은 소풍을 위해 점심을 싸고 있었다. 그는 바구니 안에 샌드위치와 레모네이드 한 병을 넣었다. 그는 휘파람을 불며 해변으로 갔다. 그는 약 1km를 걷다가 멈췄다. 신선한 공기가 그의 뺨에 닿아 빨갛게 되었다. 그러고 나서, 그는 바다 주변을 걷기 시작했다.

그렇게 한참을 걸은 후에 그는 벤치 쪽으로 가서 레모네이드를 한 모금 마셨다. 해변은 매우 조용했다. 바로 그때, '한 여우'가 나타났다. 그는 그를 쳐다보기만 하고, 그가 말을 하기도 전에 도망쳤다. 소풍이 끝난 후에도 존은 여전히 그 기분을 떨쳐버릴 수가 없었다. 아무것도 정상으로 보이지 않았다. 그는 그 여우를 다시 생각했다. 그는 존을 아는 것처럼 보였다.

한편, 바다로 돌아온 벤은 존에 대해 생각하고 있었다. 그는 존이 자기가 만든 생명체라는 걸 알아봤다. [그 사람은 잘못 만들어졌다!] 벤은 자기가 존을 좋아하지 않는다는 느낌이 들었는데, 사실이었다. 그는 그를 망쳤기 때문에 그를 전혀 좋아하지 않았다. 벤은 존을 혐오했다.

그러고 나서 벤은 론이 어디에 있는지 궁금해했다. 벤은 론이 도망쳤다는 것만 기억하고 있었다. '론은 이 근처 어딘가에 있겠지.' 바닷가로 밀려온 조개를 집어 들며 생각했다. 그러고 나서 그는 나무줄기를 다른 나무 위에 놓고 조개들을 그 아래에 놓았다. 이걸로는 일주일 정도만 버틸 수 있어서, 나무를 더 많이 모을 필요가 있었다.

그러면서도 벤은 론이 갔던 곳에서 마음을 돌리려 했을 뿐 아니라, 존에 대한 모든 분노로부터 마음을 돌리려 했다. 그가 조개를 채집할 즈음엔, 그를 걱정시켰던 이 모든 게 더 나아 보였다. 그러나 멈춰야 한다고 느낀 순간, 그 감정이 다시 그를 엄습했다. 벤은 자신을 덮치는 이 피곤한 감정을 없애기 위해 무엇이든 할 수 있을 것 같았다. 글쎄, 아무것도 아닐 수도 있어.

벤은 작은 칼을 만들기 위해 돌을 잡고 몇 번 갈았다. 그 후, 작은 나무토막을 가져다가 그 안을 컵으로 사용할 수 있게 칼로 파냈다. 마침내, 마무리 손질하기 시작했다. 땅에 구멍을 파고 컵을 안에 넣었다. 이렇게 하면, 비처럼 깨끗한 물이 컵을 채울 수 있었다.

그리고 이렇게 한 후에 불을 붙이려고 했다. 이 일은 매우 힘들었다. 그는 돌을 함께 으깨고 두 개의 막대기를 함께 문지르며 거듭 시도했지만, 불꽃은 거의 일어나지 않았다.

벤이 고군분투하는 동안, 존은 계산대에서 일하고 있었다. 일이 점점 힘들어지고 있었다. 처음에 그는 계산대에서만 일했다. 그러다가 그는 서류와 전화를 다루는 일을 했고, 때때로 체크인을 도와주기도 했다. 일주일 후, 존은 점심때까지 계산대에서 일했고, 그 후 그의 마지막 두 시간 동안 일을 했다. 나머지 시간은 대부분 메인 홀에서 보냈고, 그는 그곳을 청소했다. 그는 또한 엘리베이터를 청소했다. 그뿐만 아니라 부엌에서 설거지하고 바닥을 닦으며 30분을 보냈다. 좋은 음식은 직원들에게 제공된 적이 없었고, 지금까지 최고의 음식은 남은 마카로니였기 때문에, 그는 종종 식당에 가서 식사했다.

그래도 호텔 자체는 아주 좋은 곳이었다. 이 20층짜리 건물은 두 구역으로 나누어져 있었다. 아래 다섯 층은 직원들을 위해 사용되었고, 다른 층은 고객들을 위해 사용되었다. 각각의 스위트룸은 똑같이 생겼지만, 방들은 그렇지 않았다. 벽에 각각 다른 그림이 그려져 있고, 각 층의 마지막 방은 수영장, 건강 센터, 놀이방 등으로 사용되었다는 것을 제외하면 거의 비슷해 보였다. 손님들을 위한 건물 안의 식당은 비싼 음식이 있는 좋은 장소였다. 손님들이 비싼 음식을 전부 차지하기 때문에, 직원들은 상한 음식을 먹어야 한다고 존은 생각했다.

유일한 문제는 현재 이 건물에 30명의 일꾼만 남아서 (거의 퇴사했다!) 대부분의 일을 그가 해야 한다는 것이었다. 그래서 그는 매우 피곤했다. 퇴근 후 그는 너무 노곤해서 바로 잠을 잤다.

한편, 벤은 집을 짓기 위해 노력하고 있었다. 그는 개울에서 통나무를 모은 후 덩굴로 엮어 나무 바닥으로 사용했다. 그러고 나서 그는 지붕을 올려 다시 한번 덩굴로 연결했다.

이렇게 한 달 동안 작업 끝에, 너비 180cm의 나무 침대와 탁자, 의자가 있는 집이 완성됐다. 화장실은 나뭇잎이 휴지로 사용되는 깊은 구멍에 불과했지만, 그는 스스로 그것을 지었다는 것에 자부심을 느꼈다.

어느 날, 의자에 앉아 있는 동안, 벤은 좋은 생각이 떠올랐다. 이곳을 아는 사람은 거의 없지만 훌륭하다. 아마도 내가 여기서 멀리 떨어진 다른 곳에 간다면, 사람들로부터 숨을 필요가 없을 것이고, 게다가, 살아남기가 더 쉬울 것이다. 그래서 그날 그는 집의 두 배 정도 크기의 거대한 뗏목과 함께 거대한 물탱크와 식량 탱크를 만들어 집 밑으로 미끄러뜨렸다. 그리고 여분의 공간에, 그는 음식과 물탱크를 놓았다. 그러고 나서, 그는 나뭇잎과 구부러진 나무를 바느질하여 돛을 만들었다. 그는 지금은 보트가 된 뗏목을 바라보았다.

자신이 이곳을 떠나는 것이 조금은 이상하다는 생각도 들었지만, 쫓기지 않는 것도 다행이라고 생각했다. 그는 천천히 배를 밀고 돛을 올렸다. 바로 그때, 그는 걱정을 시작했다. 만약 바다에 폭풍이 분다면? 만약 그의 보트가 산산조각이 난다면? 벤은 보트에 올라 돛을 올리면서 그저 잘 되기를 바랄 뿐이라고 생각했다.

그는 바다로 나가서 물을 만졌다. 정말 즐거운 하루였다. 구름이 파란 하늘을 흐르듯 지그재그로 춤추며 그를 향해 떠가고 있었다. 모든 것이 완벽했다. 몇 분 동안 하늘을 본 후, 그는 약간 배가 고파지기 시작했고, 그래서 간식을 들고 그가 만든 보트 위에 올라타, 그의 집 안으로 들어갔다.

벤은 긴 여행을 준비하기 위해 잠을 자야 한다고 생각했지만 잠이 오지 않았다. 100번째 양을 세고 난 후, 그는 마침내 잠이 들었다. 그러나, 그는 오래 자지 못했다. 왜냐하면, 폭풍우가 배를 뒤집었기 때문이다. 그는 뒤집혀서 배 주위에 내던져졌다. 다행히도, 몇 분 후에, 폭풍은 멈췄다.

여우 왕국으로 돌아온 아가타는 남편과 이야기를 나누고 있었다.

"갇혀있던 동물원으로 돌아가야 할 것 같아. 만약 내가 인간 문화에 대해 더 많이 알게 된다면, 여우 왕국의 상황을 개선할 수 있는 몇 가지 단서를 찾을 수 있겠지? 다른 정보도 캐내고……."

그러자 그녀의 남편이 걱정스러운 얼굴로 말했다.

"당신을 또다시 그 위험한 곳으로 보낼 수는 없어. 여기서도 얼마든지 나라를 발전시킬 방법을 생각해 볼 수 있고!"

아가타가 남편에게 말했다.

"또 다른 이유가 있어요. 모든 게 너무 잘 굴러가는데… 사실 난 너무 싫증이 나. 누가 알아요? 어쩌면 여우 동상 대신 다른 치료법을 찾을 수 있을지도 몰라."

"하지만…"
아가타가 말했다.
"여보~ 내가 가지 않길 바란다면, 그건 왕의 병이 낫는 것, 나라가 번영하는 것, 그리고 내가 행복해지는 것을 원하지 않는다는 말인데~!!!"

"휴. 알겠어." 남편이 신음하며 말했다.
"그럼 마법을 써서 하루에 두 번씩 나에게 말을 걸어야 해! 연락이 필요한 거 알잖아. 긴급 상황일 때도 그렇게 해. 알았지?"
"알겠어요. 뒤치다꺼리가 어려우니, 아이들은 조부모님 댁에 맡겨요."
"응, 언제 출발할 거야?"
"내일."
"오키. 내가 애들은 데려다줄게."

다음날 아가타는 일찍 일어나서 비를 맞으며 샤워를 했다. 그러고 나서 그녀는 지난번에 인간들에게 잡혔던 바로 그 장소로 훌쩍 떠났다. 그 근방을 어슬렁거리는데, 역시나 이번에도 아가타의 머리 위로 덫이 날아왔다. 사람들은 짧은 이야기를 나누고 나서 그녀를 그녀가 전에 있던 동물원으로 옮겼다.

그녀가 들어서자 썩은 회향과 질퍽한 양배추 냄새가 다시 한번 그녀를 맞이했다. 그녀는 그것이 끔찍하다고 생각했지만, 여기 어딘가에서 좋은 것들을 찾을 수 있다는 것도 알았다.

그녀는 사육사들의 이야기에 귀를 기울였다. 그녀가 도망치는 것을 막기 위해 그들이 바닥을 바꾸려는 것처럼 들렸다. 이것은 그녀가 임무를 완수해도 결코 탈출할 수 없다는 것을 의미했다. 그녀는 단지 한 시간 전에 이곳에 왔기 때문에 그것이 별로 중요하지 않다는 걸 알았다. 그녀의 주된 목적은 그들이 인간 문화로부터 무엇을 얻을 수 있는지를 보는 것이었고, 그래서 그녀는 그들의 이야기를 들을 필요가 있었다. 그들은 보통 동물원 우리 근처에 있는 건물 안에서 이야기했다. 그래서 창문이 열려 있을 때마다, 그녀는 인간 사육사들이 나누는 모든 이야기를 들을 수 있었다.

첫째 날에는, 사육사들이 아가타를 수치스럽게 할만한 특별한 대화를 나누지 않았다. 하지만 다음날, 사육사들은 인간의 규칙 및 다른 것들에 대해 더 많이 이야기했다. 그리고 아가타는 사람들이 돈에 대해 어떻게 생각하는지를 제외하고는 대부분 규칙에 있어서 큰 차이가 없다고 생각했다. 여우 왕국에서는, 아무도 돈을 사용하지 않았다. 인간은 모든 일을 돈으로 처리했다. 그녀는 이것이 꽤 흥미롭다고 생각해서 다시 집중해서 들었다.

이번에 그들은 전쟁에 관한 것들을 말했다! 아가타는 다시 한번 생각했다. 한 사육사는 폭탄이 전쟁에서 승리하는 데 확실히 도움이 될 수 있다고 말했지만, 다른 한 명은 폭탄 때문에 전쟁이 다시 일어나면 아무것도 존재할 수 없을 것이라고 말했다. 아가타는 폭탄이 무엇인지 몰랐지만 그들의 대화로 볼 때 그것은 아마도 매우 위험한 것이었다. 아마도 그들은 새로운 규칙을 만들어 봐야 할 것이라고 아가타는 생각했다. 그러고 나서 그녀는 잘못된 많은 규칙을 고치는 것이 어려울 것을 알았기 때문에 다시 한번 심사숙고했다. 그녀는 조금 피곤하다고 느껴서 잠을 잤다.

그날 밤, 그녀는 생각했다. '인간은 멋진 조각상에서부터 전쟁을 위한 치명적인 도구에 이르기까지 무엇이든 창조하는 것을 좋아하는 동물이다. 만약 그들이 다른 나라들의 규칙을 조금 수용한다면, 골치 아픈 새로운 규칙을 생각할 필요가 없을 것이다.' 아가타는 자기 생각이 상당히 마음에 들어서, 여우 왕국으로 돌아가서 이걸 정리해서 발표해야겠다고 생각했다.

그래서 밤에 아가타는 깊은 땅굴을 파고, 그 땅굴을 통해 기어갔다. 그녀는 무언가에 부딪힐 때까지 점점 더 깊이 들어갔다. 그녀는 무언가를 다시 만져봤는데, 사육사들이 땅에 전기 패드를 설치했다는 것을 알아냈다.

이제 또 다른 문제가 생겼다고 아가타는 생각했다. 그녀는 마법을 사용해 날 수 있었지만, 그녀는 인간이 밤에도 활발히 돌아다닌다는 것을 알고 있었다. 그녀는 새와 전혀 달라 보여서, 모든 인간이 알아차릴 수 있을 것인데, 그것은 큰 문제로 바뀔 수도 있었다. 그녀는 순간이동도 할 수 있었지만, 그것은 매우 어려운 일이었고 그녀에게 너무 위험했기 때문에, 잘하지 못했다.

이것은 정말 긴급한 상황이었다. 아가타는 마법을 써서 재빨리 남편에게 연락을 취해 말을 걸었다. 아가타는 그에게 임무는 끝냈으나 동물원에 갇혔다고 말했다. 그녀의 남편은 그가 그녀를 구할 방법을 찾아내려고 노력은 하겠지만, 아직은 뾰족한 수가 생각나지 않는다고 했다.

하지만 사실, 그 당시에 그는 친구들과 스키를 타며 수다를 떨고 있었다. 그녀의 남편은 친구들에게 "문제가 생겼어. 아내가 동물원이라는 곳에 갇혔대. 너희가 나 대신 아내를 구하러 갈 수 있겠어?" 물었고, 그의 친구들은 흔쾌히 아가타를 구하러 떠났다.

그때 존은 아가타가 있는 동물원 근처를 산책하고 있었다. 아가타를 보자 여우를 보게 된 것이 너무 반가워서 그는 즉시 동물원 표를 샀다. 그리고 곧장 여우 우리로 가서 물었다. "어쩌다 여기 갇힌 거예요?" 존을 한눈에 알아본 아가타는 그에게 그녀가 어떻게 여기에 왔는지 압축해서 설명했다. 그리고 그녀는 빨리 탈출해야 한다고 말했다. 그러자 존이 그녀에게 말했다. "제가 근무 중인 호텔이 이곳을 매입해야만 탈출할 수 있겠는데요? 나는 상사가 이 동물원을 사도록 노력해 볼게요, 우린 계속 연락해요. 아, 제가 조각상 찾는 걸 도와주시겠어요?"

아가타는 "무슨 조각상 말하는 거지?"라고 물었다. 존은 "당신이 먼저 뭔가 말해주지 않으면 나는 당신에게 말할 수 없어요. 어떻게 인간과 개의 언어가 바뀌게 된 거죠?"

아가타는 잠시 망설이다가 이야기를 시작했다.
"한때 개들은 몸이 약해져서 회의를 열었어."

****

"우리는 인간과 친구가 되어야 해요." 개들이 말했다.
"인간은 귀여운 동물을 좋아합니다. 자, 거울을 보세요. 귀여워요? 정답은 [아니다]예요. 그래서 우리를 귀엽게 만들어 줄 누군가가 필요합니다!"

그러자, 다른 신하는 여우가 모두 마술을 할 수 있지만, 그중에서도 공무원들이 최고라고 말했다!

"여우 공무원들은 세상에 존재하는 거의 모든 종류의 마술을 할 수 있습니다. 그래서, 다 자란 여우들은 4시에 일어나서 6시에 잠을 잡니다. 아이들에 대해서는 잘 모르겠지만, 그들의 일상은 아마 똑같을 거예요. 그들이 자고 있을 때 우리가 가면, 우리는 그들을 납치할 수 있을 거예요."

모든 개 부족 구성원들이 그 결정에 동의했다. 그래서 바로 그날 밤, 시계가 6시를 가리키자마자, 개들은 여우 왕국 안으로 몰래 들어가 마법의 불꽃처럼 보이는 것들을 보았다. 1시 39분이 되었을 때 그들은 마법의 불꽃이 튀고 있는 곳에 도착했다. 곧, 그들은 그 건물에서 유니폼을 입은 많은 여우를 보았다. 그들은 그중에서 가장 가벼워 보이는 여우를 납치했다. 왜냐하면, 다른 여우들은 모두 자고 있어서 조용히 여우를 납치해 개 부족으로 데려가야 했기 때문이었다. 이 일을 하는 동안, 시간이 꽤 흘렀다. 지금은 2시였다. 그리고 그들이 밖으로 나가려 할 때, 그들을 염탐하던 작은 여우 아기가 개들이 여기 있다고 말했다.

그리고 곧, 여우 왕국 모두가 깨어났고, 개들을 쫓아갔다. 그러자 개들은 여우 공무원을 호위한 채 전속력으로 자기 부족으로 돌아갔다. 돌아와서, 개들은 그 공무원에게 그들을 귀엽게 만들어 달라고 부탁했고, 만약 그가 그렇게 하지 않는다면 죽이겠다고 협박했다. 여우 공무원은 자신이 살아야 한다고 느꼈고 그래서 이 공무원은 개들을 모든 동물 중에서 가장 귀여운 동물로 만들고 도망쳤다.

그러고 나서, 달라진 외모에 감명을 받아, 개들은 귀여운 포즈와 사랑스러운 얼굴을 만드는 방법을 독자적으로 연구하기 시작했다. 이제 개들은 인간의 세계로 갈 필요가 있었다. 운 좋게도, 그들 중 한 명은 인간 세상으로 가는 길을 알고 있었다. 모든 거리에 인간이 있었기 때문에, 개들은 인간 세상에 있다는 것을 실감했다. 개들은 행동을 취했고, 곧 귀여운 포즈를 시도했다.

그리고 몇 년 후, 인간들은 마침내 개들과 친구가 되기 시작했다. 그 시간 동안 인간은 개 언어를 사용하기 시작했고 개들은 인간 언어를 쓰기 시작한 것이다.

****

존은 이야기를 다 듣더니, 아가타에게 말했다.
"여우 왕을 치료하기 위해 여우 동상이 필요해요."
아가타는 고개를 끄덕이며, 그에게 늑장 부려서는 안 된다고 말했다.
"동물원을 매입하려면 주인을 설득해야 한다고 하지 않았어?"

그래서 존은 론이 동물원을 사도록 설득하기 위해 재빨리 달려갔다. 론은 잠시 망설이는 듯하더니, 뭔가 생각이 스쳐서, 그 프로젝트는 존이 직접 처리하라고 했다. 존은 승낙하고 다시 아가타에게 가서 계획을 말했다. 존이 설명했다. "그러니까, 제가 동물원 일을 맡았으니, 동물원 우리 열쇠를 가져와서 당신을 밖으로 내보낼게요. 당신은 제 뒤에 몸을 감춰요. 우리는 오늘 밤 떠날 겁니다. 알았죠?"

그리고 얼마 지나지 않아 존은 떠났다. 한밤중에 외출하는 것에 대해 론에게 어떻게 말할 수 있을지 고심했다. '만약 내가 산책하는 척을 한다

면, 나는 전혀 의심받지 않겠지.'

그날 밤, 존은 아가타를 우리에서 데리고 나와 여우 왕국으로 갔다. 그들이 반쯤 갔을 때, 그들은 두 마리의 여우를 보았다. 아가타가 살펴보더니 그들이 그녀의 남편의 친구라는 걸 알았다. 그들은 아가타를 구하려고 오는 중이었는데, 존이 왜 여기에 있는지 물었다. 모든 이야기가 끝난 후, 존은 호텔로 돌아갔다.

그는 쉬는 동안 모든 일이 이상하다고 생각했다. 여우들은 그에게 인간의 행동을 기록하거나 그들의 문화를 배우는 것과 같은 동상을 찾는 것 외에도 많은 임무를 주었다. 이 때문에, 그는 항상 돌을 수집하고 물건을 사느라 바빴다. 그가 여우 왕국에 있을 때, 사람들은 항상 밖으로 나가곤 했다. 그리고 그들은 항상 그 앞에서 조심하려고 노력했다. 그들은 또한 항상 무한대 페이지의 두꺼운 책을 꼭꼭 숨겼다. 그는 그 생각을 하면서 잠이 들었다.

다음날, 존이 일어나서 시계를 보니, 그가 출근하기로 되어 있던 시간에서 이미 두 시간이 지난 10시였다. 그는 재빨리 복도를 달려갔다. 그는 움직이며, 제시간에 일어나지 못한 자신을 꾸짖었다.

퇴근 후 모두가 자리를 비웠을 때, 론은 존을 쳐다보았다. 그는 '존이 왜 이렇게 늦게 출근했지? 존은 요즘에 왜 나를 그렇게 의심할까? 만약 그가 호텔에 뭔가를 하려고 계획하고 있다면? 아마 모든 강도나 이상한 손님들도 다 존 때문일 거야. 다 존 때문일 거야.' 론은 이제부터 존을 감시해야 한다고 생각했다.

한편, 존은 혼잣말을 중얼거렸다. "터널로 들어가야 할지도 모르겠어. 나는 왕을 거의 잊을 뻔했다. 그는 나에게만 의지한다. 빨리 처리해야 해." 그는 혼잣말을 이어갔다. "나는 일주일 동안 준비하고 터널로 떠날 것이다. 나는 짐을 싸야 하고, 내 책에서 터널에 대해서도 읽을 필요가 있다."

이런 일이 일어나는 동안, 론은 존의 방으로 가려고 준비하고 있었다. 도착해서, 론은 몸을 웅크리고 문틈 사이로 들여다보았다. 존이 무슨 말을 하는 것 같았다. 론은 존이 더욱 의심스러워졌다.

대망의 날 전날, 존은 짐을 싸기 시작했다. 그는 터널에 대해 읽으려고 시도했지만, 책이 너무 방대해서 그 부분을 찾을 수 없었다. 그래서 일단 짐 싸는 것에 집중했다. 그는 칫솔과 치약, 3개월을 버틸 수 있는 충분한 음식과 물, 그의 모든 옷, 베개와 담요, 수저, 책과 책과 책들, 그리고 문구와 함께 공책을 가져갔다. 존은 터널을 내려갈 준비를 하고 있었다. 그는 이미 모든 것을 두 개의 큰 여행 가방으로 나누어 짐을 꾸렸고, 심지어는 정장 구두 한 켤레도 챙겼다. 그는 물건들을 가져다가 두꺼운 가죽 자루에 넣고, 그것들을 모두 욕실에 넣었다.

다음날, 론은 방들을 확인하면서 복도를 걸어가고 있었다. 그는 존의 방문을 열고 화장실에 앉아 있는 존을 보았다. 론은 "왜 화장실에 그렇게 앉아 있어?"라고 물었다. 존이 대답했다. "음, 샤워하려던 참이었어요. 거, 거짓말 아닙니다!" 론은 존을 보고 "오케이."라고 말했다 하지만 그는 존이 그에게 무언가를 숨기려 한다는 것을 알았다. 다만 론은 존이 의심하는 것을 원하지 않았다.

존은 방으로 돌아와 생각에 빠졌다. "잡힐 뻔했네. 그가 나에게 더 많은 것을 묻지 않아서 다행이야. 근데 왜 나에게 질문하는 거지? 그는 평소에 그렇지 않았다. 그가 나에 대해 모든 걸 알고 있는 것 같네. 그냥 다른 날 터널로 들어가야 할 것 같아." 존은 생각하며, 조용히 천천히 혼잣말도 했다. 그는 가끔 여우처럼 행동하곤 했다.

사무실로 돌아온 론은 생각하고 있었다. '오늘도 존의 방에 가봐야지. 그는 샤워한다면서 수건도 들고 있지 않았어. 그는 요즘 너무 이상해.' 그래서 론은 존의 방으로 가서 다시 한번 문틈으로 들여다보았다. 이번에는 의외로 오래되어 보이는 책을 읽고 있었다. 론이 책의 제목을 보려고 하자, 공교롭게도 존은 책을 치웠다.

론은 사무실로 돌아가 생각했다. '존은 나에게 무엇을 숨기는 거지? 호텔뿐만 아니라 나에게도 나쁜 짓을 할 거라면?' 론은 존이 가는 곳까지 따라가야 한다고 느끼기 시작했다.

바로 그때, 론은 존이 문밖으로 나가는 것을 보고 뒤를 따랐다. 그 시점에서 존은 산책하고 있었다. 산책 후에 존은 코트를 발견했다. 그래서 그와 그는 재빨리 호텔을 향해 달려갔다. 달리는 동안, 존은 론을 보고 생각했다. '론이 대체 왜 여기 있지? 만약 그가 나를 따라오고 있다면?'

바로 그때, 그는 코트가 론의 것과 같은 갈색이었다는 걸 기억했다. 그라면 가능한 일이야. 존은 걸어가면서 생각했다. 조용히 혼잣말도 했다. "지금 당장 터널로 들어가야 할 것 같아." 론이 돌아오려면 시간이 좀 걸릴 것이다.

그때 론은 존을 찾고 있었다. 만약 존이 갑자기 들어온다면, 존에게서 모든 비밀 정보를 얻을 수 있으리라 생각했다. 존이 터널로 들어가려고 할 때 그는 문을 열었다.

그 순간 존의 마음은 빠르게 빙빙 돌기 시작했다. 그는 론을 밖에서 봤다고 하면 다른 얘기를 할 수 있으리라 생각해서 "아, 산책할 때 당신을 밖에서 봤어요!"라고 말했다. 론은 마음속으로 생각했다. '내가 그를 따라갔다는 걸 그가 어떻게 알지?' "그래, 너한테 인사하려던 참이었어! 그런데 왜 나를 보고 가버렸지?" 존은 화장실이 급해서 인사할 시간이 없었다고 말했다. "그나저나 왜 그렇게 멀리 나와 있었나?" 존은 대답했다. "글쎄요, 오늘은 긴 산책을 하고 싶었어요." 론은 "그래. 아무튼, 난 이제 가볼게. 잘 가!"

그날 밤, 론은 생각했다. '왜 존은 무언가를 숨기려는 것처럼 행동하지? 역시 좀 의심스러워.'

한편, 벤은 어느 장소에 막 도착했다. 폭풍이 지나간 후, 그는 음식의 절반을 잃어버려서 그것들을 다시 모아야만 했다. 그는 그가 먹을 수 있는 모든 음식과 먹을 수 있는 것처럼 보이는 것들을 모았다.

먼저, 그는 그것이 먹을 수 있다고 확신하는 것들을 먹었지만, 그가 있는 바다와는 달리, 많은 음식이 없어서 그는 확신이 없는 음식을 먹어야만 했다. 대부분은 괜찮아 보였지만 식물 중 하나는 이상한 빛을 띠고 있었다. 그는 '나는 지금 너무 배가 고프지 않아서 지금 이것을 먹을 필요가 없을 것 같다.' 벤은 다시 생각했다. '론이 괜찮은지 궁금하네. 론

을 생각하지 않는 것이 낫다는 것을 알지만 그가 어디에 있는지 정말 궁금하다.'

그러나 벤은 자신이 들고 있는 식물이 실제로 론을 인간으로 만들었다는 것을 알지 못했다. 사실 그는 론이 인간이 된 것도 몰랐다. 벤은 한숨을 쉬며 젖은 풀밭에 누웠다. 그는 생각했다, '나는 이 식물을 먹는 것에 대해 확신이 없다. 그것은 조금 이상했고 나는 심지어 나에게 무슨 일이 일어날지도 모른다. 그래도 먹어야겠다. 그래서, 이제 조금만 먹어도 될 것 같아.'

한입 먹기 전에 생각했다. '시간이 빨리 가는 것 같아. 나는 아직도 그와 함께 인간을 만들었던 것을 기억해.' 하지만 어쩌면 벤은 자기가 인간이라면 더 낫지 않을까도 생각했다. "아마 나는 인간으로서 더 나은 삶을 살 수 있을 것이다." 그리고 혼잣말을 하면서 들고 있던 식물을 물어뜯었고, 몇 분 만에 열네 살의 어린 인간으로 변했다. 그리고 얼마 후, 고아원 직원들이 쓰러져 있는 청소년 인간 벤을 발견했다. 공교롭게도 고아원은 존이 창조되었던 장소이자 이제는 호텔이 된 곳의 맞은편에 자리하고 있었다.

만남

3. 만남

호텔로 돌아온 존은 우울한 시간을 보내고 있었다. 그는 일하거나 하지 않을 때 전부, 항상 자신에 대해 생각했다. 존은 항상 외로웠고 슬펐다. 그는 자신이 무엇을 할 수 있을지 생각하고 아가타에게 연락했다. 아가타는 "동물원에 있는 동안, 이곳에 고아원이라는 곳이 있다는 걸 알게 되었어!"라고 말했다. 그러고 나서, 아가타는 동물원에 대해 말했다. 존은 깊은 관심이 생겨서 길 건너편에 있다는 고아원으로 갔다.

존이 그곳에 들어가자마자, 그는 어린 소년을 보았다. 존은 어린 소년에게 이름을 물었지만 대답하지 않았다. 몇 번이고 시도했으나, 소년은 아무 말도 하지 않았다.

마침내, 아홉 번째 시도가 끝난 후, 어린 소년은 존에게 조용히 "벤이예요."라고 말했다. 그리고 벤이 그 말을 했을 때, 벤은 기분이 좀 이상했다. 강한 혐오감이 그를 엄습했다. 벤은 존을 좋아할 수 없다고 느꼈다. 존이 다른 아이들과 이야기하러 간다고 벤이 생각하는 동안, 존은 사실 다른 아이들에게 갈 때마다, 누군가 벤에게 가라고 말하는 것처럼 느꼈다! 존은 이상하다고 혼잣말을 했다. "벤은 어린아이인데도, 난 벤에게 의지하고 싶은 기분이야." 그는 밖으로 나가면서도, 그리고 나중에 집에 가서도, 혼잣말했다. "다음에는 벤과 이야기를 더 해야겠어."

바로 그때, 론이 그의 뒤를 따라 걸었다. 그는 "무슨 생각을 그렇게 진지하게 하고 있나?"라고 물었다. 존은 대답했다. "아이들을 보기 위해 고아원에 갔는데 한 아이가 유독 느낌이 이상했어요." "그래? 그래서 그렇게 심각한 표정을 짓고 있는 거야?""네, 너무 이상했어요." "난 또 큰 일이라도 난 줄 알았지! 알았어, 다음에 봐!" 론은 존에게 아무렇지 않게 말했지만, 마음속으로는 의심이 들었다. 그는 복도를 지나, 휴식을 취하기 위해 그의 사무실로 들어갔다.

한편 존은 새로운 아이디어가 떠올랐다. 이제 터널로 내려갈 수 있어! 시간은 딱 알맞았고 그의 모든 물건은 화장실에 있었다. 존은 샤워하고, 회색 바지와 검은색 후드티를 인디고 폴로 셔츠 위에 입고, 등에는 그의 두 배쯤 되어 보이는 배낭을 멨다. 배낭은 원래 붉은색이었지만, 존이 검은색 커버를 씌워놨기 때문에, 어둠 속에 묻힐 수 있었다.

그는 막 내려가려고 했지만, 여우들이 아가타에게 터널에 관해 물어보라고 한 것을 기억했다. 그래서 그는 마법을 써서 아가타에게 터널의 지도와 어디로 가야 하는지를 보내 달라고 부탁했고, 아가타는 마법을 써서 재빨리 그것을 그에게 보냈다.

존은 그녀에게 감사를 표한 다음, 나무로 된 작은 문 위의 매트를 들춰내, 터널 안으로 들어갔다. 터널은 칠흑같이 검었고 매끄러운 나무로 만들어졌다. 바로 그때, 그는 아이디어를 얻었다. '나는 내 모든 물건을 매우 두꺼운 자루에 넣었고 터널은 꽤 가파르다. 미끄러져 내려가면 좋지 않을까?'라고 생각하며, 터널에 등을 대고 미끄러져 갔다.

그는 다시 혼잣말했다. "정말 멋진 생각이었어." 존은 자루를 이용해 터널을 빠르게 미끄러져 내려갔다. 터널에는 급격한 굴곡 및 다양한 함정이 있어서 참으로 길고 신기하게 느껴졌다. 미끄럼 선로를 내려온 존은 지도를 확인해 함정이 없는지 살핀 후에야 잠을 청했다.

한편, 아가타는 그녀의 아이들 및 남편과 함께 그녀의 집 근처를 산책하고 있었다. 그녀는 아이들에게 인간 세계에서의 모험 이야기를 들려주었다. 그리고 나중에 아이들이 모두 잠들었을 때, 그녀는 존에게 연락해서 "지금 어디까지 갔어?"라고 물었다. 존은 지도를 보고 "멀리는 못 갔어요."라고 말했다. 그러자 아가타는 "알겠어."라고 말했다. 그녀는 존이 여우 동상을 찾는 것을 돕고 싶은 기분이었다.

다음날, 그녀는 존에게 다시 연락해서 도움을 원하는지 물었지만, 존은 거절했다. 그는 자신에게 주어진 첫 임무를 성공시키고 싶었고, 책임감 있게 임하고 싶다고 말했다. 바로 그때, 그녀는 아이디어를 얻었다. 남편 친구들이 그녀를 도울 수 있었다. 그녀는 그들에게 연락해서 존이 혼자서 임무를 수행하려는 마음을 돌려달라고 부탁했다.

그래서 남편의 친구들은 호텔로 갔다. 그런데 손님 행세를 하며 터널이 어디 있는지 물을 수는 없었다. 그들은 존을 찾으려고 했지만, 소용이 없었다. 게다가, 그들은 털이 무성했기에 그들을 사람처럼 보이게 하는 특별하게 만들어진 옷을 입어야 했는데, 그 옷을 입고서는 잘 움직일 수 없었다. 불현듯 그들은 존이 고객이 아니고 직원이라는 걸 기억해냈다. 그런데 직원 스위트룸 안에는 손님들이 들어갈 수 없었다. 할 수 없이 밤에 몰래 들어가야 했다.

아가타 남편 친구들이 계획을 세우는 동안 론은 고민 중이었다. '존은 무려 일주일 동안 일을 하지 않았어. 그는 분명히 의심스러운 꿍꿍이를 가지고 있다. 오늘 밤 그의 방으로 가야겠어.'

한편, 터널 안에서 존은 생각하고 있었다. '이제, 내가 이곳에 온 지 꽤 오래되었는데, 나는 아직 반쯤도 내려오지 못했다. 나는 인내심을 잃기 시작하는 것 같아.' 그는 일어서서 자루를 열었다. 그는 음식을 찾기 위해 안을 들여다보았고 바나나를 꺼냈다. 존은 길고 어두운 터널에서 음식을 아끼려고 노력하고 있었다. 손전등 두 개가 그의 자루에 묶여 있어서, 어두컴컴한 터널을 조금이나마 밝게 비추었다.

집으로 돌아온 아가타는 마법을 써서 남편 친구들과 이야기를 나누고 있었다.

"존을 아직 못 찾았어요?"

"네. 존의 방이 어딘지 찾을 수가 없어요."

"아직 찾지 못했더라도 괜찮아요. 하지만 그를 찾으면 꼭 말해주세요! 아, 존이 묵는 방은 화장실에 터널이 연결되어 있어요."

"오 알겠습니다. 알려줘서 고마워요."

아가타 남편의 친구들은 밤까지 기다렸다가 텅 비어 보이는 방으로 슬금슬금 들어갔다. 남편 친구들이 화장실에 조심스레 발을 들여놓자, 아가타는 거기에 터널이 연결되어 있다고 했다. 그들은 조심스럽게 방으로 들어가 터널을 통해 걸어갔다. 그러고 나서 그들은 터널을 따라 미끄러지는 것처럼 보이는 선로를 보았다.

그들이 선로 끝에 이르렀을 때, 멀리서 존을 보았다. 그들은 달려가서 존에게 말을 건넸다. "얘기 좀 해도 될까요?" 존은 몸을 돌려 그들을 바라보았다. 그는 "그럼요. 하지만 먼저 당신들이 여기에 온 이유를 말해 줄 수 있나요?" 그들은 왜 여기에 왔는지 말했다. 또 아가타가 돕고 싶어 한다고 알렸다. 그러자 존이 말했다, "글쎄요. 저는 혼자서 임무를 수

행하고 싶고, 거의 다 끝냈어요."

"그녀는 단지 작은 도움을 주고 싶을 뿐입니다."

"지금은 괜찮은 것 같아요. 하지만 도움이 필요하면 바로 전화를 걸게요."

"좋아요, 그럼 이만!"

"잠깐만요. 돌아가기에는 너무 멀리 왔다는 것을 알고 있죠? 여기 오는 데 얼마나 걸렸어요?"

"일주일 정도?"

"당신들이 일주일 더 여행하고 싶은지 잘 모르겠어요."

"글쎄요, 우리가 당신과 함께 간다면 돌아가는 데 시간이 더 걸릴 거예요."

"잘 가요."

그들이 떠날 때, 존은 생각했다. '나는 딱히 할 일이 없다. 정리나 해야지.' 존은 멈춰 서서 침낭을 만들기 위해, 침대보와 담요를 함께 꿰맨 다음, 그걸 자루 위에 꿰맸다. 그는 다른 물건들과 책들로 음식 칸, 옷 칸, 그리고 또 다른 칸을 만들었다. 그는 손전등을 앞으로 옮겨 자루에 베개를 꿰맸다.

존은 여전히 지루해서 책을 펼쳤다. 존에 관한 이야기는 7장에 나와 있었다. 그는 나무가 잘려나간 부분에 대해 읽고 나서, 또 계속해서 읽었다. 여우 역사책은 두 명의 과학자를 소개했다. 존은 그들에게 무슨 일이 일어났는지 알고 싶어서 계속해서 책을 읽었다.

존은 갑자기 얼어붙었다.

그가 어떻게 태어났고 무슨 일이 일어났는지에 대해 나와 있었다. 사진에는 두 마리의 여우가 그들의 털을 사용하여 생물을 창조하는 장면이 담겨 있었다. 그는 지난 학창시절에 대해 생각했다. 이제 왜 여우들이 그를 괴롭혔는지 이해가 되었다. 그는 또한 왜 모든 사람이 그에게 그렇게 많은 것들을 숨겼는지 이해했다. 책에는 그가 부모로부터 태어나지 않았고, 두 마리의 여우에 의해 만들어졌다고 나와 있었다. 그는 어쩌면 그동안 잔혹한 진실로부터 보호받은 것이었을 수도 있다.

그런데 두 명의 과학자 이름을 보았을 때, 그 이름 중 하나가 존에게는 매우 친숙하게 느껴졌다. 책에는 "론"과 "벤"이 그를 만들었다고 쓰여 있었다. 그는 론이 그의 상사의 이름과 많이 닮았다고 생각했다. 하지만 그때 그는 "론"이라는 이름을 가진 수천 명의 사람이 있음을 상기했다. 게다가, 저 녀석들은 여우들이야!

그러고 나서 그는 사진이 있는 곳으로 시선을 돌렸다. 사진 속에는 론과 믿을 수 없을 정도로 닮은 여우가 있었지만, 자신이 어떻게 태어났는지에 대한 뉴스에 너무 충격을 받았기 때문에 존은 이를 미처 알아차리지 못했다. 존은 북받쳐서 울기 시작했다. 그는 울고 또 울다가 책에서 한 페이지가 빠진 것도 모르고 잠이 들었다.

사무실에 있는 동안 론은 생각했다. 존은 오랫동안 호텔에 붙어 있지 않았다. 그날 밤 존의 스위트룸에 가려고 했으나 너무 피곤해서 갈 수 없었다. 그래서 지금 가기로 마음먹었다. 론은 걸어서 존의 방으로 갔다. 그가 문을 열었을 때 안에는 아무도 없었다. 론은 욕실로 들어갔고, 카펫이 한쪽으로 던져진 것을 발견했고, 카펫 아래에 숨겨진 터널을 발견했다.

론은 생각했다. 존이 여기 있는 게 틀림없지만 나는 바로 갈 수 없다. 터널이 매우 길어 보이니 짐이라도 챙겨야겠다. 그래서 그는 손님들이 사용하고 있는 부스에서 음식과 다른 모든 소지품을 집어 들었고, 긴 나무 조각에는 바퀴를 붙였다. 그러고 나서 계단을 오르고 복도들을 가로질러 터널로 달려갔다.

달려가는 도중에, 론은 책에서 떨어진 것처럼 보이는 종이 한 장을 보았다. 존이 빠뜨린 종이 같아서 론은 종이를 조심스럽게 주머니에 넣었다. 무언가가 터널을 가로질러 끌려간 듯한 흔적을 발견했다. 그는 존이 여기에 있었으리라 추측하며, 그 흔적을 바라보았다.

흔적을 따라가다 보니 배가 고파져서, 론은 간식을 집어 들었다. 미끄러진 흔적은 마침내 끝이 났고, 이는 발자국으로 대체되었다. 론은 다른 것도 발견했다. 여우 털이었다. 론은 존을 더욱 의심하기 시작했다. 이번에는 여우의 발자국까지 보인다. 론은 이상하게 생각했다. '동물원에서 사라진 여우는 없다. 존은 지금 여기서 무엇을 하는 거지? 이 모든 것이 나를 머리 아프게 한다. 아마 지금은 잠깐 쉬어야 할 때인 것 같다. 정말 피곤해.' 론은 곧장 잠이 들었다.

한편, 존은 여전히 동상을 향해 미끄러지고 있었다. 그는 지도를 보고 한숨을 쉬었다. 나는 아직도 한 달 동안 이렇게 가야 해! 그는 사과 한 조각을 입에 넣고 혼잣말을 했다. "동상을 꼭 가져와야 해. 왕은 동상 없이는 오래 살 수 없어." 속도를 높여야 한다고 그는 생각했다. 그의 또 다른 부분은 그가 여기서 멈춰야 한다고 속삭였다. '결국, 왕은 너를 속였어. 그런 왕을 구해야 하는 이유가 뭐지?' 어쨌거나 존은 왕을 구하는 것이 자신의 분노보다 훨씬 더 중요하다고 생각하고 지도를 보았다. 두 개의 길이 있었다. 지도를 보니 오른쪽으로 가라고 해서 그는 오른쪽으로 돌았다.

터널이 점점 더 어두워지기 시작했고 그는 나지막이 혼잣말했다. "이건 내가 어렸을 때의 일이야. 그 터널도 이렇게 축축했지." 갑자기 그는 이것이 같은 터널이라면 어떨까 상상했다. '아니, 그럴 수 없어. 그 터널은 이렇게 길지 않았어.' 이렇게 생각하면서 '론'이라는 사람은 자신을 좀 걱정하게 한다고 생각했다. 게다가, 출생의 비밀을 알게 된 충격이 절대 작지 않았기 때문에, 한껏 불안해졌다. 불현듯 그는 이 모든 중요한 물건을 이렇게 정상적인 장소에 둘 이유가 있을까 하는 의구심도 들었다. 하지만 아무도 그런 식으로 의심하지 않을 것 같았다. 그가 그에 대해 생각을 멈추자마자, 온갖 다른 스트레스 받는 문제들이 그의 머리를 다시 채웠다. 존은 걱정에 대해 걱정하는 것을 멈출 수 없었다.

존이 한창 머리가 복잡할 때, 론은 존의 흔적을 따라가고 있었다. 단서로 삼을 만한 게 얼마 남지 않아서, 론은 주머니에서 종잇조각을 꺼냈다. 그는 단어 하나하나를 주의 깊게 살펴보았다. 순간 악마 같은 눈빛이 그의 주위에 나타나는 것 같았다. 론의 얼굴이 서서히 어두워졌다가 다시 밝아졌다. 그는 미소를 지으며 중얼거렸다. "알겠다! 난 그 순간을 매우 생생하게 기억하고 있지!"

그때 벤은 침대에 누워있었다. 그는 흥분 상태였다. 벤은 도망쳐서 어딘가로 가려고 했다. 고아원은 너무 작고 더러웠고, 규칙들은 어린 소년에게 너무 엄격했다. 그는 학교에 다녔지만, 별로 좋지 않았다. 그는 고아원에 머물며 금요일마다 일해야 했다. 물론, 벤에게는 다 계획이 있었다. 그는 길 건너 호텔에서 하루 묵었다가 그곳을 떠나 먼 곳으로 갈 생각이었다. 그는 벌써 1년 동안 용돈을 저축해왔다.

다음날, 그는 밖으로 나가서 길을 건넜다. 춥게 느껴졌다. 벤은 고아원의 모든 아이에게 주는 격자무늬 셔츠만 입고 있었다. 벤은 호텔로 들어가 식판 뒤에 숨었다. 그는 방으로 밀려 올라갔다. 그는 욕실 문을 열고 터널을 보았다. 그는 안으로 들어갔고 곧 한 남자가 종이를 응시하고 있는 것을 보았다. 그는 그 종이를 힐끗 보고 종이에 자신의 이름이 있는 것을 보았다. 벤은 그것을 더 자세히 보고 그것이 자신과 관련된 것이고, 그의 가장 큰 실수라는 것을 깨달았다. 그는 그것을 읽었지만, 여전히 존이 창조된 장면만 기억이 났다.

그 남자가 고개를 들었을 때, 벤은 왜 그 남자가 종이를 들고 있었는지 궁금했다. 그는 벤에게 왜 여기 있는지 물었다. 벤에게는 그 남자가 낯이 익었다. 그 남자는 벤에게 이 신문에 대해 아느냐고 물었다. 벤은 그에게 대답했다. 그는 벤의 이름을 물었다. 그는 자기를 아는 것처럼 보였다. 이번엔 벤이 그 남자에게 물었다. "그걸 왜 물어보시는 거예요?" 그 남자는 아무 말도 하지 않았다.

론은 모든 걸 듣고 싶어서, 얼른 자신을 소개했다. 그 소년은 어리긴 했지만, 확실히 벤이었다. 론은 확실히 확신했지만, 벤에게 무슨 말을 해야 할지 몰랐다. 론은 마침내 조용히 말했다. "혹시 나랑 같이 인간 창조 프로젝트를 진행하지 않았나?"

벤은 그가 무슨 말을 하고 있는지 잘 알지 못했지만, 이 사람의 행동에 크게 당황하기도 했고, 또 그게 창조물에 관한 것이라고 짐작했기 때문에, 그렇다고 대답했다. 론은 말했다. "아주 좋아! 이제 너는 나를 따르고 복종할 것이다." 그리고 또 속삭였다. "넌 그를 제거하고 싶을 거야. 안 그래?" 벤은 "누구요?"라고 말했고, 론은 "있잖아, 존."이라고 말했다. 벤은 이번에는 고개를 끄덕였다. 그리고 론은 계속했다. "넌 다른 일로도 나를 도울 거야. 여우들을 정리하는 일 같은 거?" "전 단지 나머지 이야기를 알고 싶을 뿐이에요. 인간을 만든 것 외에는 기억이 잘 안 나요." 벤이 말했다. 론은 "물론 그럴 거야. 이제 날 따라와! 우리는 낭비할 시간이 없어!" 벤은 동의했고 그들은 터널을 내려갔다.

그들은 바퀴 달린 차에 올라탄 후 잽싸게 터널을 내려갔다. 그것은 매우 빨랐고, 또한 꽤 흔들렸다. 론은 좀처럼 멈추지 않았고, 벤은 하마터면 떨어질 뻔했다. 벤이 "멈출 수 있어요?"라고 물었다. 론은 고개를 저었다. 벤은 "우리는 멈춰야만 해요. 배가 고파서 밥을 먹어야겠어요." 론은 그를 무시했다.

갑자기 존은 뒤에서 발소리를 들었다. 그는 뒤를 돌아보았고 두 개의 실루엣을 보았다. 존은 여기에 머무르는 게 아무런 도움이 되지 않을 거 같아서 즉시 떠났다. 터널 안에는 아무도 들어올 수 없었다. 누구였을까? 그리고 그들은 왜 여기 있을까? 그는 그 실루엣들이 자신을 따라오는 것처럼 느꼈다. 왜지? 그러고 나서 그는 계속 미끄러져 내려갔다.

바로 그때 그는 아가타로부터 전화를 받았다. "여보세요?" 아가타는 그에게 빨리 일을 처리해야 한다고 말한 다음, 그에게 어디까지 갔는지 물었다. 그는 지도를 확인했다. "음… 2주 정도 남았어요." 그러자 아가타는 "좋네. 바빠서 이만 끊어야겠어. 안녕!" "안녕히 계세요."

존은 그때 점심을 먹어야겠다고 생각했다. 그는 자루 속을 들여다보았고 상추 한 봉지만을 보았다. 자, 이것이 문제였다. 그는 여우 왕국에 연락해 음식을 요청할까도 생각했지만, 그들이 그에게 음식을 보낼 시간이 없다는 것을 알았다. 바로 그때, 그는 아이디어를 얻었다. 그는 책에서 여우 동상이 거의 모든 것을 할 수 있다고 읽었다. 그래서, 아마도 그가 도착했을 때, 그는 먹을만한 음식을 얻을 수 있을 것이다. 지금은 물과 상추에만 의지해야 했다. 그는 이제 여우 동상을 찾아야 할 두 가지 동기가 있었기에, 동상을 향해 빠르게 달려갔다.

한편, 론과 벤은 존을 찾고 있었다. 그들은 아직 존을 보지 못했고 벤은 지치기 시작했다. 벤은 이제 졸음이 오기 시작했고 론에게 좀 쉴 수 있겠느냐고 물었다. 론은 승낙하지 않았다. 그는 "우리는 나중에 쉴 수 있어, 그렇지 않니? 자, 가자." 벤은 계속 나아갔지만, 이상하게 반항하고 싶은 충동을 느꼈다. 벤은 왜 항상 자기가 모든 이들의 말에 동의해야 하는지, 알지 못했다. 벤은 그저 자기 생각을 공유하기를 원했다.

그 일이 일어나는 동안, 아가타는 존으로부터 전화를 받으며 집으로 가고 있었다. 존이 아가타에게 물었다. "바쁘세요?" "아니." 그러자 존은 "문제가 있어요."라고 말했다. "문제가 뭔데?" "음식이 다 떨어졌어요." "우리는 지금 너에게 음식을 보낼 수 없어. 왕이 아파서 전투를 준비 중인데, 이는 우리가 많은 음식을 공급해야 한다는 것을 의미하지. 네가 먹을 수 있는 충분한 음식을 보내려면 많은 힘이 필요하다는 것을 모르니! 우리는 위험에 처해 있다구." 아가타는 잠시 말을 멈추고 "아, 내가 너에게 무언가 말하는 걸 잊었어."라고 말했다 "그게 뭔데요?" "여우 동상을 찾은 후에 넌 꿈틀거리는 벽을 보게 될 거야." 아가타는 말을 이어 나갔다.

"벽을 밀고 들어가서 다시 왼쪽 문을 열면 곧 말이 보일 텐데, 그걸 타고 여우 왕국으로 돌아올 수 있을 거야. 아! 오른쪽 문은 열면 안 돼!!! 그건 내가 만든 함정이야." "알겠어요." 아가타의 말을 들으니, 존은 오른쪽 문에 대해 궁금해졌다. 그는 지도를 확인했다. 지도를 보니 그가 동상에 도착하기까지 2주도 채 남지 않은 듯했다. 그는 많은 걸 걱정했지만, 적어도 여우 동상을 찾는 일은 그가 감당할 수 있을 만큼 아주 순조롭게 진행되고 있었다.

바로 그때, 한 가지 생각이 그의 머리에 떠올랐다. 아까 내가 본 사람들은 누구지? 나는 그들을 전에 본 적이 없다. 다시 한번, 그는 그 소리를 들었다. 그는 계속 미끄러져 내려갔다. 이번에 그는 한 소년을 언뜻 보았다. 존은 무슨 일이 일어나고 있는지 알고 싶었지만 계속 미끄러졌다. 곧, 그는 그 소음을 들을 수 없었다.

한편, 론과 벤은 휴식을 취하고 있었다. 그들은 존을 거의 따라잡았지만 그는 도망쳤고 그들은 거의 벽에 부딪힐 뻔했다. 그들은 다시 일어나서 존을 찾기 시작했다. 론은 "우리는 그를 거의 잡을 뻔했다. 우리는 꽤 가까웠어." 론은 존을 잡으려고 서둘렀다. "지금 가면 그를 찾을 수 있을 거야." 그들은 한참을 걸었는데(바퀴가 차량에서 떨어졌다) 갑자기 터널 아래쪽에서 소리가 들렸다. 그들은 그것을 조사하러 갔고 존을 보긴 했지만, 존은 엄청난 속도로 미끄러지고 있어서 따라잡을 수 없었다.

한편, 존은 음식을 찾으려고 노력하고 있었다. 그는 이미 상추를 게걸스럽게 먹어치웠기 때문에 그의 가방에 음식이 없다는 걸 알았지만 어쨌든 다시 한번 가방을 확인했다. 음식을 얻을 유일한 방법은 동상을 찾는 것이라는 것을 알았고 일주일 안에 그곳에 도착하기 위해 최선을 다해 달렸다.

바로 그때, 그는 아가타로부터 전화를 받았다. "안녕, 존" "안녕" "큰 문제가 생겼어요." "저런. 뭔데요?" "개들이 싸울 듯이 보인다고 내가 말했던 것 기억해?" "네." "개 부족이 공격하기 시작했고 일단 사람들 둘이 그들과 싸우고 있어. 점점 미쳐가고 있으니 빨리 돌아와야 해!" "사실, 조각상을 찾기 위해서는 음식이 필요해요." "알았어. 하지만 우리가 바빠서, 너에게 많은 음식을 보내는 건 시간이 더 걸리니까, 일단, 조금만 먼저 보낼게." "괜찮아요." "내가 곧 음식을 보내줄게. 안녕!"

곧 음식이 도착했고 존은 먹기 시작했다. 그것은 '키보시'라고 불리는 여우 왕국에서 자라는 식물이었다. 이제 그는 매우 빨리 달릴 수 없었다. 언덕이 오르막이 되었다. 그는 피곤함을 느꼈다. 그는 다시 발소리를 듣고 도망쳤다. 발소리가 멈추자마자 그도 달리기를 멈추었다. 그는 현기증을 느꼈다.

바로 그때, 그는 희미한 빛을 보았다. 그는 즉시 그것을 향해 달려갔지만, 그 빛이 어디에서 왔는지 알아낼 수 없었다. 그래도 그는 계속해서 그것을 향해 달려갔다. 그는 자신이 왜 달리고 있는지 전혀 알지 못했다. 그가 아는 것은 희미한 빛이 어디서 오는지 보고 싶다는 것뿐이었다.

갑자기, 그는 달리기를 멈추었다.

그에게서 한 걸음 떨어진 곳에는 영광스러운 여우 동상이 있었다. 여우 동상은 신비로운 색을 띠고 있었는데, 마치 누군가가 그 위에 금을 뿌린 것처럼 보였다. 그것은 너무 여우처럼 보여 좀 그랬지만, 그래도 존은 그 동상을 발견해서 무척 행복했다. 여우 동상을 찾은 일은 존 일생일대 전대미문의 사건이어서, 그는 처음으로 놀라울 정도로 짜릿한 행복감을 느꼈다. 그는 울기 시작했다. 그의 인생의 목표는 성취되었고, 마치 세상을 다 가진 것처럼 느꼈다. 그리고는 잠시 동상을 바라보다가 재빨리 그것을 움켜쥐었다. 그는 벽을 밀고 문을 열었다. 그러고 나서 그는 말을 우연히 발견했다. 존이 뛰어오르자 말은 즉시 움직이기 시작했다.

얼마의 시간이 흘렀을까? 말이 발걸음을 멈추었다. 말이 멈춘 곳이 바로 아가타의 집 앞이라는 것을 존은 깨달았다. 존은 현관문을 열고 아가타에게 인사했고, 아가타도 인사해주었다.

"안녕, 어떻게 지냈어?"

"괜찮았어요. 아! 그리고 여기 여우 동상을 찾았어요."

"오~~ 정말 신비롭지 않니? 이제 왕은 곧 건강을 되찾으실 거야."

그리고 아가타는 토실한 닭을 잡아서 그에게 주었다. 아가타가 말하였다. "여우 동상을 왕에게 직접 전달할래?" 존은 "음, 전 돌아가서 아직 남은 몇 가지 임무를 완수해야 해요. 그 후에 저는 여기로 다시 오고 싶을지도 모른다고 생각했어요." 아가타는 "글쎄, 여우 정부는 네가 나의 견습생이 되어 경력을 시작해야 한다고 했어! 그렇게 되면 넌 어떤 식으로든 정부를 위해 일할 수 있어. 견습 때, 우리는 전쟁에 대한 것들을 정리하고 전쟁이 일어나지 않도록 함께 노력해야 할 거야." 존은 "그럼, 제가 임무를 서둘러 마치고 돌아와도 될까요?"라고 물었다. 아가타는 "아니, 그들은 당신이 내 견습생일 때도 간첩이 되어야 한다고 말했어. 결국, 당신은 훈련을 받아야 해." 존은 "어쨌든, 당신이 그 여우 동상을 왕에게 가져다주어야 합니다."라고 말했다. "좋아. 그건 내가 갖다 줄게."

아가타 집에서 나오면서, 존은 생각했다, '나는 오른쪽 문 뒤에 무엇이 있는지 보고 싶다.' 그래서 동상에 대해 한참을 이야기한 후에, 그는 다른 임무를 완수할 필요가 있다고 말하고 다시 말에 올라탔다. 그는 오른쪽 문을 열었다. 먼저 존은 교실로 보이는 방을 보았다. 또 다른 공간은 '일급비밀'이라는 꼬리표가 붙은 책과 서류들로 가득 찼다. 존은 잠시 생각에 잠겼다가 그것들을 모두 가져다가 선반에 있는 것과 같은 순서로 가방에 넣고 더 멀리 탐험했다. 그리고 그는 작은 기계를 보았다. 그가 버튼을 누르자 갑자기 땅이 무너져 사다리가 드러났다. 그는 그것을 타고 내려와서 다른 책을 그의 가방에 넣었다.

론과 벤은 터널 끝에 있었다. 벤은 "너무 혼란스럽네요. 누군가는 여기에 있어야 하지 않을까요?" 론은 "존은 어딘가에 있을 거야. 이제 내가 그를 찾는 걸 도와줘." "알았어요." 그러자 론이 말했다, "이봐, 어디선가 입구를 찾았어! 이리 와봐." 벤은 "문은 두 개입니다. 어디로 갈까요?" "왼쪽으로 가보자. 존이 거기에 있을 것 같은 느낌이 들어." "알겠어요. 잠깐만. 이건 말 아니에요?" "한번 타보자." 그래서 그들은 말을 타고 아가타의 집에 도착했다. 론은 이상하다고 생각했다. '존이 여기 있을 줄 알았는데.'

갑자기, 론과 벤은 아가타가 자기 집으로 들어가는 것을 보았다. 그녀가 곧장 집으로 들어갔기 때문에 그들은 그녀를 알아볼 수 없었지만, 그것은 여전히 그들에게 이상한 느낌을 주었다. 그리고 거기에는 왜 그렇게 많은 여우가 있는지 궁금해졌다. 론이 말했다. "여긴 여우 왕국 땅이 틀림없다. 잡히지 않도록 조심해야 해." 벤이 물었다. "터널로 돌아가면 안

될까요? 여우 왕국에 관해서도 설명해주세요." 론이 말했다. "그게 더 안전할 거 같긴 해." 벤은 "그럼 돌아가요. 아마 누군가가 저 안에 있을 것이에요." 론이 "알았어"라고 말했다. 그래서 그들은 터널로 돌아갔다. 론은 "벤, 이번에는 우리가 다른 길로 가야 할 것 같지 않아?"라고 말했다 "무슨 소리를 하는 거예요?" "내 말은 우리가 오른쪽 문으로 가야 한다는 거야." "좋아요."

그들이 말을 타고 가면서, 벤이 물었다. "존의 탄생 비화에 대해 말씀해 주시겠어요?" 론이 말하길, "아, 네가 좀 한심하게 굴어서, 내가 새로운 생물을 만들자고 제안했지. 그런데 네가 그걸 망쳤어." 벤이 무슨 말을 하려는데 그들이 도착해서 오른쪽 문으로 들어갔다. "여기가 어디지?" "모르겠어요. 잠깐, 소리가 들려요." "무슨 소리?" 론은 중얼거렸다. "사람처럼 들리네. 아마도 존일 거야. 가서 조사해 보자." "잠깐만요. 존이에요?" "응, 그런 거 같은데."

한편, 존은 그 방들을 조사하고 있었다. '여기는 정말 평화롭다. 정말 좋은 곳이군.' 갑자기, 그는 발소리를 들었다. 그가 터널에서 들은 발소리 같았다. 그는 '어, 무슨 일이지?'라고 생각했다. 바로 그때, 그는 문을 보고 열려고 했지만, 미처 그가 문을 열기 전에 론과 벤이 방으로 뛰어들었다. 하지만, 간발의 차로 존이 문 너머로 탈출했기 때문에 그들을 보지 못했다. 존은 재빨리 그의 방으로 돌아갔다.

론이 벤을 문 쪽으로 몰았을 때, 벤은 모든 일이 이상하게 흘러간다고 생각했다. 벤은 현재 자신이 하기 싫은 일을 하고 있었는데, 분명히 거부 의사를 밝힌바 있지만, 소용이 없었다. 벤은 또한 자꾸 반복해서 부정적인 발언을 듣는 게 싫었다. 벤 역시 존에게 강한 증오심을 가졌지만,

론과는 좀 다른 노선이라고 느꼈다. 일종의 죄책감을 느끼면서도, 벤은 일단 론을 돕기로 했다. 생각에 생각이 꼬리를 물다가, 불현듯, 벤은 터널 밖으로 나갔을 때 본 집에 대해 궁금증이 일었다. 그 집에서 나오던 사람은 왠지 느낌이 쎄~했다. 역시 그 집에 들어가 봤어야 했다!

진실과의 조우

4. 진실과의 조우

벤은 여우 왕국으로 슬그머니 돌아갔다. 그는 밖으로 나가 현관문을 두드렸다. 대답은 없었지만, 그는 들어갔다. 세 명의 아이들이 있었다. 그들은 여우 말로 서로 속삭였다. "왜, 저것은 여우가 아니지?" 그는 여우 말을 할 줄 몰랐기 때문에 영어로 "부모님은 어디에 계시니?"라고 물었다. 물론, 아이들은 이해하지 못했고 첫째가 동생들에게 "대체 무슨 말을 하는 거야?"라고 물었다. 그러자 벤은 뭔가 이상하게 느껴졌다. 그 언어가 어딘지 익숙했고, 조금은 이해할 수 있을 것 같았다. 그래서 서툴어도 여우 말을 하려고 노력했다. 그는 여우처럼 말했다. "나는 ⋯⋯ 너희 부모님이 어디에 있는지 물어본 거야." 한 아이가 나섰다. "애쓰고 계시네요. 어쨌든, 엄마는 개 부족이 공격해서 항상 일하고 있어요. 자정에 돌아올 거예요. 우리 아빠는 교수님이세요. 아빠네 학교가 유명해진 후로, 우리는 아빠를 거의 보지 못했어요. 그나저나, 누구세요?" "난 벤이라고 해."

갑자기 아이들의 얼굴이 얼어붙었다. 그들은 그에게 소리쳤다. "우리는 당신과 이야기하고 싶지 않아요. 당신은 그 미친 것과 관련이 있었어요! 우리 집에서 나가세요." 그는 "왜?"라고 물었다. "당신은 우리 엄마를 그렇게 바쁘게 만들고 인간을 만들어서 우리에게서 엄마를 빼앗아간 장본인입니다." 벤은 "무슨 미친 짓이야? 왜 나랑 얘기하고 싶지 않아?" 가장 큰 아이는 "인간의 모든 사건. 거의 다 당신 잘못이에요. 인간들은 걷잡을 수 없게 되었고⋯" "어떻게 너희들이 이 일을 그렇게 많이 알고 있지?" 그들이 대답하였다. "우리가 아가타의 자식이기 때문이죠." 벤은 이제 왜 그 이상한 여자가 그에게 특별하고 이상한 느낌을 주는지 깨달았다.

그러고 나서 그는 아이들에게 "나는 그때를 아주 조금밖에 기억하지 못해. 너희가 아는 걸 좀 말해줄래?" 벤은 아이들이 외로워 보이기도 하지만, 론이 그에게 말한 것이 사실처럼 보이지도 않기 때문에, 이렇게 제안을 했다. 아이들 역시 매우 지루했기 때문에 그 제안을 받아들였다. 아이들은 벤에게 물었다. "여기가 여우 왕국인 거 알죠?" 벤은 "응, 알아." 라고 말했다

"오래전에, 우리가 태어나기 전에, 왕은 나무가 창문을 가려 조망을 망친다며 강제로 나무를 옮겼어요." 벤은 "왜 나무를 베지 않고?"라고 물었고, 아이들은 "그건 인간을 제외한 모든 나라의 법에 어긋나기 때문이에요. 생물에게 피해를 주는 것은. 아, 사람으로 변하면 생각도 달라지는 줄 몰랐네요." 벤이 "무슨 말이야? 여우들은 어떻게 생각하는데?" 물었다. 아이들은 "우리는 자연을 더 아끼죠. 우리는 또 다른 어떤 생명체보다 나아요. 어쨌든, 다시 이야기로 돌아갈게요."

"그래서 왕은 나무를 숲에 버렸어요. 그런데 갑자기 왕이 시름시름 아프기 시작하니까 당신과 론이 나무가 버려진 숲으로 가서 왕이 왜 아프게 된 건지 자초지종을 알아내려고 했죠. 먼저, 당신들은 연구 끝에 생명의 씨앗이 수명을 줄이는 역할을 한다는 것을 발견했어요. 그리고 [인간]이라고 불리는 걸 만들기 위해 여우 꼬리를 사용하면 된다는 것도 알았죠."

"당신의 첫 번째 인간은 당신들이 원하는 대로 되지 않았어요. 왜냐하면, 생명의 씨앗은 전혀 넣지 않은 채, 여우 꼬리는 또 너무 많이 넣었기

때문이에요. 결과적으로, 그 인간은 영원히 살게 되었고 여우처럼 생각하게 되었어요. 유일하게 인간적인 것은 그의 외모였죠. 그 인간의 이름은 존이었어요. 당신들은 그가 잘못되었다고 생각했어요. 당신들은 그를 좋아하지 않았어요. 어쨌든, 다른 인간들은 당신이 원하는 대로 만들어졌어요."

"그때쯤 우리 엄마는 당신들을 봤죠. 여기서 생물을 만드는 것은 불법이기 때문에 당신들이 무엇을 하고 있는지 상부에 보고했어요. 경찰이 왔고 론은 도망쳤어요. 론은 도망갔고 당신은 남아있었죠. 결과적으로, 당신은 체포되었고, 인간들은 어떤 이유에서인지 지구를 오염시키기 시작했습니다. 하지만 그들을 탓할 수는 없어요. 당신은 그곳에 있었고 당신의 발로 그것들을 만들었어요."

"어쨌든, 인간이 환경을 오염시킬수록, 왕은 더욱 아팠죠. 우리는 그들이 지구를 오염시키는 것을 멈추도록 훈련하기 위한 아이디어를 생각해냈어요. 우리는 인간인 척하고 우리를 인간처럼 보이게 하는 옷을 입었어요. 그들은 쉽게 속아서 지금은 론이 소유하고 있는 호텔인 [인간훈련센터]라는 곳으로 우리를 따라왔습니다." 벤은 매우 놀랐다. 론은 과연 그곳이 예전에 인류를 훈련하는 중심지였다는 것을 알고 있는지 궁금했다.

바로 그때 아이들이 다시 이야기하기 시작했다. "우리의 어머니는 그곳에서 몇몇 인간들을 가르쳤고 그들에게 자연을 회복하고 지구를 오염시키는 것을 멈추는 방법을 가르쳤습니다. 결국, 상황이 나아지기 시작했고 오염은 감소했죠. 그래도 왕의 병에는 차도가 없었어요. 동물들은 실제로 동물의 왕국에서 회의를 열었는데, 정작 여우 왕은 병세가 심해져 가지 못했어요. 여우 왕 없이는 회의를 계속할 수 없었죠. 그래서, 우리 어머니는 [책]을 활용하는 아이디어를 내놓았어요."

벤이 물었다. "무슨 책?" 아이들은 대답했다. "이 책은 역사의 모든 것을 기록한 책이죠. 그것은 모든 것을 스스로 기록하는데, 특별한 비밀과 마법을 가지고 있어서 만드는 데 많은 힘이 필요해요. 그리고 한편으로 그것은 매우 연약하죠. 페이지를 복사하면 복원할 수 없다고 해요. 어머니는 그것이 우리가 이 상황에 어떻게 대처해야 하는지를 알아내는 데 도움이 되리라 생각했고, 그것은 사실이었어요." 벤은 "어떻게?"라고 물었다.

아이들은 "아, 우린 몰라요."라고 대답했다. 사실, 아이들은 알고 있었지만, 벤이 그 말을 들을 준비가 되지 않았고 또 그가 그것을 들으면 위험할 수도 있다는 것을 알고 있었다. 그러자, 벤이 물었다. "어떻게 이런 것들을 다 알고 있지?" 아이들은 "우리는 엄마가 보관하고 있는 책을 다 읽었어요. 한 권이 사라졌기 때문에, 이제 세상에는 네 권밖에 없습니다. 아, 그런데, 당신의 여우 말 문법은 꽤 이상하네요. 그렇게 생각하지 않나요?" 그러자 벤은 "글쎄… 아마도."라고 대답했다.

사실, 벤은 그 질문에 별로 주의를 기울이지 않고 있었다. 그는 무언가에 대해 생각했었다. 그는 론을 배신하려고 했다. 벤은 론이 대담해 보였기 때문에 그와 합류했었다. 그러나 사실 론은 비겁하고 지나치게 기만적이어서 벤이 독자적으로 생각하거나 행동하도록 내버려 두지 않았다. 벤은 때때로 자신이 좋아하는 것을 걸러내는 것처럼 설명할 수 없는 이상한 느낌마저 들었다. 론은 또한 벤을 많이 억압했다. 벤은 론은 배제한 채, 존과 단둘이 싸우기로 하고, 인간 세상을 향해 달려갔다.

한편, 론은 새로운 계획을 생각하고 있었다. 그의 욕망을 실현하기 위한 계획. 그는 무엇이 잘못된 것인지 생각했다. 그는 유토피아를 만들기 위해 여우들을 세상에서 없애야 했다. 그는 여우와 그들의 생각을 좋아하지 않았다. 론은 "속물적이고 위선적인 여우는 그들의 목표에 도달하기 위해 어떤 방법이든 사용한다. 그것들은 인간과 같이 좀 더 기분 좋은 존재로 바꿀 거야. 존은 더 큰 문제이지. 그는 끔찍한 창조물이자 실수이며 철자가 틀린 단어와 다르지 않다. 철자가 틀리면 지우곤 하지. 그러므로 존은 이 세상에서 지워져야 한다. 이를 위해 계획을 세워야지."라고 혼잣말했다.

론은 새로운 계획을 수립한 후에, 여우들이 나를 알아보면 어쩌나 하는 생각을 했다. '어떻게 하면 여우를 인간으로 만들 수 있을까? 인간들은 나나 다른 것들을 과연 믿을까?' 하지만 그는 여우에게 최면을 걸게 하고 여우를 속이기 위해 먼저 여우 왕국으로 가야 한다는 것을 알았다. 그러나 그는 여우 왕국으로 가는 길을 몰라 여우발 신발을 신고 몸과 얼굴 전체를 가린 망토를 입고 눈만 살짝 내놓았다. 그는 더 신비롭게 보이기 위해 빨간 렌즈를 꼈다.

론은 화환과 나뭇잎 코트를 입고 돌아다니는 여우를 발견할 때까지 계속 돌아다녔다. 어떤 여우를 발견한 론은 여우 왕국임이 틀림없다고 생각하고 그 여우를 따라갔다. 그러자 여우들이 그의 주위에 몰려와, 그를 성안의, 매우 아파 보이는 늙은 여우에게 데려갔다. 혹시나 병을 고칠 수 있는지 살펴보라는 말도 덧붙였다. 그러자 론은 갑자기 그 늙은 여우가 누구인지 기억이 났다. 그는 왕이었다. 그는 지금이 존에 대해 거짓말함으로써 모두를 속일 큰 기회라고 생각했다.

론은 붉은 눈을 보이기 위해 고개를 든 채, 밝은 목소리로 말했다(그는 여우말을 기억했기에, 말도 유창했다). "저는 당신들 모두가 잘못 추측하고 있다는 것을 압니다. 당신들은 병의 원인이 무엇인지 모르지만, 왕을 치료할 수 있으리라 확신하니, 제 얘길 들어 주십시오. 당신들은 모두 존을 찾아야 합니다. 그는 악한 마음으로 병을 일으키는 사람이죠. 그는 인간들과 동반자가 되었어요. 평화는 존이 사라진 후에나 올 수 있습니다."

여우들 대부분은 "나는 그 더러운 짐승이 음모를 꾸미고 있다는 것을 진작 알았어!"와 같은 말을 하면서 확신하는 것처럼 보였다. "저 남자 말이 맞아! 존이 곁에 있을 땐 명백한 해악이 일어나지!" 바로 그때 이상한 것들과 종교적인 물건들을 차려입은 여우가 방으로 날아들었다. 그녀는 소리쳤다. "존이 여우 동상을 찾았어요! 이것 좀 봐요!" 아가타가 작고 빛나는 조각상을 들어 올려, 왕에게 건네줄 때, 모든 사람의 시선이 아가타에게 쏠렸다. 그녀는 또한 왕에게 질병을 치료하는 마법이 있는 종이를 건네주었다.

왕은 종이를 흔들며 떨리는 목소리로 큰 소리로 읽었다. 론은 종이만큼 떨고 있었다. 그는 무서워서 떨고 있었다. 왕이 마지막 구절을 큰 소리로 읽었을 때, 모두 숨을 죽이고 기다렸다.

그들은 기다렸다,
그리고 기다렸다,
계속 기다렸지만,

아무 일도 없었다.

왕이 기침했다. 모든 사람이 다시 아가타를 주시하였으나, 이번에는 분노한 눈이었다. 그들은 그녀를 옆으로 밀치고 론을 바라보았다. 론은 "존을 없애야 해요! 그가 모든 문제를 일으킨 사람입니다. 그가 태어나기 전에는 모든 것이 괜찮았어요!"

아가타가 말을 가로막았다. "실례지만 존이 태어나기 전에도 폐하는 아팠습니다! 왕은 축복받은 나무를 베어서…" 한 신하가 쏘아붙였다. "입 다물어! 감히 그 주제를 언급하다니!" 론이 말했다. "당신들 궁정의 신하들은 아마도 우리 모두와 마찬가지로, 왕을 구할 수 있는 아이디어에 반대하지 않는 것이 더 나은 것을 알고 있을 것입니다. 모든 것이 존으로부터 시작되었습니다!" 그리고 나서 그는 붉어지는 아가타의 얼굴을 유심히 지켜보았다.

그러자 론은 생각했다. '시간이 거의 시간이 없어. 빨리 끝내는 게 좋겠어.' 론은 가야 한다고 말하고 인간 세상으로 돌아갔다. 그는 호텔로 돌아와, 준비했다. 그는 망토를 벗고 옷을 갈아입었다. 막 밖으로 나가려 할 때, 론은 최면에 걸린 여우를 데려오는 것을 잊어버린 것이 생각나서, 자신이 만든 여우 복장을 꺼내어 여우 왕국으로 돌아가 여우를 찾으려고 했다.

바로 그때, 론은 어느 집 안에서 이야기 소리가 새어 나오는 것을 듣고 안으로 들어갔다. 그 안에서 그는 두 마리의 여우 아기와 벤을 보았다. 론은 '벤이 왜 여기 있지?'라고 생각했다. 그는 벤에게 밖으로 나오라고 명령했다. "여기는 왜 왔지?" 벤이 대답했다. "저는 음…몇 가지를 조사하고 있을 뿐이었어요." 론은 "왜 나에게 말하지 않았나?"라고 화를 냈다. 벤이 대답했다. "죄송합니다, 잊어버렸어요. 당신은 뭘 하고 있었나요?" 론은 "그냥 몇 가지. 넌 알 필요가 없어." 그러자 벤은 론에게 "좀 더 조사해도 될까요? 나는 무언가를 알아내려고 노력하고 있어요." 론은 벤을 믿을 수 없었지만, 론은 론 대로 특별한 일을 할 계획이었기 때문에 그렇게 하라고 말했다.

벤이 집으로 돌아온 것을 확인한 후, 론은 한 여우에게 최면을 걸러 밖으로 나갔다. 그는 여우를 발견하고 그에게 최면을 걸려고 했지만, 론은 그 여우에게 최면을 걸 수 없었고, 그 여우는 그를 고소하려고 했다.

몇 시간 동안 달아나고 탐색한 후에야, 그는 최면을 걸 수 있는 여우를 발견했다. 그는 최면에 걸린 여우를 데리고 다녔다. 론은 인간의 곁으로 가서 제복으로 갈아입었다. 그리고 그는 갈색 코트를 입고 모자를 썼다.

론은 연단에 올라가서 중요한 발표가 있다고 알리려 했다. 많은 카메라가 그를 찍고 있고 기자들이 서로 먼저 질문하려고 해서 모든 사람이 론을 주목했다. (론은 그들에게 뇌물을 주었다) 론은 호텔의 동물원 직원인 존이 동물원뿐만 아니라 숲 전역에서 여우들을 훈련하고 마을을 해치려고 계획한 것을 밝혔다. 그는 자기가 최면을 건 여우를 보여주며 그 여우가 인간을 공격하려고 하고 존이 또한 숲에서 산책하던 무고한 주민들을 살해한 사실도 언급했다.

반 이상의 사람들은 론을 믿지 않았고 나머지 반은 속아 넘어갔다. 그런 다음 론은 말했다. "여우들은 실제로 존이 주도하는 '여우 왕국'이라는 사회를 구성하고 있으며 그들은 존을 간첩으로 이용하고 있습니다.

그들은 곧 공격할 것이므로 우리가 그들보다 먼저 공격해야 합니다. 보시다시피, 그건 어렵지 않을 겁니다." 청중들은 박수를 보내며 환호했다.

그때 론은 존을 보고 "그 사람이에요! 존이에요"라고 말했다.

론이 그 말을 마친 순간, 모두가 존 쪽으로 달려갔다. 존은 상당히 혼란스러워하며 무슨 일인지 물었다. 마을 사람들은 대답하지 않고 대신 그에게 질문을 시작했다. 그들은 여우 왕국에 관해 물었고, 존은 거짓말밖에 선택할 수 없었다. 다행히 사람들은 존을 믿었다. 그들은 존을 론에게 데려갔다.

존은 여전히 매우 혼란스러웠지만, 론이 그를 쳐다보자 존은 갑자기 오한이 느껴졌다. 론은 그를 만든 사람이었으니까! 비록 존이 어떻게 인간이 되었는지는 모르지만 말이다. 모든 상황이 책에서 본 '존의 창조자들은 존을 싫어했다'라는 언급과도 어울리게 느껴졌다. 론은 다시 그를 쳐다보고 이상한 말을 중얼거렸다. 존은 그것에 저항하려고 했다. 존은 론의 눈 속까지 파고들어 싸우려고 했지만, 그것은 너무 강했고 싸우기 어려웠다. 존은 피곤해졌다. 결국, 포기할 때쯤, 그는 한 소년의 실루엣을 보았다.

다행히, 벤이 달려와서 존을 끌어내렸다. 존은 이제 무슨 일이 일어나고 있는지 몰랐다. 존은 여전히 어지러웠고, 힘없이 땅으로 고꾸라졌다. 론도 약간 당황한 모습이었으므로 벤이 존을 문을 통해 끌어내었다. 존은 벤에게 자신이 어디에 살고 있는지 말했고, 벤은 그를 안아 올렸다.

론은 "여러분이 방금 보았듯이, 존은 많은 추종자를 가지고 있습니다.

존을 막는 것은 우리의 의무입니다. 이 의무를 다하기 위해 여우들이 다
어디에 있는지 알려주겠습니다. 그들은 모두 숲을 가로질러 밖에 있고,
여우들은 땅 구멍과 동굴에 삽니다. 그들이 우리를 잡기 전에 우리가 그
들을 잡아야 합니다. 우리는 군대를 구성할 것이고, 수천 명의 지원병이
필요할 것입니다. 나는 무기와 적절한 장비를 제공하겠습니다." 연설했다.

분열의 시작

5. 분열의 시작

그 말을 한 후에 론은 떠나야 한다고 말했다. 그는 신속하게 항구로 달렸고, 배에 올랐다. 배는 한 섬으로 가고, 거기서 론은 널판자를 이용해 다른 섬으로 들어갔다. 거기서 그는 절망적으로 찾기 시작했다. 그는 기억을 따라가며 생명 나무를 발견한 곳으로 되돌아가려고 했다. 몇 시간에 걸쳐 찾고 나서야 그는 생명 나무를 찾았다. 그 크기는 화분 정도였다. 그는 단 한 개의 생명의 씨앗만 가져갔지만, 론은 그것으로 누군가를 아프게 할 수 있는 충분하리라 생각했다. 여우들의 삶을 단축한다는 것은, 그들을 아프게 만들었다는 의미였다! 그는 나무를 가져다가 장바구니에 넣었다.

그리고 론은 호텔로 돌아와 직원들에게 '건강검진'을 위해, 컵에 재채기해서 자기에게 달라고 말했다. 모든 표본을 수집한 후, 그는 표본에서 바이러스를 추출하여 씨앗에 섞기 시작했다. 그는 아무도 너무 아프지 않지만, 여전히 바이러스를 무서워할 만큼 충분히 아픈, 완벽한 혼합물을 원했다. 그것은 또한 여우에게 해를 끼치지 않는 것이어야 했다. 왜냐하면, 만약 여우가 바이러스로 인해 병에 걸리면, 인간들은 론을 의심할 것이기 때문이다. 그는 또한 사람들이 여우와 더 빨리 전쟁을 하도록 사람들을 화나게 하고 공격적으로 만들 수 있는 특별한 약을 제조하기 위해, 그가 넣을 필요가 있는 몇 가지 다른 것들을 넣었다.

곧, 론은 그가 원하는 혼합물을 얻을 수 있었다. 그래서 그는 이번에는 그 혼합물이 일으킬 질병을 치료하기 위한 또 다른 혼합물을 만들었다. 이 모든 작업을 마친 후 론은 돌아갔고, 길 아래에 있는 식당을 운영하는 그의 친구에게 전화를 걸어 호텔에 그의 음식을 광고하겠다고 제안했다. 론은 식당으로 가서 부엌으로 들어갔다. 마침 일요일이어서 가게에는 론과 그의 친구만 있었다.

그들은 잠시 이야기를 나누며 필요한 예산에 대해 논의했다. 친구가 화장실을 사용하기 위해 떠났을 때, 론은 그가 본 모든 음식에 바이러스를 떨어뜨렸다. 그리고 음식을 광고할 표지판을 어떻게 디자인해야 할지에 대해 더 길게 이야기했고, 마침내 론은 떠났다. 그는 또한 간판을 만드는 친구에게 전화를 걸어 동네 식당 간판을 만들어야 한다고 말하고 그곳에 가서 간판을 디자인해 달라고 부탁했다. 론은 바이러스가 퍼지기 시작했을 때 그들이 그를 의심하지 않기 위해 이런 일을 했다.

한편, 존은 벤과 이야기를 나누고 있었다. 존은 이미 그에게 백만 번이나 감사를 표했지만, 벤은 침착하게 존을 사람이 상상할 수 있는 가장 불친절한 방법으로 바라보았다. 벤은 존이 론을 제거하는 것을 도울 뿐이었다. 그리고 그는 존을 배신하고 자신만의 움직임을 만들기 시작했다. 그러나 존은 여전히 그 사실을 조금도 눈치채지 못하고 감사의 말을 하고 있었다.

존은 "내가 포기하고 싶을 때, 네가 마법처럼 나타났어! 널 줄 알았어! 널 위해 뭐든지 할게! 도대체 어떻게 여기까지 온 거야?" 벤은 "떠나왔어요."라고 말했다. 존은 계속해서 "정말 고마워. 내가 널 고아원으로 안전하게 데려다줄게! 아무것도 걱정하지 마!" 이 말은 지금까지 벤이 들은 말 중 최악의 것이었다.

벤은 "나는 당신이 나를 위해 무엇이든 하리라 생각했어요."라고 말했다. 존은 "그럼!"이라고 응수했다. 벤은 "글쎄요, 저는 고아원이 싫었고, 다시 돌아가고 싶지 않아요."라고 말했다. 존은 "얘야, 너는 네가 안전하고 행복한 곳으로 돌아가야 해!"라고 설득했다. 벤은 "내가 있었던 곳은, 나를 불행하게 만드는 곳이에요. 거기에는 우리 말고도 쥐 가족이 살고 있어서, 사실상 매우 안전하지 않죠."

존은 벤을 응시했다. 벤은 "입양을 고려해 줄 수 있나요?"라고 급작스레 제안했다. 존이 말했다. "글쎄. 그곳이 그렇게 즐겁지 않다고 하더라도, 난 널 입양하기가 어려워. 그래도 한번 시도해 볼 수 있을 것 같네." 그래서 그들은 고아원으로 갔고, 예상 밖에 존은 벤을 쉽게 입양할 수 있었다. 존은 벤을 호텔로 데려갔다.

존은 벤을 위해 더 많은 것을 해주고 싶었고, 그래서 존은 벤에게 무엇을 원하는지 물었다. 아무 망설임 없이, 벤은 학교에 가고 싶다고 말했다. 존은 고개를 끄덕였다. 벤은 더 많은 것을 배우고 장점을 발전시켜 다시 시작하고 싶어서 이렇게 말했다. 더 나쁜 상황에 빠지지 않도록 스스로 보호하기 위해서이기도 했다. 존은 동의했다.

존은 벤을 학교에 보내려면 많은 물건이 필요하고, 그 물건을 얻기 위해서는 많은 돈이 필요하다는 것을 깨달았다. 호텔에 돌아와서 바로 일할 수 있는지 물어보았다. 그 후, 존은 벤에게 어떤 학교에 가고 싶은지 물었다. 벤은 사립학교에 가고 싶어 했다. 벤이 존을 구해주기도 했고, 존은 특별히 더 벤을 도와주고 싶었기 때문에, 결국, 존은 벤을 사립학교에 등록시켰다. 그리고 상점에 가서 학교생활에 필요한 물건을 샀다.

존은 가게에서 돌아온 후 잠이 들었다. 그는 그날 너무 피곤했다. 처음에, 그는 몇몇 사람들에게 붙잡혔고, 다음엔, 벤을 만났고, 그러고 나서 그는 가게로 가야만 했다. 너무 피곤해서 존은 바로 잠에 빠졌다.

존이 잠이 들자마자, 벤은 침대에서 기어 나와 무언가에 대해 생각하기 시작했다. 벤은 존이 그의 출생의 비밀에 대해 이미 알고 있다는 것을 알지 못했고, 그래서 그는 이전에 일어났던 일들을 숨기고 있었다. 벤은 언젠가 그것을 밝힐 필요가 있다는 것을 알고 있었지만, 존이 이것에 대해 알게 된다면, 존이 미쳐버릴지도 모른다고 생각했다. 그는 그것을 존에게 숨길 방법을 생각했지만 좋은 생각이 떠오르지 않아서 그는 침대로 돌아갔다.

다음날, 존은 일하러 갔다. 론은 그곳에 없었다. 존은 그 모든 일이 있고 난 뒤에 그를 보는 것이 그다지 즐겁지 않으리라는 것을 알았기 때문에 매우 기뻤다.

일이 끝난 후에도 존은 여전히 론이 어디로 갔는지 알 수 없어서, 벤의 학용품을 좀 더 사러 갔다. 그는 벤을 위한 물품을 아무것도 찾을 수 없었지만, 그에게 많은 도움을 줄 수 있는 아이디어를 얻었다. 그는 집으로 돌아와 지팡이를 꺼냈다. 그는 벤이 마법을 부리고 있는 것을 본다면 벤이 자신을 이상하게 생각할 수도 있다고 생각해서 화장실에 가서 목록을 보았다. 존은 목록에 있는 모든 것들을 만들었지만 그들 중 일부는 잘못 나왔다. 그는 만년필을 만들었지만, 잉크가 없었고, 필통은 튜브만큼 컸으며, 교과서는 여우 말로 타이핑되었다.

존은 벤에게 학용품 목록에 있는 물건 사진들을 찾아달라고 부탁했다. 벤은 존이 왜 그 사진들을 가져오라고 했는지 궁금했다. 존은 재빨리 컴퓨터와 프린터를 만들어 벤에게 컴퓨터의 사진을 복사하라고 시켰다. 그리고 덧붙였다, "그 컴퓨터는 이제 네 것이야." 그 컴퓨터는 존에게 쓸모가 없었다. 벤은 그 사진들을 인쇄해서 존에게 주었다. 존은 갈색 배낭에 그가 만든 모든 것들을 가죽끈으로 싸서 갈고리에 걸었다. 그는 벤에게 부드럽게 말했다. "넌 내일부터 학교에 다니는 거야, 알았지?"

벤은 존이 잠들 때까지 기다렸다가 그의 컴퓨터 앞에 앉았다. 그는 모든 중요한 것들을 컴퓨터에 쓰겠다고 결심했다. 그는 프로그램을 설정해서 거기에 글을 쓸 수 있게 한 다음 잠자리에 들었다. 벤은 존이 자신을 여섯 살짜리처럼 대하는 것이 마음에 들지 않았지만, 지금으로서는 이 방법밖에 없다는 생각에, 침대로 가서 잠에 빠졌다.

다음날, 벤이 학교에 갔을 때, 모두가 그를 보고 있었다. 존은 두 번째 시도 이후에도 서너 가지 항목에서 사소한 실수를 저질렀고, 그의 이상한 장비 때문에 모두 벤을 노려보고 있었다. 벤은 다른 사람들이 어떻게 생각하는지 신경 쓰지 않기로 마음먹었기에, 그것은 그에게 큰 영향을 미치지 않았다. 그는 수업에 굉장히 집중했다. 그가 상대를 능가하고 싶다면 더 배울 필요가 있었다.

그래도 그는 과학자였기 때문에 거의 모든 것이 쉽게 느껴졌다. 그가 과학과 수학에서 배운 모든 것은 믿을 수 없을 정도로 쉬웠고, 그는 반 친구들이 왜 고군분투하는지 이해할 수 없었다. 다른 모든 것들은 꽤 쉬웠지만, 여전히 배울 의지가 생길 만큼은 꽤 흥미로웠다. 벤은 영어 수업에서 고전했을 뿐이다.

벤이 집에 돌아왔을 때, 존은 그에게 학교가 어떠냐고 물었다. 벤이

"좋아요"라고 대답했다. 존은 고기 한 그릇, 으깬 감자, 브로콜리를 얻어 벤에게 주었다. 벤은 기분이 이상했다. 그는 존이 왜 그렇게 자기에게 친절하게 대하는지 알 수 없었다. 존 말고는 아무도 자기에게 그렇게 행동하지 않을 것이다. 그는 또한 존에게 어린아이처럼 행동해야 하는 것에 대해 이상하게 생각했다. 그는 말로 형용할 수 없는 좋은 기분과 나쁜 기분을 동시에 느꼈다.

다음 날, 벤이 학교에서 돌아오자 존은 다시 학교가 어땠는지 물었다. 벤은 잘 적응하기 어려웠으므로, "어려웠어요."라고 말했다. 벤이 존이 생각한 것보다 그렇게 힘들지는 않았지만, 존은 갑자기 공감의 감정을 느꼈다. 그는 벤이 어떤 기분인지 이해할 수 있었다. 존은 자신과 공감할 수 있는 상대가 있어 기뻤다. 짧은 대화 후, 벤은 잠들었다. 존은 기분이 좋았고, 어릴 적을 생각했다. 가정교육을 받은 두 해 동안 적응하는 것이 어려웠고, 다른 사람들과 다르게 보이는 것도 큰 문제였다. 그는 항상 누군가와 이야기하고 싶었다. 존은 벤이 그런 시기를 겪고 있으리라 생각해 벤을 도우려고 했다. 결국, 벤은 사소한 일에 관심을 가지는 것 외에는 많이 알지 못하는 어린이일 뿐이었기 때문이다.

그러는 동안 론은 호텔로 가고 있었다. 그는 바이러스를 더 찾기 위해 어디로 가야 할지 몰랐기에 바이러스를 더 많이 만들려고 노력하고 있었다. 그는 또한 계획을 수정하고, 몇 가지 일을 추진할 필요가 있었다. 론은 이것을 하기 위해서는 자신만의 공간이 필요하다는 것을 알았다.

갑자기, 그는 좋은 생각이 떠올랐다. 그는 여우 왕국까지 가는 훨씬 더 큰 터널을 설치할 수 있었다. 그렇게 하면 그가 계획을 세우고 모든 실험을 하는 것이 더 쉬울 것이다. 그는 그 터널이 어떻게 보일지에 대해 생각하기 시작했다. 그는 밖에서 뭔가 흥미로운 것을 발견할 경우를 대비해 터널을 깨끗하게 만들곤 했다. 그것은 또한 그가 터널 안에서 쓸 교통수단뿐 아니라 많은 방과 실험실 도구가 필요했다. 그는 또한 군용 무기를 보관할 방을 갖고 싶었고, 수송용 수레와 큰 사무실을 원했으며, 최면에 걸린 여우를 놓을 장소를 원했다.

계획을 세운 후에 그는 가게로 가서 그의 모든 물건을 가져왔고, 큰 유리관을 주문했다. 그리고 그는 그것들을 모두 연결하고 그 위에 트랙을 놓았다. 그 후, 그는 낡은 차들을 얻어 완전히 새로운 운송수단으로 만들었다. 모든 실험 도구를 방에 배치한 후, 론은 전등을 몇 개 가지고 그것들을 나사로 고정했다.

그는 자기 작품을 보고 그 차들을 테스트하기로 했다. 승차감이 그리 편안한 것은 아니었지만, 확실히 빨랐다. 자동차와 비슷했지만 부드럽게 움직이지 않았고, 매우 빨랐으며, 오래된 차량으로 만들어져 페인트를 칠했지만, 녹이 슬었다. 그것을 시험해 본 후, 론은 너무 피곤해서 잠이 들었다.

다음 날, 벤은 학교에서 집으로 걸어오면서 긴 진회색 외투를 잡아서 풀이 잔디 위에 끌리지 않게 했다(존은 교복을 크게 맞췄다). 그는 하늘을 바라보며 생각에 잠겨 있어서 아래를 살펴볼 수 없었고, 곧 무언가에 발이 걸렸다. 그것을 발견하고 살펴보았다. 그것은 매우 반짝이고 아주 단단한 물건이었다. 벤은 물러나서 그것을 살펴보았다.

위험해 보이지 않아서 그것을 조금 더 드러내서 다른 부분을 볼 수 있게 했다. 벤은 투명한 유리를 보았고, 그 유리는 강력한 철사로 연결된 튜브 모양이었다. 안쪽에는 검은색과 보라색이 섞인 노후 차량, 차량 옆에는 페인트 양동이, 그리고 닫힌 문 몇 개와 이상한 증기가 여기저기서 피어오르는 게 보였다. 벤은 그것을 살펴보았다. 기분이 이상했다. 바로 그때, 문이 열렸고, 남자의 실루엣이 드러났다. 벤은 돌아보았지만, 그 사람이 위를 보는 것을 알고 주위로 이동했다. 벤은 그 사람이 누구인지 알아차렸다.

벤은 가능한 한 빨리 호텔로 달려가 지금은 그다지 깨끗하지 않은 그가 가장 좋아하는 코트의 먼지를 털었다. 그는 약간 걱정했다. 그는 존에게 전화하고 싶었지만, 아래층의 모든 사람이 눈치채지 못하게 하고 싶었다. 벤은 결심하고 잠옷으로 갈아입고 코트를 다시 입었다. 그는 살금살금 계단을 내려와 존을 옆으로 끌어당겼다. 존은 벤을 밀어내고 말했다. "내가 여기서 일하고 있는데 방해하면 안 돼, 알았지? 자, 이제 자러 가자." 벤은 잠시 생각하다가 위험을 감수하겠다고 속으로 말했다. 그는 존을 다시 한번 세우고 여우처럼 "급한 일이예요."라고 속삭였다.

존은 그에게로 가서 숨을 헐떡였다. 벤은 여우처럼 말했다. "바쁘면 나중에 와요. 방해하지 않을게요." 존은 벤에게 5분만 기다리라고 말했고, 존은 곧 돌아왔다. 존은 벤이 유창하지는 않았지만, 여우 말을 할 줄 안다는 사실에 놀랐고, 도무지 일에 집중할 수 없었다.

방에 돌아온 후, 존이 물었다. "넌 어떻게 사람이 되었니?" 벤은 그를 쳐다보고 말했다. 존은 상황이 얼마나 아이러니한지 생각했다. 그의 창조자가 벤이었지만, 존은 벤의 법정후견인이었다. 벤도 그것을 알아차렸는지 어른스럽게 행동하려고 했다. 그러자 존이 말했다. "왜 그렇게 서둘러서 왔니? 난 너와 그렇게 많이 대화하지도 않잖아." 벤은 이제 반말로 말했다. "음, 중요한 할 말이 있어." 존이 물었다. "할 말이 뭔데?" 벤은 말했다. "오늘 학교에서 집에 돌아오는 길에 뭔가에 발을 헛디뎠어. 그게 너무 단단하고 반짝거리고 울퉁불퉁한 느낌이었어. 궁금해서 그것을 드러냈더니 유리 터널 안에 뭔가 실험실 같은 게 있었어. 증기가 나오는 많은 문이 있었고, 그중 하나에서 누군가 나오는 걸 봤어."

존은 "누구였어?"라고 물었다. 벤은 잠시 망설이다가 "론"이라고 말했다. 벤은 천천히 존의 얼굴에서 핏기가 사라지는 것을 볼 수 있었다. 존은 떨면서 말했다. "이런… 무슨 일이 일어날지 알 것 같지만, 말하고 싶지 않아." 벤은 "막상 입 밖으로 말하면 아무 일도 안 일어날 수도 있지. 대신 내가 아는 모든 사실을 말해줄게. 론은 진심으로 너를 혐오해. 그는 너를 끝장내고 싶어 하는 것 같아. 알다시피, 넌 잘못 만들어져서, 우린 널 없애야 한다고 생각했거든."

존은 "나는 완벽하게 괜찮아!"라고 소리쳤다. 그러나 벤은 계속했다. "론은 자신만의 방식으로 세상을 바꾸려는 거야." 존은 물었다. "론이 네 이전 삶에 대해 말해줬어? 그러니까 여우로서 살았던 삶 같은 거?" 벤은 "응, 하지만 그는 일부를 과장했어."라고 말했다. 존이 말했다. "그럼 론은 전에 무슨 일이 있었는지 다 알고 있다는 얘긴가?" 벤은 고개를 끄덕였다. 존은 "후. 그렇게 론이 여우와 인간의 측면을 모두 잘 안다면, 론 입장에서 여우와 인간을 싸우게 만드는 건, 식은 죽 먹기네! 보다시피… 네가 나를 구해준 날, 론이 나를 잡으라고 말하자마자, 모두가 나를 향해 미친 듯이 달려들었지." 벤은 "내가 보기에 이 문제에 대한 해결책은 대부분 너에게 달려 있을 가능성이 큰 것 같아. 네가 중요한 뭔가를 해내야 해."

존은 기절할 것 같았다. 너무 부담스러웠다. 존은 스스로 계획을 세울 필요가 있다는 것을 알았고, 지금 그의 감정에 대해 생각할 시간이 없다는 것도 알았다. 존은 벤에게 우리가 무엇을 해야 하는지 물었지만, 벤은 그것에 대해 생각해 본 적이 없으며, 결국 존이 그것을 알아내야 한다고 말했다.

한편, 아가타 남편의 친구들은 인간 세상 근처를 산책하고 있었다. 잠시 후, 그들은 지루해지기 시작했고 갑자기, 그들 중 한 명이 아이디어를 떠올렸다. 그는 인간 세상으로 가자고 제안했다. 모두가 동의했기 때문에, 그들은 집으로 가서 인간 옷을 입고 인간 세상으로 갔다. 그들 중 한 명은 머물 곳이 필요하다는 것을 기억하고 있어서 가장 가까운 집으로 들어갔다가 1분 만에 쫓겨났다. 그들은 자신들이 쫓겨난 이유를 몰라 몇 번이고 시도했지만, 결과는 똑같아서 그들이 갔던 호텔로 가기로 했다.

그들은 인간 세상에서만 통용되는 [종이]가 필요했기 때문에 여우 왕국으로 돌아가서 아가타에게 사용했던 녹색 종이를 달라고 했다. 아가타는 그들에게 그것이 가득 담긴 자루를 주었고 그들은 인간 세상으로 돌아갔다. 그들은 호텔에 방을 얻은 다음 탐험을 하기 위해 밖으로 나갔다. 그들이 그 건물 중 하나에 들어갔을 때, 그들은 인간의 앞발만큼 작은 스크린을 보았다. 그것은 인간이 전화기라고 불리는 것으로 마술을 만드는 것이었다. 그들은 그것들을 파는 모든 가게에 가서 모든 것을 샀다. 그들은 왕에게 그 놀라운 것들을 보여주고 싶어 여우 왕국으로 돌아가서 왕과 신하들에게 그것을 어떻게 하는지, 그것이 무엇을 하는지, 그리고 당신이 무엇을 창조할 수 있는지를 보여주었지만, 모두가 흥미를 느낀 것은 아니었다.

그들은 사 온 휴대전화기 대부분을 성에 남겨 두고, 일부만 아가타에게 가져왔다. 그들은 왕에게 가르쳤던 것처럼 아가타에게도 사용법을 가르쳤고, 아가타는 기꺼이 그 신문물을 받아들였다. 아가타는 정부가 휴대전화기를 사용하도록 설득하기로 했다. 그녀는 또한 존에게 조금만 주면 좋겠다고 생각해서 물건들을 상자에 넣고 잠을 잤다. 다음날, 그녀는 매우 바빴다. 그녀는 그것을 보낼 시간이 없었다.

한편, 론은 다음 계획으로 넘어갈 준비 중이었다. 그는 휴대전화기를 사기 위해 가장 가까운 휴대전화 판매점에 갔지만, 전화기는 모두 팔렸다. 그는 직원 중 한 명에게 무슨 일이 있었는지 물었고, 그는 그에게 돈이 가득 든 자루를 가진 두 남자가 가게에 있는 모든 전화기를 사고 떠났다고 말했다. 그는 다른 가게에 갔지만, 그들은 같은 말을 했다. 론은 두 사람이 누구인지 궁금해지기 시작했고 휴대전화 판매점 직원에게 그들의 외모와 그들이 무엇을 하고 있는지 물었지만, 그는 어떤 단서나 힌트도 얻을 수 없었다. 론은 이제 전화기 하나로 계획을 실행할 방법을 찾아야 했다.

그즈음 아가타는 존에게 4개의 전화기를 보내고 있었다. 존은 깜짝 놀랐다. 왜냐하면, 시중의 휴대전화기가 모두 동난 상황에, 아가타가 휴대전화기를 가지고 있었기 때문이다. 존은 아가타에게 어디서 얻었는지 물었고 아가타는 남편의 친구들이 그녀에게 주었다고 말했다. 아가타는 그에게 정부도 그것을 가지고 있고 그들은 그녀가 만든 비밀 웹사이트를 가지고 있으며 또한 론이 원한다면 그 웹사이트에 가입하기 위해 그녀의 ID를 사용할 수 있다고 말했다.

존은 벤에게 그것에 대해 말했고, 벤은 계획을 생각해보겠다고 말했다. 벤은 우선 전화기를 두 대씩 나누었다. 하나는 정보 공유와 웹사이트 사용을 위한 것이고, 다른 하나는 개인용이라고 말했다. 존은 고개를 끄덕였다. 그들은 웹사이트에 들어가서 여우 왕국의 과거 사건들을 기록하고 공유했다. 벤은 이 일을 하는데 아무런 어려움이 없었지만, 존은 여우들이 자신을 어떻게 생각하는지 알고 난 후에 힘든 시간을 보내고 있었다. 하지만, 그들은 이것을 간신히 끝냈다.

그러는 동안 론은 호텔의 복도를 돌아다니며 복도를 살피고 있었다. 그가 5층에 도착했을 때, 그는 열쇠를 들고 문을 조금 열었다.

존은 이미 자는 것처럼 보였다. 그는 두 대의 전화기를 들고 깊이 잠들어 있었다. 존의 오렌지색, 갈색, 검은 머리칼이 뒤엉켜 침대 위에 널브러져 다른 사람의 머리칼과 엉켜 있었다. 론은 문을 조금 더 열었다. 그것은 벤의 창백한 얼굴을 드러냈다. 론은 문을 닫았다. 론은 중얼거렸다. "그래서 벤이 존을 구해줬구나. 웃기네…. 벤이 나보다 존을 더 싫어한다고 생각했는데." 그는 조용히 그의 방으로 돌아갔다.

론이 이 일을 하는 동안 아가타는 일을 마치고 집으로 돌아가고 있었다. 그녀는 2박 3일 동안 일했기 때문에 남편과 아이들을 볼 수 있어서 행복했다. 하지만 어떤 이유에서인지 그녀는 인간 세상으로 향하기 시작했다. 그녀는 호텔에 도착했다. 갑자기, 그녀는 어두운 그림자가 다가오는 것을 보았다. 그는 호텔로 들어가고 있었다. 아가타는 인간의 옷을 입고 있지 않았기 때문에 미행하지 않았지만, 그녀는 여전히 그것이 누구인지 알고 싶었다.

다음날, 아가타는 그녀의 인간 옷을 입고 호텔로 갔다. 그녀는 아무도 찾지 못했지만, 흙으로 덮인 큰 터널은 발견했다. 터널은 유리로 만들어졌고 유리관을 부착하는 금속 케이블이 있었다. 터널을 따라 액체가 담긴 도구나 병이 있는 방들이 있었다. 그녀가 터널을 계속 따라가면서, 그녀는 다시 여우 왕국으로 걸어 들어갔다. 그녀가 터널의 끝에 도착했을 때, 그녀는 작은 문을 보고 안으로 올라갔다.

아가타는 액체가 무엇인지 보기 위해 일부 플라스크를 가져와서 터널 안으로 더 멀리 모험을 떠났다. 그녀는 손잡이와 조명이 달린 물건을 보았으므로 그 위로 올라갔다. 그것은 터널 안에서 돌아다녔고, 트랙 위에 머무를 수도 있었다. 또한, 자동차보다 훨씬 빨랐고 모든 털을 날려버렸다.

그 후 그녀는 내려와서 다른 문을 열었고, 그 문을 통해 다른 터널로 들어갔다. 그 터널은 매우 가팔라서 오르기가 어려웠지만, 그녀는 계속 올라갔다. 얼마 지나지 않아 피곤해졌으므로 마법을 사용하여 올라갔고, 단 몇 분이 걸렸다.

그러고 나서, 그녀는 다른 문을 보았다. 그것은 지난번 것보다 더 크고 녹슨 손잡이를 가지고 있었다. 바로 그때 그녀는 이곳이 그녀가 여우 동상을 둔 곳이라는 것을 깨달았다. 아가타는 여전히 유리 터널이 무엇인지 몰랐다. 그녀는 생각을 멈추고 문을 열었다.

아가타는 구석에서 존과 턱까지 오는 키의 한 소년을 보았다. 그녀는 존에게 다가가 무슨 일이 일어나고 있는지 물었다. 처음에, 존은 그녀에게 대답하지 않았지만, 그는 그녀에게 그의 계획을 말했고, 그는 그가 막혔다고 말했다. 아가타는 그에게 병을 건네주며 도움이 될지도 모른다고 말했다. 그리고 그녀는 그 아이에 관해 물었고 존은 그 아이가 벤이고 그가 여기서 무엇을 하고 있는지에 대해 그녀에게 말했다. 아가타는 존에게 벤이 전화를 사용하는 걸 막고 그를 떠나라고 명령했다. 아가타는 재빨리 떠나 여우 왕국으로 돌아갔다. 그녀가 집에 돌아왔을 때 밖은 이미 어두워져 있었다.

한편 론은 자신이 만든 터널로 가고 있었다. 하지만 그가 터널에 들어갔을 때, 그는 뭔가 잘못되었다는 것을 알았다. 여기저기에 여우 발자국이 있었고 몇몇 병들은 사라졌다. 어떤 여우가 그의 터널을 완전히 망쳤다!

론은 이미 일어난 일들에 별로 만족하지 못했기에, 지금 당장 그의 계획을 성공시키기로 했다. 여우 왕국에 가서 그들의 무기가 무엇인지 확인해보면 좋겠다는 생각에 여우처럼 분장하고 특별한 화학물질을 사용해 연구실에서 만든 여우 복장을 한 뒤 여우 왕국으로 향했다. 그가 무기들을 보자고 했을 때, 그들은 그에게 보여주기를 거부했고 왜 그가 무기들을 보기를 원했는지 물었다.

론은 그가 정부로부터 파견되었다고 말했으나, 그들은 여전히 무기와 관련이 없는 직책의 사람에게 무기를 보여주기를 원하지 않았기 때문에 거절했다. 그래서 론은 그가 무기들을 확인하기 위해 이곳에 온 새로운 육군 장군이라고 말했다.

론이 말하자마자 그들은 그를 바위가 많은 방으로 안내했다. 론은 왜 바위들만 있는지 궁금했지만, 그들이 그가 인간이라는 것을 눈치챌 것이기 때문에 묻지 않기로 했다. 하지만 호기심이 그를 압도했고 그는 바위들에 관해 물었다. 그들은 그가 농담하는 줄 알았다. 자연과 관련이 없는 건 사용하지 말아야 하기에, 그들은 돌을 사용했다고 말했다. 이 얘기에 론은 매우 기뻤다. 그의 계획이 더욱 완벽하게 진행될 것 같았다. 인간 세계로 행복하게 돌아가며, 론은 건너뛰기 시작했다. 론의 계획이 놀라울 정도로 성공하고 있었다.

한편, 아가타는 웹사이트를 보고 있었다. 갑자기 그녀는 어떻게 그렇게 많은 아이디를 가지고 있냐는 내용의 10개의 문자를 받기 시작했다. 아가타는 그들 모두에게 아이디를 자주 잊어버리기 때문에 여러 개의 백업 아이디가 있다고 말했다. 그런 다음 그녀는 웹사이트를 탐색하고 업데이트가 더 있는지 확인하기 시작했다.

아가타가 휴식을 즐기고 있을 때, 존과 벤은 아가타가 준 병에 든 바이러스를 연구하고 있었는데, 이것을 위한 백신을 찾아 론의 계획을 막을 수 있었다. 그때, 벤은 아이디어를 생각하고 있었다. 그는 존이 마술을 배울 필요가 있다고 생각했다. 그는 존이 이미 마술 대부분을 알고 있다고 생각했고 그래서 그는 존에게 복잡한 마술을 하는 방법을 가르치기로 했다. 벤은 여우들이 알게 되면 분명히 상황이 나빠질 것을 알고 있었지만, 그는 그것이 가치가 있다고 생각했기 때문에 나중에 존과 마법을 주제로 논의하려고 결심했다.

잠자리에 든 지 몇 시간 후, 존은 방 뒤쪽에서 들어오는 불빛 때문에 잠에서 깨서 조용히 그쪽으로 살금살금 다가갔다. 그는 바이러스가 들어있는 병에서 빛이 나오는 것을 발견했다. 그는 나중에 벤에게 보여주기 위해 그것을 계산대 위에 놓고 다시 잠이 들었다.

한편, 아가타는 그녀의 가족과 함께 그녀의 집 근처를 걷고 있었지만, 그녀는 여전히 그녀가 인간 세상에서 가졌던 기적적인 모험에 대해 생각하고 있었고 그녀는 그 산책에 집중할 수 없었다. 게다가 그녀는 아무것도 할 일이 없었고 어느 때보다 간절히 모험하고 싶었다. 그녀는 갈 수 없다는 것을 알았지만 그녀는 가족들에게 어디론가 가야 한다고 말하고 재빨리 떠났다. 춥고 어두운 숲을 달리며 아가타는 인간 세상을 향해 갔다.

그녀는 사람의 소리를 듣고 덤불 속에 숨어서 기다렸다. 한 남자가 무대 위로 올라가고 있었고 수십 명의 사람이 뒤를 따라오고 있었다. 밖이 너무 어두웠기 때문에 아가타는 무대 위에 누가 있는지 볼 수 없었지만, 아가타는 그녀에게 매우 친숙해 보였다. 갑자기 그녀의 등골이 오싹해졌다. 무대 위의 사람은 여우가 전쟁을 일으켜 점령하려는 그것에 관해 이야기하고 있었다. 아가타는 인간들이 전쟁을 일으킬지도 모른다는 것을 알았지만 그는 전쟁의 배후가 누구인지, 무엇인지 알지 못했다.

그녀는 존에게 말해야 한다는 것을 알았다. 그 남자는 말을 계속했다. "여우들이 이기지 못하도록 빨리 공격해야 합니다. 그들은 특별한 전쟁도구를 가지고 있고 우리는 그들을 빨리 공격할 필요가 있습니다." 그때, 아가타는 함성과 환호성을 들었다. 그녀는 전쟁이 곧 시작된다는 것을 알았다. 그녀는 무서웠지만 그럴 시간이 없다는 것을 알았고 그녀는 이 전쟁에서 탈출할 방법을 찾기 위해 단호했다. 먼저, 그녀는 존에게 알려주고 그들이 무엇을 할 수 있을지 생각해보라고 부탁했다. 존은 약간 스트레스를 받았다.

갑자기, 존은 많은 큰 문제들에 부딪혔다. 그는 전쟁이 무엇인지 확신하지 못했지만, 그것이 무서운 것이라는 것을 들었다. 그는 벤이 그를 도울 수 있다고 생각해서 벤에게 가서 그가 할 수 있는 일이 있는지 물었다. 벤은 전쟁이 위험하지 않으리라 생각했다.

한편 론은 전쟁 계획에 대해 생각하고 있었다. 그는 자기 터널을 식량 수송과 전쟁 도구 수송으로도 사용할 수 있었다. 그는 그 사업으로 많은 돈을 벌 수 있고 전쟁을 통제할 수 있다는 것을 알았다. 그는 매우 흥분하였다. 론은 그가 아는 무기상에게 전화를 걸어 존과 그의 군대가 전쟁을 일으키려고 하는 것에 대해 말했다. 무기상은 처음에 이것이 농담이라고 생각했지만, 론은 뇌물을 받은 기자들이 쓴 머리기사를 그에게 보여주었다. 론은 나라의 모든 사람에게 줄 수 있을 만큼 많은 무기를 쉽게 얻을 수 있었다. 론은 그의 친구에게 감사를 표하고 터널로 돌아갔다. 그는 무기를 터널에 두고 갔지만, 상자를 가득 채웠다. 론은 이제 여우 복장과 망토를 입고 렌즈를 꼈다. 그는 여우 왕국으로 향했다.

전쟁의 서막

6. 전쟁의 서막

여우 부족의 왕은 인간들이 그들의 땅을 침략할 것이라는 소식을 방금 들었다. 그는 인간이 더 나은 도구를 가지고 있고 이것이 여우 역사상 가장 큰 전쟁이 되리라는 것을 알았다. 왕의 마법은 약했고 인간을 되돌아가게 할 만큼 훌륭한 마법을 사용할 수 있는 여우들은 많이 없었다. 그는 즉시 모든 신하에게 연락하여 인간들을 떠나게 할 방법을 찾으라고 명령했다. 아가타는 만약 인간들이 온다면, 그녀는 마법을 사용하여 인간들을 인간의 세계로 돌려보낼 수 있다고 생각했지만, 그 계획을 실행하자면, 그녀의 에너지 대부분을 소모할 것이다.

성은 성난 신하들의 논쟁으로 가득 찼다. 갑자기 문이 휙 열리더니 검은 망토를 입은 남자가 들어왔다. 론은 주위를 둘러보며 말했다. "여기 문제가 있는 것 같군요." 왕은 "매우 사실입니다. 인간이 우리 왕국에 오게 할 수는 없고, 아무도 제대로 생각하고 있지 않습니다." 론은 "좋은 계획이 있어요. 인간들은 놀라운 무기로 무장하고 있고 그들은 몇 시간 안에 이 왕국을 사라지게 할 수 있습니다. 나는 우리도 무장해야 한다고 생각합니다. 그것이 그들을 이 땅에서 몰아낼 수 있는 유일한 방법입니다."

아가타는 "만약 우리가 무장한다면, 그건 자연에 거스르는 방식으로 행동하는 것입니다! 그럴 수는 없어요!"라고 말했다. 론은 "오, 글쎄, 인간들은 그들의 '비자연적인' 무기로 우리 모두를 죽일 것이고, 그러면 왕국은 끝이 날 것입니다. 모든 동물은 살아남기 위해서는 당연히 무자비해야 합니다." 이것은 여우들에게 꽤 맞는 것 같았고, 왕은 손뼉을 쳤다.

론은 그들에게 상자를 던져주고 떠났다.

론은 여우들이 인간들과 싸우기에 무기 한 상자는 충분하지 않다는 것을 알았다. 그래도 여우들이 인간들을 그들의 땅에서 쫓아내기 위해 그들의 중요한 가치를 포기했기 때문에 이것은 꽤 중요한 것이었다.

아가타는 생각했다. '존에게 가서 해결책을 마련해 보자.' 그녀는 재빨리 존에게 가서 우리가 전쟁을 멈출 방법을 찾아야 한다고 말했다. 특히 새로운 무기가 사용되고 있는 상황에서, 우리는 그 일이 일어나게 할 수 없다. 존은 벤에게 도움을 요청해야 한다고 생각했다. 그는 벤에게 가서 그들이 무엇을 해야 하고 어떻게 할 것인지에 대해 말했다.

곧, 그들은 한 사람이 전쟁과 관련된 일을 맡아 전쟁을 멈추는 방법과 같은 것에 집중하고, 다른 한 사람은 바이러스와 관련된 일인 병과 백신에 대해 일함으로써, 일을 반으로 나눌 수 있다는 결정을 내렸다 (바이러스는 빠르게 퍼지고 있는데, 벤은 그 바이러스와 터널 사이에 상관관계가 있다는 것을 알아냈다). 그들이 해야 할 일이 상호 관련되어 있으므로, 그들은 서로 도움을 주고받을 수 있었다. 벤은 백신을 개발하기로 하였고, 존은 전쟁과 관련된 일에 참여하고자 했다. 그들은 또한 여우 왕국과 론의 계획에 대해 더 알아보기 위해 노력했다.

존은 그들이 아가타에게 전쟁과 같은 것들에 대한 도움을 요청할 필요가 있다는 것을 알고 도움을 요청하는 메일을 보냈다. 존은 벤에게도 도움이 필요한지 물었다. 벤은 "누구한테 부탁하려고?"라고 말했다. 존은 "여우 왕국에서 나랑 일하는 여자 공무원! 그녀는 내 상사야." 벤이 말했다. "혹시 여우?" "응. 우리에게 신분증을 준 여우." 벤이 물었다. "이름이 뭔데?" 존은 "아가타"라고 말했다. "참 재능 있는 여성이지."

벤은 비명을 질렀다. "설마 지금까지 내가 줄곧 그녀와 함께 일했다는 뜻은 아니겠지?" 존은 "음, 아가타는 처음부터 우리를 도와줬어!"라고 말했다. 벤은 당황했다. "아가타도 알아? 우리가 함께 일하는 거랑 다른 모든 거…?" 존이 말했다. "아가타는 알고 있지! 아가타는 별로 탐탁지 않게 여겼어. 왜 그런지는 모르겠지만, 그녀는 내 모든 정보를 너랑 공유하진 말라고 했어." 벤이 "무슨 일이 있었는지 모르겠어?"라고 말했다. 존이 "무슨 일인데?"라고 말했다. 벤은 존에게 자초지종을 말했고, 존은 그 주제에 대해 더 언급하지 않겠다고 말했다.

벤은 "난 어떤 도움도 필요 없어. 만약 네가 진짜 나를 돕고 싶다면, 나한테 뭐 좀 배울래? 우리가 론의 계획을 망치기 위해서는 네가 마법을 더 배워두는 게 좋을 거야." 존은 "나는 이미 많은 마법을 알고 있어! 나는 전화하고, 물건을 보내고, 물건을 움직이게 할 수 있고, 별로 좋지는 않지만, 종이에서 물건을 복사해서 3-D로 만들 수도 있어! 네 학용품의 대부분은 내가 만든 거야!" 그리고 나서 존은 벤에게 그가 아는 모든 마법을 보여주었다.

그러고 나서 그는 벤의 얼굴을 크게 찡그리는 것을 보았다. 존이 왜 얼굴을 찡그리는지 묻자 벤은 "글쎄, 네가 보여준 모든 것들은 1학년 학생이 알고 있는 것과 크게 다르지 않아."라고 대답했다. 존은 가끔 마법이 너무 쉽다고 느꼈지만, 여우들이 그에게 고급 마법을 숨기고 있다는 건 결코 몰랐다. 그는 여우들이 자신을 더 신뢰하지 못하고 있음을 느꼈다. 벤은 다시 덧붙였다. "지금부터 우린 더 많은 마법을 배우기 시작할 거야."

그래서 그들은 마술을 배우기 시작했다. 그들은 먼저 사물을 올바르게 베끼는 방법과 움직이지 않고 모든 것을 하는 방법을 연구했다. 그러고 나서 그들은 마법을 사용하여 물건을 띄우고 움직이려고 했다. 그들은 심각한 공격을 막고 바늘이나 연필과 같은 것들을 만드는 것과 같은 더 어려운 마술을 시도했다. 그러고 나서 벤은 산책하러 나갔다.

한편, 론은 사람들에게 마을 광장 주변에 모여달라고 부탁하고 있었다. 다른 곳에서 온 더 많은 사람도 합류했다. 론은 "여우들이 어제 여기에 몰래 숨어서 우리의 무기를 가져갔어요. 여우들은 이제 완전히 무장하고 싸울 준비가 되어 있습니다. 우리는 이제 공격할 수밖에 없어요! 제가 우리 인간을 위한 계획을 준비했습니다. 여우들은 일찍 일어나기 때문에 자정에는 준비를 시작해야 합니다. 그때가 대부분 여우 아이가 잠든 시간이고, 심지어 깨어있는 아이들도 매우 피곤할 거예요. 우리는 여우 왕국에 땅굴을 파서 공격할 것입니다! 여우들은 아마도 무기 상자를 두세 개밖에 가지고 있지 않으니까, 쉽게 패배할 거예요." 모든 인간이 동의했고 사람들은 무장하기 시작했다.

그때 아가타가 문자를 확인하던 중 존이 문자를 보냈다는 사실을 깨달았다. 문자메시지에는 그녀가 그에게 마법을 가르쳐주길 바란다고 씌어 있었다. 그녀는 마법을 가르칠 시간이 충분하고 전쟁에 대한 그들의 생각을 읽는 즉시 그렇게 할 것이라고 말했다.

그녀는 그 아이디어가 좋다고 생각했고, 스스로는 그 어떤 생각도 나지 않았기에, 존에게 마법을 가르치는 사안을 왕에게 아뢰기로 했다. 그녀는 종이에 그것들을 적었다. 전쟁에 관한 서신을 왕에게 보낸 후에 아가타는 잠자리에 들었다. 집에 가기에는 너무 늦었기 때문에 그녀는 성에서 잠을 자야만 했다.

바로 그때, 론은 무기 창고로 가서 그들이 가지고 있는 모든 무기를 꺼내고 있었다. 재래식 무기, 방어용 무기, 그가 찾을 수 있는 모든 종류의 무기들이었다. 모든 마을 사람들은 이미 귀가한 이후였다. 밤이었고, 변장도 했지만, 론은 누군가가 그를 발견할까 봐 걱정했다. 무기들을 모두 가져온 후, 론은 무기를 인간들로부터 받거나 식량 저장고에서 얻은 식량과 함께 자신의 터널 안에 두었다.

론은 내일까지 들판에서 작은 전투를 시작하고, 전장을 확장하여 도시의 절반과 여우 왕국의 4분의 1을 차지할 계획이었다. 그는 시민들을 마을 광장으로 불러들여 전쟁을 준비하라고 말했다. 그는 그들에게 무기를 보여주고 방탄조끼를 주었다.

론은 이어 "내일 공습할 예정입니다. 일상생활에 지장이 없는 지역에서는 작은 전투에 불과하겠지만, 그곳에 가려면 숲 한구석으로 통하는 터널을 파야 할 것입니다. 거기서, 우리는 여우를 공격할 거예요. 쉽게 이길 수 있을 것이고, 우리 터널은 숲 근처에서 시작할 것이기 때문에 너무 오래 파지 않아도 될 것입니다. 내일 9시에 다시 오세요."

론이 떠나자 모든 마을 사람들은 전쟁에 관해 이야기하기 시작했다. 어떤 이들은 걱정했지만, 대부분은 이것이 쉬우리라 생각했다. 하지만, 그들은 모두 이야기에 열중하고 있었기 때문에, 그들 사이에 한 소년이 있는 것을 알아채지 못했다.

벤은 무슨 일이 일어나고 있는지, 왜 전쟁이 시작되는지 보려고 노력하고 있었다. 벤은 이제 무슨 일이 일어났는지 알고 호텔로 급히 돌아갔다. 그는 전쟁이 일어나기 전에 그들이 론을 막을 수 있으리라고는 예상하지 못했지만, 상황이 더 악화하기 전에 론을 막을 수 있을지도 모른다. 그가 돌아왔을 때, 그는 존에게 그가 본 것에 대해 말했다.

존은 "아마도 우리의 마법으로 숲 전체에 울타리를 만들어 그들을 막을 수 있을 거야."라고 말했습니다. 벤은 "우리만 울타리를 만들기는 쉽지 않을 것이고, 우리가 그렇게 해도 그들은 땅굴을 파게 될 것"이라고 말했다. 존은 고개를 끄덕였다. 벤은 "우리는 가능한 한 빨리 전쟁을 끝낼 방법을 생각하는 것이 좋겠어, 그렇지 않으면 론을 막을 수 없어!"라고 말했다. 존은 "얼른 계획을 세우자."라고 말했다

존은 아가타에 전화를 걸어 그녀와 이야기를 나누자고 했다. 벤은 아가타의 눈에 띄지 않기 위해 세면장에 숨었다. 아가타는 재빨리 인간 복장을 하고 호텔로 걸어가기 시작했다. 그녀는 무슨 일이 일어났는지 꽤 걱정해서 호텔로 달려갔다. 그녀는 숲을 뛰쳐나와 빨간불인 줄 모르고 길을 건너다가 차에 치일 뻔했다. 모두가 그녀를 쳐다보았지만, 그녀는 전혀 관심을 보이지 않았다. 그녀는 호텔을 보고 땀을 흘리며 숨을 헐떡이며 안으로 뛰어 들어갔다. 그녀는 너무 피곤해서 호텔에 들어갈 때 앞발을 내려놓았다.

그녀가 도착했을 때, 존은 나쁜 소식이 있다고 말했다. 아가타가 그것이 무엇이냐고 물으니, 존 이렇게 말했다. "벤이 론이랑 그의 추종자 무리를 봤어요. 내일 공습한다고 합니다. 작은 전투라고 들었는데, 꽤 심각한 것 같아요. 론은 몇 가지 무기를 손에 넣었어요." 아가타가 존을 바라

보며 말했다. "내가 벤을 믿지 말라고 했잖아. 그것 참 이상하게 들리네. 그는 특히 론에 관한 이야기라면, 당신이 경청할 만한 사람이 아니야. 그들은 정말 끔찍해… 그들은 수 세기 전부터 문제를 일으키고 있었어. 나는 그들이 여전히 파트너이며 불쌍한 당신을 속이고 있다고 확신해."

존은 "만약 당신이 그들에게 좋은 세상을 준비한다면 무슨 일이 벌어질까요?"라고 말했다. 아가타는 "우리의 세계를 보호하기 위해 고통받는 것은 우리다. 악인의 마음은 그렇게 작용하지. 너는 특별해. 난 네가 잘 지냈으면 좋겠어. 너에게 이런 일이 일어나게 할 수 없어." 존은 "그것은 여전히 가치가 있을 거예요. 제가 왕에게 연락할게요." 아가타는 존이 변한 것을 슬퍼하며 떠났다. 존은 여우 왕국을 보호하기 위해 장군들이 여우 마법을 사용하게 윤허하라고 왕에게 아뢰었다.

한편, 론은 숲속 마을 사람들에게 음식, 물, 무기, 그리고 나머지 갑옷들을 나누어 주고 있었다. 그 일을 마친 후, 그는 그들에게 여우 왕국을 향해 땅굴을 파라고 명령했다. 땅을 파는 것은 매우 힘들었지만, 사람들은 계속해서 여우 왕국을 향해 나아갔다. 그것은 곧 그들이 땅을 파기 시작할 수 있을 정도로 충분히 멀어졌고, 그들은 터널 밖으로 천천히 올라갔다.

그 장소는 이상해 보였고, 이끼로 뒤덮여 있었다. 그러나 주위를 둘러보니 이것이 잔가지와 바위의 혼합물이라는 것을 깨달았다. 그것은 또한 작았고, 옷장만 한 크기에 불과했다. 선두에 있던 론은 마을 사람들에게 모두 내려가서 무기를 준비하라고 말했다. 론은 자신의 총을 가져다가 장전했다.

그는 마을 사람들에게 조용히 하라고 명령했고, 이곳이 여우의 성이고, 그들은 창고에 있다고 말했다. 론이 문을 열자마자, 그것은 암벽과 지붕과 바닥이 있는 복도를 드러냈다. 바닥은 이끼로 덮여 있었다. 론은 병사들에게 문으로 들어오라고 말하고, 이따금 누군가의 장화가 돌담에 부딪혀 내는 쿵 하는 소리를 제외하고는 조용히 복도를 걸어갔다.

그러고 나서 론은 건초로 가득 찬 방으로 걸어 들어갔다. 그것은 그들이 나온 옷장보다 조금 더 컸다. 론은 그들 중 몇 명에게 그와 함께 있으라고 말했고, 나머지 사람들은 그가 그들에게 나가서 공격하라고 명령할 때까지 아래층으로 내려가 다른 방에 숨어 있으라고 말했다. 론과 그의 병사 몇 명이 문을 통해 훔쳐보았고, 여우 한 마리가 그의 몸에서 부스스한 꼬리가 돋아나는 것을 보았다. 그것은 대부분 오렌지색이었지만 흰색 부분도 많았다. 여우는 방으로 더 가까이 다가갔다.

론은 숨을 죽였다. 여우는 그들 옆에 있는 옷장을 열고 다시 걸어갔다. 론은 카메라를 가져왔고, 그는 여우가 나뭇가지 문의 작은 틈으로 지나갈 때 그의 사진을 여러 장 찍었다. 여우가 떠나자 론은 성 주위를 돌아다니며 사진을 찍기 시작했다. 인간 병사들은 여우와 같은 생물이 그렇게 큰 성을 가지고 있다는 것을 보고 놀랐다. 그리고 그들은 아래층으로 내려갔고, 화환을 쓴 여우가 그들을 거의 볼 뻔했지만, 그들은 방으로 뛰어 들어갔다. 그리고 그들은 아래층 방에 있는 사람들을 불렀고, 그들은 모두 10마리의 여우와 함께 큰 방으로 갔다.

겁에 질린 여우들이 비명을 질렀다. 인간들은 여우에게 총을 쐈지만 빗나갔다. 대신, 그것은 암벽에 부딪혀 움푹 파였다. 한 여우가 마법을 사용하려고 했지만, 어떤 이유에서인지, 그것은 매우 강하지 않았고, 그는 인간들에게 불꽃을 쏠 수 없었다. 인간들은 모두 그들의 총을 쏘기 시작했고, 몇 발을 쏘았다. 대부분 여우는 다른 방으로 달려갔다. 론은 여우들이 복수하기 위해 따라올 것을 알고 재빨리 병사들을 이끌고 들판으로 나갔다.

첫 번째 총알을 피했던 여우가 작은 권총으로 무장하고 나와 총을 쏘기 시작했다. 여우는 끔찍한 목표를 가지고 있었지만, 한 사람의 다리를 내리쳤다. 인간은 비명을 지르기 시작했고, 여우는 총에 맞았다. 다른 여우가 밖을 훔쳐보았지만, 다시 안으로 들어갔다. 론은 그의 나머지 군대에 머물라고 말하고 성안으로 들어갔지만, 큰 방에 있는 건초 더미 밑으로 숨었다. 론은 엿보기 위해 구멍을 내고 귀를 기울이기 시작했다.

성에 들어간 여우는 "인간이 공격하고 있어요! 우리는 자신을 방어해야 합니다!" 소수의 공무원은 그들의 일을 끝내려고 노력하는 중이었다. 다른 사람들은 "말도 안 돼! 그들이 성으로 온다면 우리는 알았을 겁니다!" 방금 인간들을 목격한 여우는 이렇게 말했다. "그럼, 밖에 나가서 직접 볼 수 있어요. 내가 말한 모든 것이 사실입니다." 여우들 대부분은 웃고 그냥 서 있었지만, 매우 호기심 많은 여우 두어 마리가 문밖을 살짝 엿보고는 "인간이다!"라고 소리치기 시작했다.

이제 다른 여우들은 호기심이 생겨 문으로 갔다. 하지만 그들은 여전히 그들이 여기에 왔을 리가 없다고 생각했다. 여우들은 모두 숨을 헐떡이며 위층으로 뛰기 시작했다. 그들은 이것을 왕에게 보고할 필요가 있었다. 그들은 왕의 침실 문 앞에 있는 경비원들에게 왜 왕을 보고 싶어 하는지 설명하는 데 어려움을 겪었지만, 그들은 들어갔다. [다른 여우들에게 인간에 관해 이야기했던 여우]는 왕에게 다가가서 그에게 아래층으로 내려오시라고 부탁했다.

왕은 "시끄러워! 나는 방에서 휴식을 취하려고 노력하고 있는데 이렇게 소란을 일으키다니! 경비병을 어떻게 통과했는지도 모르겠군!" 그러자 여우는 왕에게 "폐하, 급한 일입니다. 인간들은 성곽 문 바로밖에 있어요. 우리는 모두 그들을 바로 우리의 눈으로 보았고 그들은 무장했습니다." 왕은 일어서서 숨쉬기가 힘들어 숨을 헐떡이며 다리를 떨며 아래층으로 내려갔다. 창밖을 내다보던 그는 기침하기 시작했고, 위급한 상황이 닥치자 즉시 모든 신하를 성으로 오라고 명령했다. 그들은 왜 이렇게 늦은 시간에 성으로 오라는 부탁을 받았는지 의아해하며 얼른 다가왔다.

아가타는 화려한 화환을 던지며 성으로 향하고 있었다. 그녀는 문으로 들어가려고 했지만, 외부에 기다리는 사람들을 보았다. 인간들이 성 바깥에서 기다리고 있었고, 아가타는 그들이 모두 성으로 소집된 이유를 알고 있다고 생각했다. 아가타는 잠시 생각하더니 벽을 타고 창문을 통해 들어갔다. 그녀는 날아갈 수 있었겠지만, 어떤 이유로 인해 그녀 안의 마법이 약해지고 있었다.

방에 도착하자마자, 그녀는 엄숙한 표정을 짓고 있는 동료 신하들을 보았다. 그녀는 옆에 있는 여우에게 속삭였다. "성 밖에 있는 저 인간들과 관련된 일인가요?" 아가타 옆의 여우가 고개를 끄덕이며 속삭였다. "음, 인간들이 공격하려고 하고 무장하고 있습니다. 그들이 문을 뚫고 들어올 때까지 시간문제일 뿐입니다." 아가타는 말했다. "그렇다면 여기 모두를 소집하지 말았어야 했어요. 아마도 인간들은 여우로 가득 찬 방을 기다렸다가 더 효율적으로 공격할 생각인 것 같군요!"

그 말을 마치자마자, 아가타는 복도를 지나 왕에게 다가가 말했다. "폐하, 저희를 집으로 보내주십시오. 인간들은 공격할 여우로 방이 가득 찰 때까지 기다리고 있습니다. 여우들이 더 많이 모일수록 인간은 더 많은 여우 사상자를 낼 것입니다." "증거가 있느냐?" 왕이 묻는다. "아뇨, 하지만…." 왕은 말을 끊는다. "그럼 자리로 돌아가라."

곧 혼란에 빠진 신하들이 하나둘 도착했고, 왕은 무슨 일이 일어났는지 간단히 설명했다. 왕이 그녀를 막으려고 했지만, 아가타는 이를 알아차리지 못하고 다른 사람들에게 인간들의 공격에 대한 그녀의 이론을 설파했다. 모든 사람이 동의한 것은 아니지만, 여우들은 그들이 두 그룹으로 나뉘는 것이 훨씬 안전할 것이라고 결정했다.

한 무리는 남아서 다른 무리는 성안에 있는 사무실 중 하나에 숨었다. 그들이 가지고 있는 적은 수의 무기들은 모든 신하에게 주어졌고, 그들은 마법으로 의사소통을 하기로 했다.

아가타는 두 번째 그룹에 있었고, 사무실에 숨었다. 그녀는 인간이 만든 살인 무기를 사용하는 것을 못마땅하게 여겼고, 총이 부서진 다른 여우에게 자신의 총을 주었다. 사무실의 한 여우가 말했다. "우리가 뭘 할 수 있죠? 특히 우리의 마법이 이렇게 약할 때는 더더욱, 이것만으로는 절대 싸울 수 없을 거예요." 또 다른 여우가 덧붙인다. "우리는 총을 사용해야 합니다. 많지는 않지만, 우리는 총을 믿어야 해요."

또 다른 여우는 단순히 지루해서, 그들이 방 전체를 가득 채울 때까지 꼬리를 복제하고 있었다. 나머지를 이끌고 있던 여우가 말했다. "필리스, 너무 어리석게 굴지 마, 너는 이것에 집중해야 해!" 필리스는 설득력 있는 이론을 만들기 위해 노력했고 "나는 우리의 문제에 대한 해결책을 생각하고 있었다."라고 말했다.

다른 여우는 엄한 표정을 지으며 "혹시 꼬리를 복제해서 회의에 이바지할 수도 있다고 생각했나요?"라고 말했다. "음… 아시다시피, 저는 꼬리, 즉 복제가 답이 될 수 있다고 생각했습니다. 혹시 총도 복제할 수도 있나요?" "훌륭해!" 대답을 들은 다른 여우들이 이구동성으로 외쳤다.

그들은 즉시 이것을 다른 사람들에게 보고했고, 그들은 그 생각에 매우 만족했다. 그들은 즉시 그들의 총의 많은 복사본을 만들었고, 그들이 가지고 있던 모든 무기는 이제 큰 방으로 운반되었다. 궁인들은 큰 방으로 돌아가기 시작했지만, 그들은 얼어붙었다. 큰방에서 귀청이 찢어질 듯한 소리가 들렸고, 무엇인가 부서지는 소리도 들려왔다.

그것은 여우들에게는 처음 있는 일이었는데, 여전히 그들의 마음속에 두려움을 불러일으키는 것이었다. 인간들은 성을 뚫고 돌진했고, 뒤지지 않은 여우 중 일부는 총알을 아슬아슬하게 피했다. 여우들은 총을 사용하는 법을 몰랐다. 숨을 수 있었던 여우들은 총을 사용하는 방법을 알아냈고 사람을 향해 총을 쏘려고 했다. 그 인간은 그들 쪽을 바라보았고, 쓰러졌다.

여우들은 꽤 혼란스러웠지만, 이것은 분명히 인간들을 놀라게 했고, 그래서 반복되고, 반복되고, 반복되었다. 더 많은 사람이 쓰러졌고, 그들은 자신들이 이 전쟁에서 이기고 있다고 느꼈다. 전쟁은 분명 무섭고 후퇴하는 일이었다. 결국, 사람이 창고를 뚫고 튀어나왔고 여우 몇 마리가 땅에 쓰러졌다. 다른 사람들은 총으로 벽을 뚫고 그들의 집으로 도망쳤다.

아가타는 아슬아슬하게 인간의 공격을 피한 여우 중 하나였다. 그녀는 뒤를 돌아보지 않고 곧장 집으로 달려가 침실로 뛰어들었다. 그녀의 남편이 직장에서 돌아왔다. 그는 그녀를 보고 "무슨 일이야? 왜 이렇게 늦게 왔어?" 아가타는 그냥 땅바닥에 웅크리고 앉아 바닥을 덮고 있는 흙과 진흙 속에서 뒹굴었다. 아가타는 신음했다. "전투가 시작되었어. 내가 생각했던 대로였어." 아가타는 가까스로 공격을 피했다고 말했다.

그녀의 남편은 "당신이 예상했던 대로군. 성이 인간에게 점령당하는 건 시간문제라 하지 않았어?" "이미 점령당했어. 다른 여우들이 안전한지조차 모르겠어. 어쨌든, 나는 내일 출근할 계획이 전혀 없다. 위험을 무릅쓰기에는 너무 위험해." "그러니까, 네가 일을 안 하니까 아이들을 돌봐줄 수 있는 거지? 정말 피곤하다. 한 시간 동안 집 주위를 뛰어다녔어." 아가타는 고개를 끄덕이고 잠이 들었다.

그날 밤, 인간 병사들은 성을 빠져나갔다. 그들은 주위를 둘러보았지만 큰 방 근처에는 꼭 필요한 것이 보이지 않았다. 대신, 그들은 여우 경비병과 병사들을 속여서 밖으로 나오게 하고 숲 한가운데서 싸우기 시작했다. 숲 한가운데는 늪이 있는 넓은 들판일 뿐이었다.

론과 인간들은 여우들이 무기 없이 올 것이라고 예상했지만, 놀랍게도 그들 모두가 무기를 들고 있었다. 심지어 무슨 일이 일어나고 있는지 보기 위해 뒤따르던 몇몇 신하들도 완전히 무장하고 있었다. 론은 꽤 혼란스러웠지만 침착한 척하며 전투를 시작했다.

비가 내리기 시작했고, 인간과 여우 모두 자기 진영의 병사들을 일부

잃었다. 여우들은 성으로 돌아가고 인간들은 인간의 영역으로 가서 커다란 원 모양으로 텐트를 쳤다. 론은 창고로 사용할 오두막도 지었다. 론은 음식을 나눠주고 원 한가운데에 불을 피웠는데, 차가운 바람과 비가 그들을 향해 불어왔기 때문이었다. 론은 모든 인간에게 잠을 청하고 하늘을 쳐다보았다.

그때 여우들은 성에서 회의 중이었다. 왕의 병세는 더 나빠졌고, 많은 여우가 다치거나 죽었다. 여우들은 이런 상황을 경험한 적이 없었고, 당황하고 있었다. 그들은 인간을 물리치기 위해 무언가를 해야 한다는 것을 알았다. 그들은 몇 시간 동안 논쟁을 벌였고, 마침내 싸울 더 많은 병사를 모집할 필요가 있으며 인간들을 그들의 땅에서 추방하기 위해 그들의 마법을 사용할 필요가 있다는 결론을 내렸다. 그래서 그날 밤, 여우들은 왕국을 행진하며 군병력을 모집한다고 광고했다. 다른 여우 몇 마리가 마법을 써서 인간들의 천막을 왕국에서 멀리 옮겼다.

다음 날 아침, 인간들이 깨어났을 때, 그들은 그들이 마을에 있다는 것을 깨달았다. 정신이 얼얼해서 그들은 그것이 꿈이라고 생각했지만, 얼마 지나지 않아 인간들은 웬일인지 자신들이 전쟁터에서 멀어졌다는 것을 알게 되었다. 그리고 그들은 재빨리 전장으로 돌아가 싸웠다. 이번에는 여우들이 더 많았고, 여우들은 대부분 총을 쏠 줄도 몰랐던 지난번과 달리 모두 하늘을 가로질러 총알을 쏘았다.

할 수 없이 천막으로 돌아온 후, 인간들은 그들 역시 전략을 짤 필요가 있다는 것을 깨달았다. 론은 그들 모두에게 주의를 환기하며 말했다. "나는 더 많은 여우가 존의 괴물 같은 계획에 속았다는 것을 알아냈습니다. 우리는 무기가 많지 않지만, 그들은 무기를 끝도 없이 생산해낼 수 있습니다. 우리가 그냥 현장에 나가서 공격할 수는 없습니다. 우리 가운데 몇 사람은 여우 뒤로 가서 치고, 나머지는 들판에서 여우를 치도록 하겠습니다." 인간들은 고개를 끄덕였다.

한편, 존은 아가타와 함께 마법 연습하기로 계획했다. 존은 아가타에게 벤도 참여하면 안 되냐 물었으나, 아가타는 거절했다. 그러나 존은 그녀를 한 번 더 설득했다. 존이 그의 계획을 벤에게 말했을 때, 벤은 말했다. "아니, 아가타랑은 안 해! 아가타가 동의하긴 했어?" 존은 "나를 위해서야! 아가타도 처음엔 하고 싶어 하지 않았지만, 이번 한 번만 시도해 보겠다고 했어! 너도 그렇게 할 수 있지 않아?" 벤은 투덜거리며 마지못해 머리를 끄덕였다.

존은 아가타를 불렀다. 아가타도 투덜거렸다. 존은 "음, 마법 안 가르쳐주실 거예요?"라고 말했다. 아가타는 "넌 마법에 대해 거의 아무것도 몰라. 지금은 내가 너에게 가르칠 필요가 없어!"라고 말했다. 벤은 존과 대화하는 척하면서 존이 배운 것을 아가타에 알렸다. 그제야 아가타는 존에게 연습할 마법을 몇 가지 가르쳐 주었다. 존은 해냈다. 꽤 감명을 받은 아가타는 더 어려운 것들을 시도해 보라고 했다. 존은 큰 어려움 없이 해냈다. 이번에는 벤도 감동했다.

아가타와 벤은 존에게 방어 주문과 공격 주문을 사용하는 법을 가르쳤다. 이번에는 존이 성공하지 못했다. 반 시간 후, 존은 어렵지 않게 둘 다 해냈다. "와, 정말 멋지다!" 아가타가 말했다. "보통 그걸 배우려면 몇 달이 걸리는데." 그런 다음, 벤은 존에게 훨씬 고급스러운 주문을 시도해 보라고 요청했다. 아가타는 그것이 얼마나 위험한지 알기 때문에 그를 막으려고 했다.

결국, 싱크대를 터뜨리고 거울을 깨트린 후, 존은 어느 정도 진전을 이루었다. 아가타는 화장실을 반 정도 파괴한 것에 대해 크게 기뻐했고, 그들에게 전화를 끊으라고 했다. 존은 여전히 수업을 계속하고 싶었지만, 벤은 그냥 전화를 끄고 존을 향해 불평하며 얼굴을 찡그렸다.

이제 인간과 여우 둘 다 전쟁터로 달려갔다. 인간들은 양방향으로 공격했고 여우 대부분을 쓰러뜨렸다. 살아남은 여우들은 인간들에게 총을 쐈다. 많은 사람이 맞았다. 병사들이 제자리로 달려가자 전장은 피투성이였다. 인간들은 천막으로 갔고, 여우들은 성으로 돌아갔다.

한편, 론은 전쟁에 주목하고 있었다. 그는 일이 진행되는 것에 매우 만족했다. 그는 모든 사람이 서로 반대할 때 세상은 훨씬 더 좋은 장소로 변했다고 느꼈다. 그는 곧 돌아오겠다고 속으로 말하고 호텔로 달려갔다.

론은 호텔의 문을 열고 복도를 따라 걸으면서 천천히 존의 방을 향해 나아갔다. 그가 문을 통해 엿봤을 때, 그는 존과 벤이 함께 무언가를 하는 것을 보았다. 존은 얼굴에 약간 미소를 띠고 있었지만, 벤은 그저 허공을 응시하고 있을 뿐이었다. 그다지 친근해 보이지는 않았지만, 론은 머릿속에서 그 이미지를 지우고 싶었다. 그는 벤이 더 나은 선택을 하길 원했다. 론은 그것을 보여주기 위해 더 까다롭고 영리한 계획을 생각해낼 필요가 있다는 것을 알고 있었다. 론은 그들을 이기기 시작할 필요가 있었다.

여우 왕국에서 여우들은 몇 가지 계획을 세우는 중이었다. 그들은 또한 전투에 나섰던 여우들이 뭔가 다르게 행동한다는 것을 깨달았다. 전쟁으로 인한 충격은 상당했다. 많은 군인이 상처를 입었다. 그러나 많은 여우는 이것을 알아차리지 못한 채, 단순히 새로운 전쟁 방식으로 받아들였다. 여우들은 계속해서 총과 무기를 복제하면서도, 여전히 그것을 사악한 인간의 창조물이라고 광고했다. 더 많은 여우가 인간에 대항해 다양한 아이템으로 전쟁에 참여하도록 장려받았다. 이것은 꽤 효과가 있었고, 확신에 찬 많은 여우가 입대했다.

들판과 숲의 인간 지역에서 벌어지고 있는 전투에 참여한 여우 병사들에게는 모두 옷과 함께 무기와 보호 장비가 제공되었다. 대부분 여우는 옷을 입는 것에 익숙하지 않았지만, 인간들이 공격하면서, 그들은 곧 옷이 안전성을 더 높일 수 있는 유일한 희망이라는 것을 깨달았다. 그들이 입은 옷은 인간의 눈으로 보면 꼭 옷이라 할 수는 없었다. 그러나 여우에게는 길고 얇은 연갈색 천 조각이 제법 괜찮은 군복으로 여겨졌다.

이 '옷'은 인간이 이불을 걸어놓은 나무를 가로지르는 긴 줄에서 걷어온 것으로 머리를 덮는 두건, 목을 보호하는 깃, 다리를 보호하는 구멍이 나도록 다듬어져 있었다. 나머지는 꼬리를 가리고 땅을 가로질러 끌리고 있었다. 그러나 빨랫줄에서 빨래를 걷어오도록 훈련받은 군인들은 이 '옷'을 다시 빼앗아갔다. 여우들 군복 소동으로, 인간들은 빨랫줄에 담요를 교체하는 데 어려움을 겪고 있었다.

그날, 열 마리의 여우가 성안으로 달려들고 있었다. 그들은 모두 친한 친구였고 군대에 가기를 원했다. 그들은 여우들로 가득 찬 방을 보여주는 작은 문으로 들어갔다. 그들은 궁정이 아니라 새로 고용된 노동자들로, 입대를 원하는 젊은 여우들을 등록시키는 일만 했다.

10마리의 여우들은 군대에 입대하기를 요청했고, 일꾼들에게 그들의 정보를 주고 개울로 갔다. 그 시냇물은 여우 왕국과 전장을 갈라놓은 것이었다. 또 다른 여우는 그들을 전쟁터로 이끌고 가서 그들의 장비를 주기를 기다리고 있었다. 여우는 그들에게 무기를 주었고, 그들이 어떻게 사용되는지 보여주었고, 개울을 가로질러 그들을 이끌었다. 그들은 다리로 사용하기 위해 죽은 나무가 놓여 있었기 때문에 수영할 필요가 없었다. 부드럽게 흐르는 물이 때때로 꼬리에 닿아 그들을 괴롭혔다. 다리를 건넌 후, 그들은 옷 입는 법을 배웠고, 갈색 옷을 받았다.

그들은 잔디가 바스락거리는 소리를 들을 수 있었다. 군인들은 멈춰서서 앞을 바라보았다. 이제 전장의 여우 지역에는 나뭇가지로 텐트를 치고 나뭇잎으로 뒤덮여 있었다. 그들은 텐트 중 하나로 보내졌고, 텐트는 보이는 것보다 훨씬 크다는 것을 깨달았다. 많은 여우의 집들처럼, 땅 대신에, 지하로 통하는 긴 터널이 있었다. 지하 터널을 통해 여러 개의 굴이 드러났고, 모두 흔적이 있었다. 그들은 안으로 들어가라는 명령 하에 굴속으로 들어갔고, 그 안에서 나뭇가지와 나뭇잎 그리고 이끼로 만들어진 침대를 여러 개 보았다.

많은 다른 여우들이 그들을 보고 앞발로 손을 흔들었다. 그들은 또한 녹색 옷을 입고 있었다. 그들이 수용소에 적응하는 것을 도와준 몇몇 여우들은 그들을 훈련용 굴로 데려갔고 그곳에서 그들은 무기를 닦고 사용하는 법을 배웠다. 그들이 인간에 대한 안내 책자를 받은 후, 다른 여우들은 그들을 훈련하기 시작했고, 그날 그들은 굴 안에서 머물렀다.

그날 밤, 그들은 텐트 밖에서 경비를 서고 다른 여우들과 함께 잠 못

이루는 밤을 견뎠다. 보초를 서고 있는 여우들은 대부분 군대에 온 지 일주일이 넘지 않은 신병들이었다. 다음날, 그들은 5시에 옷을 입고 텐트 안으로 들어갔다. 겨우 토끼 한 마리가 그들이 나누어 먹을 식량이었지만, 그들은 신이 났다. 둘째 날은 그들이 인간들과 싸울 수 있었던 첫날이었다. 그들은 무기 사용법을 검토하고 전장으로 행진했다.

인간들도 총을 들고 나왔다. 어린 여우들은 인간들에게 총을 한 번 쏘았지만, 인간은 재빨리 총을 피하고 어린 여우 병사들에게 총을 쏘았다. 그들은 몸을 숙였지만, 여우 한 마리가 총을 맞았고, 그를 돌보기 위해 텐트로 다시 돌아왔다. 그들 중 많은 사람이 그날 죽거나 심하게 다쳤고, 여우들은 절망에 빠졌다. 인간들은 좋은 계획을 세웠다.

여우들을 향해 진군을 계속한 인간 부대는 전투가 진행되는 것에 기뻐하며 여우를 향해 계속 사격을 가했다. 다리가 네 개인 생물과 싸우는 것은 이상했지만, 그것이 전투를 더 쉽게 만들었다. 그러나 여우가 인간들보다 수적으로 많고 훨씬 더 많은 보급품이 남아 있었기 때문에, 인간 병력은 힘든 시간을 보내야 했다. 어쨌든, 인간들은 싸움에서 이겨 금의환향하고 싶었다.

한편, 여우 왕국에서는, 여우들이 다른 것에 관해 이야기하기 시작했다. 전쟁 포로들은 론이라는 이름의 인간에 대해 언급했다. 여우들은 책에서 그것을 찾으려 했지만, 그들이 론에 대해 묘사했어야 하는 페이지에 왔을 때, 그것은 사라지고 없었다. 한 신하는 "책을 다루는 사람 중 한 명이 페이지를 찢었을 거예요. 한 권의 책이 손상되었을 때 모든 책에서 페이지가 사라지는 것은 안타까운 일입니다." 한 신하가 말했다. 많은 여우는 론의 정체가 무엇인지 생각하고 있었다.

아가타는 인간들의 우두머리가 론이라고 생각했다. 그것이 꽤 합리적인 추측이어서, 어떤 여우들은 그 생각에 동의했다. 하지만 대다수는 론이 사람이 아닌 여우였기 때문에 그 생각에 동의하지 않았다. 그러고 나서 그들은 인간들에게 론이 어떻게 생겼는지 물었다. 그들은 말하기를 거부했다. 여우들은 그들을 놓아주었다. 모든 사람은 론이 어떻게 인간으로 변할 수 있는지에 대해 생각하고 있었다. 사람들 대부분은 그가 단지 사람으로 변하기 위해 그의 마법을 사용했다고 생각했지만, 론은 그렇게 할 수 없었을 것이다. 그것은 불가능했다.

한편, 존과 벤은 테라스에서 멋진 차 한 잔을 즐기고 있었다. 그날은 일요일이었고, 그들은 행복한 일요일을 보내기를 원했다. 그들은 이제 막 변했을 뿐인데, 이상하게도 평화롭게 느껴졌다. 그들은 숲을 볼 수 있었고 멀리 전장도 볼 수 있었다. 전장은 가운데에 갈색 반점이 있는 녹색 덩어리처럼 보였다. 가장 큰 나무들도 티끌만 한 크기로 보일 정도로 거리가 멀었다.

벤은 전쟁에 대해 말했다. "점점 싸움이 번지고 있다고 들었어. 여우가 총에 마법을 걸었나 봐. 마법이 없었다면 여우들은 이렇게 오래 버틸 수 없었을 거야." 존은 고개를 끄덕였는데, 뭔가 이질적으로 기운차 보였다. 존은 무슨 이유에서인지 자꾸만 머리를 좌우로 씰룩거리고 있었다. 벤은 존이 이상하다고 느꼈다.

벤의 말이 끝나자마자 존은 그를 밖으로 끌어내어 뛰기 시작했다. 벤은 존이 회의 도중에 왜 그랬는지 이해할 수 없었지만, 벤은 다음과 같이 생각했다. 존은 단지 자신의 감정을 믿었고, 그 프로젝트를 얼른 시작하고 싶었을 것이다. 존은 계곡을 가로질러 전쟁터로 돌진했다. 그곳에서, 그는 론과 그의 뒤에 또 다른 전쟁을 일으킬 것 같은 거대한 군대를 보았다.

이제, 그는 바이러스를 연구하면서 배운 것을 사용하기에 완벽한 시기라고 생각했다. 그는 뒤로 물러나 자신이 배운 것에 대해 생각했다. 그러고 나서 그는 주머니에서 작은 병을 꺼냈다. 그것은 그가 이 순간을 위해 공부해 온 것이었다.

존과 벤이 바이러스를 연구한 이유는 바이러스의 치료법을 찾기 위해서였다. 전쟁을 막기 위해 바이러스의 힘을 사용하기 위해서였다. 그들은 아직 바이러스의 치료법을 찾지 못했지만, 바이러스와의 전쟁을 막을 방법을 알고 있었다. 바이러스의 힘을 사용하기 위해, 그들은 바이러스의 힘을 뒤집고 반대 방향으로 가게 하는 마법을 걸어야 했다. 그리고, 그들은 그것의 힘을 더 크게 만들고 어떤 사악한 힘에도 저항하게 만드는 작은 칩을 프로그래밍했고, 짧은 기간 동안 가장 큰 문제를 해결했다. 그리고 다시 마법을 써서 바이러스에 녹였다.

존은 병의 코르크 마개를 열고 액체가 천천히 땅에 퍼지는 것을 지켜보았다. 갑자기 바닥에 있던 액체가 불을 밝히며 공중으로 치솟았다. 강한 밀림이 양군을 서로 멀어지게 하고 서서히 잠잠해지면서 하늘은 먼지로 뒤덮였다. 몇 초 후, 하늘은 맑아졌고 필드는 너무 정상적으로 돌아왔지만, 전쟁터에서는 아무도 움직이지 않았다. 그들이 다시 일어서기에는 너무 큰 일이 일어났고, 모두 겁에 질려 있었다.

마법은 오래 지속되지 않아 결국 사라졌지만, 이 모든 일이 일어나는 동안 론은 안에 있었다. 마법은 론에게 도달하기에는 너무 약했기 때문에, 그는 군인들의 절반만이 여전히 싸우고 있는 것을 보고 매우 놀랐다. 어떤 종류의 강력한 마법을 사용하지 않고는 불가능한 일이었기 때문에 누군가가 그들의 힘을 사용하여 그렇게 했다는 것 외에는 론은 무슨 일이 일어났는지 알지 못했다.

그때 존과 벤은 호텔로 돌아가고 있었다. 그들은 마법이 작동하기 시작하자마자 뛰었기 때문에, 그들은 숨을 헐떡이며 마을로 걸어가는 군인들을 볼 때까지 그것이 얼마나 큰 효과를 거두었는지 보지 못했다. 그들은 자신들의 아이디어가 성공한 것을 보고 피곤해서 말을 잇지 못해 호텔로 달려가면서 미소를 지을 뿐이었지만, 속으로는 기쁨으로 가득 찼다.

그들이 호텔로 돌아왔을 때, 그들은 그것이 얼마나 놀라운 일인지 서로에게 말했다. 벤은 존이 마술을 연습할 필요가 있다고 생각해서 존에게 지금까지 배운 모든 마술을 해달라고 부탁했고 존은 놀라운 기술을 보여주었다. 그러고 나서, 벤은 전쟁이 더 깊어지면, 그들은 두 가지 이유로 마법을 사용할 필요가 있을 것이라고 말했다. 하나는 필요할 때 이런 마법을 사용해야 하기 때문이고, 두 번째는 최근에 사용한 마법에 대해서는 이미 방어 전략이 세워졌을 것이기 때문이라 했다.

존은 마법을 완벽하게 익히기 위해 더 많은 훈련을 해야 했다. 벤은 존의 마법 실력이 좋다고 속으로 생각했고 그것이 바로 다른 사람들이 별로 걱정하지 않는 이유라는 걸 깨달았다. 존이 주어진 임무들을 매우 빠르게 처리하자, 벤은 존에게 이제 조금 쉬어도 된다고 말했다. 바로 그때, 갑자기, 그들은 톱 화염이 하늘로 치솟고 사람들과 함께 집들을 칠 때 땅이 덜컹거리고 흔들리는 것을 들었다. 흙투성이의 길로 쏟아져

나왔다.

전쟁터, 전쟁터로 돌아가서, 전장에서 벗어나지 못한 여우들은 계획을 세웠다. 그들은 인간 쪽에 지뢰를 만들 재료를 얻었고 마법으로 지뢰를 훨씬 더 크게 만들었다. 그것을 밟은 사람이 도망쳤고, 그것은 폭발했다. 부상자들은 대부분 인간 병사들이었지만, 일부는 존과 벤이 머물고 있던 마을에서 폭발했다.

마을 사람들은 대부분 달아났지만, 몇몇 사람들은 탈출할 시간이 충분하지 않아서, 폭탄이 그들을 덮쳤다. 다행히도 호텔은 폭탄이 터진 곳에서 조금 떨어져 있어서 존과 벤을 포함해 호텔에 있던 사람들은 아무도 다치지 않았다. 하지만 그들은 폭발이 사람들에게 어떤 영향을 끼쳤는지를 보았고, 비록 그들이 그것이 일어났을 때 그들이 폭격당하지 않았다는 것에 감사했지만, 끔찍함을 느꼈다.

폭발사건은 그들이 아무리 노력을 해도 무슨 일이든 일어날 수 있다는 것을 다시 한번 깨닫게 했다. 하지만 가장 놀라운 것은 여우들이 화약 기술을 사용하고 있었다는 것이다.

[여우들이 자연의 법칙을 어긴 것이다!]

그들은 아무도 그것을 눈치채지 못했다는 것에 너무 놀랐다. 그들은 일어나서 창밖을 내다보았다.

모든 것이 불타고, 지저분했으며, 하늘은 붉은색이었다. 도시에 살던 인간 대부분은 그들의 집이 있던 곳으로 돌아왔지만, 아무것도 예전과 같지 않았다. 모든 사람은 여전히 얼어 있었고 너무 무서워서 말을 할 수 없었다. 벤과 존은 겁에 질려 아무것도 생각할 수 없었다. 그러나 이것은 그들이 거리에서 거의 아무도 볼 수 없었기 때문에 전쟁을 막기 위한 새로운 계획을 세울 필요가 있다는 것을 깨닫게 했다.

그러는 동안 아가타는 자기 집에서 엄청나게 가까운 전장에서 앞머리가 나는 소리를 듣고 무슨 일이 벌어졌는지 궁금했다. 그녀는 존에게 문자를 보내려고 했지만, 그는 대답하지 않았다. 아가타는 인간의 곁에서 무슨 일이 일어나고 있는지 궁금해하기 시작했다. 그녀는 황급히 인간 복장으로 갈아입고 인간 세상의 거리로 걸어 들어갔다.

모든 것이 조용했고 그녀는 사람들이 불탄 집 옆 거리에서 울고 있는 것을 볼 수 있었다. 이제 그녀는 뭔가 잘못되었다는 것을 정말로 알았기 때문에, 존과 심지어 벤과 함께 문제를 해결해 보고 싶어서, 한때 [인간 훈련센터]라 불리었던 호텔로 갔다. 그녀는 엘리베이터를 이용해 위층으로 몰래 올라가 존과 벤의 방으로 걸어 들어갔다.

평일은 아니었지만 둘 다 옷을 꽤 잘 차려입고 있었고, 그들도 꽤 오랫동안 밖에 있었던 것처럼 보였다. 존은 무슨 일이 일어났는지 간단히 설명하고, 그녀에게 그들이 일어난 사건들에 대해서도 걱정하고 있다고 말했다. 존은 또한 아가타에게 그들이 여우가 지뢰를 만들었다는 것을 들었다고 말했다. 아가타는 "최근 몇 가지 변화 후에 나는 꽤 소외되었지만, 나는 인간 기술을 사용하여 인간을 물리치는 이야기를 우연히 들었어. 왜 그들은 인간이 전혀 쓸모가 없다는 걸 모르는 걸까? 그 안에는 좋은 점이 하나도 없어!" 존은 약간 기분이 상한 것처럼 보였지만, 그냥 대화를 계속했다. 벤은 다른 사람들에게 그가 발견한 다른 것들에 대해 말하고 테라스로 갔다. 아가타는 존에게 몇 가지 문제에 대해 말하고 떠났다.

늦은 밤, 존은 침대에서 일어나 벤을 깨웠다. 존은 뭔가 강한 감정을 느꼈고 그들이 여우 왕국으로 이주하여 그곳에서 계획을 세워야 한다고 말했다. 벤은 기분이 이상했다. 그는 존을 믿을지 말지 확신하지 못했다. 여우 왕국은 분명히 그를 위험에 빠뜨릴 수 있는 곳이었지만, 벤은 존의 지시를 따르기로 했다. 그러나 적어도 한 달 후에 떠나기로 했다.

존은 그것을 허락했고, 그들은 한 달 안에 떠나기로 동의했다. 그러나 갑자기 존은 그의 물건들을 챙기기 시작했다. 벤이 이유를 물었을 때, 존은 그가 무슨 일이 일어날 것 같다고 말했다. 존은 아무래도 오늘 밤 떠나야 할 것 같다고 말했고, 벤에게도 그의 물건들을 챙기라고 말했다. 그리고 존은 그의 책을 가방에 넣고 그가 터널을 탐험할 때 사용한 큰 자루에 그들의 가방 두 개를 넣고 방 한구석에 놓았다.

한편, 전장에서 론은 계획을 짜고 있었다. 존을 완전히 없애고 벤을 그의 편으로 되돌리려는 계획이었다. 그는 호텔 존의 방으로 가서 그를 바로 죽이려고 했다. 그는 존이 잠든 12시에 거사를 치르기로 계획했다. 그 계획을 세운 후, 그는 재빨리 행동을 개시했고, 호텔에서 사용할 수 있는 도구를 챙기기 시작했다. 준비를 마치자마자 그는 제시간에 도착할 수 있도록 11시에 호텔로 출발했다.

호텔에 다다르자, 론은 방들을 재빨리 훑어보고 호텔 안으로 걸어 들어갔다. 복도는 일꾼들로 가득 차서 론은 존이 그의 방 안에서 잠들어 있기를 바랐다. 하지만 론의 바람과 달리 존은 그의 방에서 나와 복도로 걸어가고 있었다. 존이 갑자기 론을 보았다!

어딘가 이상한 일들이 벌어지다

7. 어딘가 이상한 일들이 벌어지다!

론은 존을 향해 빠르게 움직이고 있었고, 그것은 그의 심장을 미친 듯이 뛰게 했다. 왜냐하면, 존은 론이 그들의 계획을 모두 알고 있는 것처럼 느껴졌기 때문이다. 만약 정말 그렇다면, 좋은 일이 일어나지 않을 것이었다. 그러나 존은 진정하려고 노력했다.

존은 론에게 "왜 한밤중에 깨어 계세요?"라고 물었고, 론은 얼굴이 빨개지기 시작하면서 일이 좀 있다고 했다. 그리고 존은 떠났지만, 론이 그날 밤 무엇인가를 계획하고 있다는 생각을 지울 수 없었다. 벤은 무슨 일이 일어났는지 의심스럽지만, 그날은 역시 안에 있었어야 했다고 말했다.

한편, 론은 전장으로 되돌아가 그날 밤 무슨 일이 있었는지 생각하다가 존이 갑자기 왜 그런 질문을 했는지 궁금해지기 시작했고 존이 그 시간에 아직도 깨어있는 이유가 무엇인지 궁금해지기 시작했다. 왜냐하면, 그는 존이 보통 그 몇 시간 전에 잠드는 것을 알았고, 존이 뭔가 이상한 일을 꾸미고 있다고 느꼈기 때문이었다. 론은 존이 무슨 꿍꿍이인지 좀 더 지켜보기로 했다.

존은 그의 방에 있는 모든 물건을 자루에 넣고 창문을 열고 밧줄을 던졌다. 그리고 불을 끄고 론이 벤으로 인식한 다른 사람과 함께 내려와서 달렸다. 론은 그들이 무엇을 하는지 보자마자, 방으로 들어가 밧줄을 타고 내려갔고, 그리고 그들에게 달려갔다. 하지만 론은 아무것도 볼 수 없었고, 하는 수없이 그는 호텔로 되돌아갔다.

벤과 존은 숲을 가로질러 달리는 중이었다. 그들은 너무 피곤해서 뛸 수 없을 때까지 뛰었고, 그들이 돌아가기에는 너무 멀리 왔다는 것을 알고 그곳에서 밤을 보내기로 했다. 그들은 잔가지를 모으고 그 위에 나뭇잎을 얹은 다음, 오래된 파란 담요와 녹색 담요를 꺼내 잠을 청했다. 그러나 그들이 피난처를 꾸미자마자 잔가지들이 날아갔다. 비슷한 상황을 겪은 경험이 있는 벤이 집을 다시 지었다.

그 집은 매우 튼튼했고, 넓었다. 집을 지은 후, 그들은 자루를 침실에 놓고 침대, 테이블, 그리고 음식 저장고를 만들었다. 그리고 벤은 큰 널빤지를 만들어 비가 와도 물이 새지 않도록 집 밑으로 밀어 넣었고 존은 집 전체를 다시 짓지 않아도 되었다. 집짓기가 끝났을 때, 그들은 집 안으로 들어가 잠이 들었다.

그때 론은 존이 왜 호텔을 탈출했는지 생각하면서 코트를 걸치고 호텔에 앉아 있었다. 그리고는 천천히 존의 방을 향해 걸어갔다. 방은 텅 비어 있었고 남은 것은 낡은 나무 테이블뿐이었다. 그는 방을 둘러보면서 존을 찾는 방법을 생각했다. 잠시 생각하다가, 좋은 아이디어가 떠올랐다.

많은 사람이 바이러스에 걸렸기 때문에, 그는 그것을 문제로 삼고 나서 그의 호텔을 이용하여 사람들과 여우들을 격리할 것이었다(비록 사람들과 여우들이 서로 문화를 공유하지 않도록 호텔의 다른 부분에 머물게 할 것이지만). 그리고 존을 찾는 데 필요한 돈을 얻기 위해 격리시설을 적극적으로 활용할 것이다.

문제를 일으키고 사람들을 고립시키면서도, 최대한 많은 최면에 걸린 여우와 인간들을 보내서 존의 위치를 알아내고 가능하면 그를 처치할 것이다. 론은 자신의 계획을 계속 진행할 수 있도록, 사람들이 숲에서 일어난 일을 잊어버리길 바랐다.

그는 즉시 계획을 실행했다. 그는 전장으로 가서 인간들에게 다가갔다. 인간들은 경례하며 그를 쳐다봤다. 론은 그들에게 말했다. "여우들은 국경을 건너는 모든 인간을 인질로 잡아두려고 계획하고 있습니다. 또 여우들은 여기로 질병에 걸린 사람들을 보내려고 하니, 우리 중 누구라도 여우들의 영역으로 가야 할 경우, 그들을 호텔에 머무르도록 하는 시스템을 개발해야 해요. 이렇게 하면 질병의 위험을 줄이고 그들의 안전을 보장할 수 있습니다." 인간들은 고개를 끄덕이며 국경으로 군인들을 파견하기 시작했다. 론은 여우 가면을 쓴 채로 여우들에게도 똑같은 내용을 전했고, 인간들이 그들을 인질로 잡으려고 한다고 알렸다.

그리고 그는 마을로 돌아와 텔레비전을 켰다. 텔레비전에서는 876명의 확진자가 발생했고, 이 바이러스가 모두에게 영향을 미친다고 말했다. 론은 이제 자신의 계획을 시작하기에 적절한 시기라고 생각하고 마을 광장으로 가서 바이러스가 정말 무서운 것이라고 말했다. 그리고 자신의 호텔을 국경을 넘어온 사람들을 위한 격리 호텔로 만들 거라고 했다. 또한, 이에는 '조금'의 돈이 들 수도 있지만 필요하다고 덧붙였다. 그는 여우 옆에 가서 국경을 넘어온 모든 여우는 이 호텔에 머물러야 한다는 내용의 포스터를 붙였다.

모든 게 잘 진행되는 것처럼 보였다. 그러나 론은 어리석지 않았다. 이미 여우들의 지역과 사람들의 지역을 나누어 별도의 출입문도 만들었기 때문에 사람들은 여기에 머무는 여우들에 대해서는 아무것도 알지 못하며, 여우들 역시 아무것도 알지 못했다.

다음 날, 에덴과 엠마, 잭슨과 섀넌, 알렉스와 타블로라는 6명의 자녀가 있는 한 가족이 호텔에 도착하여 가장 큰 방을 요청했다. 론은 그들을 위해 층의 1/4 정도를 확보하여 큰 테라스가 있는 방을 배정했는데, 테라스의 한쪽에는 흔들리는 벽돌이 있었다. 엄마인 웬디는 방을 살펴보고 물건을 옮기기 시작했다. "적어도 한 달 동안은 우리 집 같이 느껴지도록 해야 해. 여기가 우리의 집이 될 거야."

웬디는 남편인 리암이 소파에 앉아 커피를 마시고 있는 걸 보고 "방 청소 도와줄래요?"라고 말했다. 리암은 짜증 섞인 목소리로 "바빠."라고 대답했다. 웬디는 소리쳐 말했다. "소파에 앉아 커피를 마시면서 어떻게 바쁠 수 있지? 할 일이 이렇게 많은데, 방이라도 청소해!" 그녀는 바닥을 청소하면서 집기를 정리했다. 방 청소와 가구 배치를 마치고 웬디는 남편을 향해 시선을 돌렸다. 그는 식물들을 옷장에 밀어 넣고, TV를 보고 있었다. 웬디는 한숨을 내쉬고 컴퓨터 앞에 앉았다.

웬디는 기자였으니, 이 이상한 여우들과 바이러스에 대해 더 알아야 했다. 그게 애초에 이곳에 온 이유였다. 그녀는 컴퓨터를 열고 일을 시작했다. 약 두 시간 후, 지루해진 아이들을 보고 그들에게 뭔가를 해주어야 한다고 결심했고, 각자 침실을 선택해서 자라고 했다. 중학교에 다니는 쌍둥이인 에덴과 엠마는 문에서 가장 먼 방을 선택했다. 내년에 학교에 입학하는 섀넌과 잭슨은 부모님 옆 방을 선택했고, 3살인 알렉스와 타블로는 부모님과 같이 잤다.

웬디는 아이들이 공부할 공간이 없다는 것을 깨달았고, 자신의 컴퓨터가 있는 방을 둘러봤다. 방은 세 사람이 지내기에도 작았지만, 따로 책상을 가져오지 않았는데, 그 방에는 책상으로 쓸만한 낮은 선반이 두 개 있었기 때문에, 그 방을 함께 쓰면 될 것 같았다. 웬디는 아이들의 학습 자료가 담긴 파일을 '책상' 위에 올려놨다.

아이들은 피곤해 보였고, 이미 매우 늦었기 때문에 웬디는 아이들에게 양치와 샤워를 하도록 했다. 그리고 서둘러 쌍둥이 아기들을 씻긴 후, 모든 아이를 잠자리에 보냈다. 한숨을 돌리고, 정원사인 남편을 봤다. 남편은 무려 571그루의 식물을 가져왔고, 아직도 물을 주고 있었다. 한 시간이 지나서야, 부부는 방으로 들어가 잠을 잘 수 있었다.

다음 날, 웬디가 힘겹게 눈을 떴을 때, 아이들은 이미 일어나 있었다. 시간을 보니 오전 9시 45분이었다. 그녀는 급히 아침을 준비하며 코골이를 하는 남편을 깨우려 했다. 남편을 향해 소리쳤지만, 그는 영영 깨어나지 않을 것처럼 보였다. 할 수 없이 포기하고 나중을 기약했다.

웬디가 남편을 다시 깨우려고 할 때쯤, 그녀는 이불속에 남편이 움츠러들고 있는 소리를 들었다. 웬디가 방으로 들어선 순간, 그는 추한 줄무늬 파자마를 갈아입고 있었다. 그녀는 시계를 가리키며 "지금 몇 시인줄 몰라?"라고 타박하며, 그에게 아침 식사하러 오라고 했다. 남편 리암이 아침을 먹는 동안, 웬디는 설거지하면서 아이들에게는 공부하라고 시켰다.

아이들은 공부방 크기가 너무 작아서 실망했다. 왠지 더 좋은 대안이 있을 것 같아서, 복도로 나갔다가, 책상이 많이 있는 방을 발견했다. 그들은 거기 앉아서 공부를 시작했다. 잭슨이 물었다. "부모님에게 말해야 할까?" 엠마는 이것을 비밀로 하자고 했다. 다른 아이들도 동의했다. "여긴 우리만의 비밀기지야!" 잭슨이 말했지만, 무시당했다. 공부를 마치고 나서, 아이들은 그 방이 우연히도 부모님 침실 바로 옆에 있고 다른 복도를 통해 연결되어 있음을 알게 되었다.

숙제 검사를 마치고 바로 문 앞에 무언가가 떨어지는 것을 본 아이들은 그 물건이 무엇인지 물었고, 웬디는 밀키트라고 말했다. 너무 배고파 맛이 형편없다는 생각조차 하지 않고 음식을 먹어치우던 그때, 갑자기 누군가 문을 두드렸다. "예, 갑니다!" "보안 때문에 커튼을 닫아 주셔야 합니다." 이 이상한 부탁을 듣고 모두 의아했지만, 커튼을 닫았고, 이때 호텔에 들어오던 한 여우 가족은 호텔의 반은 검은 천이 뒤덮여 있는 것을 보고 이곳은 뭔가 이상하다고 생각을 하게 된다.

이 대가족은 여섯 명의 아이가 있었기에, 한 층의 4분의 1을 사용했다. 아이들의 이름은 각각 어텀, 미드나잇, 마리나, 오로라, 스프라웃, 그리고 드리머였다. 이 가족은 호텔에 들어오자마자 테라스의 벽 공사가 부실한 것을 눈치챘고, 아이들의 어머니인 선샤인은 아이들과 남편인 스톰에게 벽을 절대 건드리지 말라고 단단히 주의 주었다.

짐을 정리한 뒤, 선샤인은 아이들에게 테라스에 나가 놀아도 좋다고 했고, 가장 어린 스프라웃과 드리머는 바로 밖으로 달려나갔다. 엄마가 조심하라고 한 것을 금세 까맣게 잊은 둘은 놀다가 바로 손이 벽에 끼었고, 선샤인은 당장은 고칠 도리가 없을 것 같아 무너진 벽을 그냥 그대로 두고 식탁에 주저앉아 버렸다.

이때, 스프라웃과 드리머는 새롭게 벽에 생긴 구멍을 통해 반대편의 괴생명체들을 구경하고 있었다. 이 괴생명체들은 본인들과 키가 똑같았지만, 털도 꼬리도 없었다. 그리고 간혹 뒷발로 우뚝 서 잠시 걷다 주저앉았다. 하지만, 가장 이상한 점은 옹알이를 전혀 알아들을 수 없었다는 것이다. 대화를 시도해도 서로의 말을 한마디도 알아들을 수가 없으니 표정으로 소통하는 수밖에 없었다. 이 괴생명체들의 표정조차 이해할 수 없어 소통에 난항을 겪던 중, 선샤인은 문을 열고 아이들을 데리고 들어왔다.

이때, 오로라, 어텀, 그리고 마리나는 방에서 따분한 숙제를 하고 있었다. 한 시간 동안은 어찌 집중했지만, 그 뒤로부터는 집중을 도저히 할 수가 없었다. 벽 너머의 으르렁거리는 대화인지 한숨일지 모를 소리는 동물 왕국들의 언어와 전혀 비슷하지 않았고, 결국 아이들은 숙제를 치워두고 밖으로 나갔으나 곧 엄마에게 붙잡혀 왔다. 아이들이 만들어낸 날아다니는 물건들을 본 엄마에게 정리에 대해 한바탕 '일장 연설'을 들은 뒤에서야 비로소 방을 나갈 수 있었다.

하지만 그때, 선샤인은 아이들의 꼬리를 잡아당기면서 조심성의 중요성에 대해 잔소리를 또 한바탕한 뒤, 아이들에게 나가 놀라고 했다. 방에는 흥미로운 게 전혀 없었기에, 셋은 테라스로 나갔고, 거기서 조금 전에 생긴 구멍을 발견했다. 놀란 오로라는 벽돌을 다시 원위치에 돌려놓으려고 했지만, 오히려 다른 벽돌을 잘못 건드려 이젠 스프라웃과 드리머가 마음만 먹으면 통과할 수 있을 정도의 크기의 구멍이 생겼다.

"엄마가 알면 다 많이 혼나겠어." 오로라가 중얼거렸다. 다른 아이들도 모두 엄마에게 이 일이 알려지는 순간 상황이 복잡해질 걸 알았기에 동의했고, 그때, 엄마가 짐을 마저 풀어야 한다고 아이들을 부르자, 재미있는 건 다 거기 있다는 걸 기억해낸 아이들은 모두 일제히 안으로 뛰어 들어갔다.

한편, 호텔 바로 반대쪽에서는 웬디가 열심히 컴퓨터 자판을 두드리고 있었다. 일이 끝나자 시간은 이미 꽤 늦었고, 이미 모두 잠들어 있었다. 웬디도 침대 대부분을 차지하고 있는 남편을 피해 침대 끄트머리에 누워 잠을 청했다.

다음 날, 웬디는 아이들을 깨우고, 아침을 먹인 뒤 숙제를 시키고, 숙제를 검사하고, 아이들에게 놀아도 좋다고 했다. 사촌기인 이든과 엠마를 빼고 나머지 아이들은 모두 발코니로 나갔고, 바로 알렉스와 타블로가 벽에 대고 옹알이를 하는 걸 보았다.

조금 더 가까이 다가가자 이 아이들은 아기 여우 두 마리가 동생들과 소통을 시도하는 걸 보고 숲에서 기어 올라온 거로 생각했다. "저리 가!" 잭슨이 말하며 동생들에게 다가갔다. "가까이 가서 낚아챌 거야." 잭슨이 막 타블로와 알렉스를 이 괴물들의 손아귀에서 구하려던 때였다.

뻥! 커다란 소리가 나며 작은 나무가 쓰러졌다. 깜짝 놀란 아이들은 바로 뛰어 들어가 방금 들은 소리를 부모님에게 아주 자세하게 설명했고, 유일하게 뉴스를 봤던 웬디와 리암은 아마 전쟁 때문일 것으로 생각했지만, 혹여나 아이들이 무서워할까 봐 그냥 바람일 거라고 말했다.

이때, 존과 벤은 호텔로 돌아갈 방법을 모색하고 있었다. 이곳에 계속 지낼 수는 없었고, 상황은 점점 더 나빠지고 있었다. 존은 호텔로 돌아가고 싶었지만, 론 때문에 고민했고, 그런 존을 보고 벤은 이곳이 얼마나 위험한지에 대해 존에게 얘기하며 여름방학도 거의 끝나가니 이제 돌아가야 한다며 존을 설득했다. 결국, 둘은 호텔로 돌아갔다. 짐을 풀고 준비를 하고 있던 바로 그때, 위층에서 아주 큰 소리가 들렸다.

한편, 전쟁터에서는 인간 병사들이 여우 왕국 쪽으로 천천히 걸어가고 있었다. 그들은 모든 집 옆에 조그만 원형의 물체를 설치하고 다시 유유히 떠났다. 다음 날 아침, 여우들은 일어나 다시 싸우기 시작했다. 여느 때처럼 전쟁은 계속되었다. 그때, 이 모든 총성을 덮는 거대한 소리가 왕국에서 들렸다. 어느새 많은 집은 잿더미로 변해 있었고, 몇몇 여우들은 총을 놓고 집으로 달려갔다. 나머지 병사들은 도망가는 동안의 위험천만한 순간을 견딜 바에는 전쟁터가 낫다고 생각하며 묵묵히 싸웠다.

한편, 론은 이것을 내려다보며 지금이 자신의 계획의 다음 단계를 시작할 때인 것을 느끼며 천천히 전쟁터에서 나가 호텔로 걸어 들어갔다. 론은 인간 격리센터와 여우 격리센터를 둘러보고, 직원들이 여우 센터에 대해 아는 것이 있는지도 확인했다. 여우 센터에서 일하는 사람은 오직 자신뿐이었지만, 인력 충원은 꽤 간단했다. 여우 몇 마리를 최면에 걸기만 하면 됐으니 걱정거리도 되지 않을 일이라는 생각을 하며 론은 여우 몇 마리를 최면에 건 후 한때 동물원이었던 우리 중 하나에 여우들을 가두고 다시 벤치에 앉아 자신의 계획에 대해 생각했다.

론은 도시 내의 인간들이 전쟁의 영향을 병사들보다 현저히 더 적게 느끼고 있으며 늘 절망을 느끼는 어리석은 종족다운 면모를 충분히 보여주지 못하는 것 같으니 교육이 필요하다 생각했다. 마치 학교처럼, 한 가족당 두 명, 아이들의 부모만 교육하면 됐다. 그러면 그 부모들이 아이들을 교육할 테고, 기본을 마치면 조금 더 어려운 걸 가르친 후, 나중에는 직접 아이들을 가르치는 것이 좋을 것 같았다. 빈 동물원이 있으니 그걸 사용하고, 호텔 맨 위층 다락도 활용하면 괜찮을 듯싶었다. 여우들도 당연히 같은 교육을 받아야 하겠지만, 서로의 존재를 여우들과 인간들이 눈치채지 않도록 하는 게 간단할 리는 없었다. 여우와 인간의 접촉은 너무나도 끔찍한 일이었으니, 애초에 일어날 만한 빌미를 제공하지 말아야 했다.

계획을 세운 뒤, 론은 여우 중 더 최면을 걸기 쉬운 병사들을 찾기 위해 다시 전쟁터로 가 딱 봐도 어리숙해 보이는 여우 한 마리를 붙잡고 눈을 뚫어지게 보며 무언가를 중얼거렸다. 그의 눈 안에는 불꽃이 춤추기 시작했고, 여우의 동공은 점점 더 흔들렸다. 곧, 그는 완전히 론에게 정신이 종속된 상태가 되었다. 론은 그 여우를 동물원에 데려가 일부러 다른 사육장 안에 넣어 앞으로 여우들의 교육을 담당할 여우를 센터 직원들과 분리했다. 여우들을 다 최면에 걸면 좋았겠지만 최면을 거는 건 힘들었고, 보통 이틀 이상 가지 않았다.

한편, 호텔에서는 선샤인이 아이들이 숙제하는 동안 집 안 청소를 하고 있었다. 이번에는 꼭 정리하라고 단단히 주의를 시켰으니 괜찮을 거로 생각하던 중, 갑자기 복도에서 방송이 흘러나왔다. 앞으로 다 자란 모든 여우는 매주 화요일, 바이러스 예방용 건강검진과 신원확인을 위해 다락으로 올라가야 한다는 내용이었다. 이 방송을 듣고 선샤인은 고개를 갸우뚱했다. 절대 방에서 나갈 수 없다고 들었었는데 갑자기 이런 식의 요구를 하다니.

선샤인은 데스크에 전화해 한 가족씩 면담을 진행할 거니 안전은 걱정할 필요가 없고 앞으로 계속 한 시에 오면 될 거라는 남자의 설명을 들었다. 어떻게 그냥 갑자기 위층에 올라가도 된다고 하는지 여전히 이해가 되지 않았지만, 선샤인은 일단 수긍했고 바로 위의 달력을 올려다보았다. 맙소사, 오늘은 월요일이었다! 놀란 선샤인은 바로 스톰을 불렀지만, 스톰은 보이지 않았고, 결국 조금 뒤에 선샤인은 스톰이 흥얼거리는 소리를 듣고 남편이 샤워 중이라는 걸 깨달았다.

바로 이때, 론은 호텔 프런트 데스크에 앉아 바쁘게 모든 층에서 걸려오는 똑같은 내용의 항의 전화를 받고 있었다. 여기서 일할 수 있는 직원은 몇 없었다. 조금 더 조용해지자 론은 잠시 휴식을 취하러 자리에서 일어났다. 론은 고민에 빠졌다. 여우들을 속이는 것은 절대 쉬운 일이 아닐 것이었고, 단순히 불공평과 현재의 암담한 상황에 대한 일장 연설로는 여우들을 설득시킬 수 없었다. 그런 우스꽝스러운 짓을 할 순 없었다.

한편, 호텔 반대편에서는 존과 벤이 대화를 나누고 있었다. 둘 다 갑자기 잠적한 것 같은 론이 의심스러웠다. "론이 또 다른 무언가를 꾸미고 있을 것 같아. 론이 나랑 있을 때 또 다른 계획에 대해서 뭐라고 한 적이 있었는데 그 계획과 관련된 일을 론이 하고 있을지도 몰라." 벤이 말하자, 존이 자리에서 일어나며 이제 전쟁을 시작했으니 아마 이제 이곳 시민들에게 영향력을 행사하려 할 거라고 했다. 잠시 후, 존은 일하러 갈 시간이 되어서 벤이 학교에 갈 준비를 하는 동안 존은 손을 흔들며 문을 나섰다. 여름방학이 끝났다. 준비물도 비슷했고, 어젯밤에 새 준비물도 만들었다. 벤은 새 학년이 되어 매우 기뻤다.

이때, 론은 인간 격리센터로 걸어 들어가다 출근하던 존을 보고 사무실로 들어오라는 손짓을 한다. 존은 사무실에 들어서자마자 호텔이 나눠진 이유에 관해 물었다. 론은 이 위험한 상황 속에서 사람들을 전쟁과 바이러스에서 지킬 수 있는 기관이 필요했다며 반대쪽에는 들어갈 일이 없을 거라고 덧붙였다. 그리고 존에게 부엌 일도 좀 도와야 할 것 같다고 하며 존을 사무실에서 내보낸다.

존은 프런트 데스크로 가 잠시 일을 한 뒤 부엌으로 가 가장 더럽고 늘 이상한 액체가 흘러나오는 싱크대와 식기세척기 앞에서 두 시간 동안 일을 한 뒤, 퇴근 시간이 훌쩍 넘어서까지 계속 호텔을 돌아다니며 일했다.

존이 방으로 돌아갔을 때, 이미 벤은 저녁 식사를 마친 뒤였고 존도 점심때의 수프를 다시 데워 먹으며 대충 끼니를 때웠다. 둘은 벤의 학교에 관한 이야기를 잠시 나누었고 '다르긴 한데, 괜찮더라.' 잠시 일상적인 이야기를 했지만, 곧 주제는 론이 되었다. 존은 벤에게 론이 호텔을 격리센터로 바꾸었고, 무언가 일이 벌어질 것만 같다고 말했다. 이에 벤은 여기 사람들을 이용해 뭘 할지도 모른다며 조사를 해보면 좋을 것이라고 말했다.

짧은 저항

8. 짧은 저항

한편, 호텔 반대쪽에서는 여우들이 화롯가에 옹기종기 모여 앉아 동화를 읽고 있었다. 그런데, 한창 이야기를 듣고 있던 와중, 갑자기 벽 너머로 어떤 소리가 들렸다. 그것은 그 어떠한 동물의 소리와도 비슷하지 않았고, 마치 맹수가 울부짖는 것처럼 느껴졌다. 아이들은 겁에 질렸지만, 선샤인은 이것이 인간들의 언어임을 바로 눈치챘다.

경찰이었던 선샤인은 귀를 의심했다. 이곳에 인간이 어떻게 들어올 수 있단 말인가? 다시 조용해지자 아이들은 무슨 소리인지 물었고 선샤인은 반대편에서도 누가 동화책을 읽고 있는데 벽을 통과하면서 소리가 이상하게 들리는 것뿐이라고 대답한다. 그리고 아이들에게 이제 잠자리에 들 시간이라 말하고 혼자 소파에 앉아 생각에 잠긴다.

분명히 이곳은 인간의 땅이 맞았지만, 그래도 무슨 일이 생길지도 모른다는 생각이 들며 이 일도 지난번 들은 방송과 관련이 있을 수 있다는 생각까지 들었다. '난 걱정을 너무 많이 해'라고 선샤인은 중얼거렸지만, 마음 한편에서는 이게 진짜 중요한 일일 수 있으며 경찰로서 이 일을 조사해야만 한다는 목소리가 들려왔다. 선샤인은 세게 고개를 젓고 8시를 가리키고 있는 시계를 바라보았다. "시간도 너무 늦었어." 라 말하고 선샤인은 잠이 들었다.

하지만, 새벽 2시에 선샤인은 다시 드리머의 울음소리를 듣고 잠에서 깨어났다. 드리머의 방으로 가보자 드리머는 무언가 중얼거리고 있었고 더 가까이 다가간 선샤인은 드리머가 잠들어 있었다는 걸 깨닫는다. 잠시 후, 드리머가 비명을 지르자 선샤인은 드리머가 악몽을 꾸고 있을 거라 짐작하고 자기 방 침대에 눕히고, 시끄럽게 코를 고는 남편 스톰을 바라보았다. 이런 사소한 일조차 왠지 경고처럼 느껴지는 이상한 밤이었다.

이때, 론은 의자에 앉아 있었다. 늦은 시간임에도 내일 해야 할 일 때문에 잠들 수 없었고 내일의 '면담'에서 할 이야기가 도무지 떠오르지 않아 일정을 모두 취소시켜 버리고 싶을 정도였다. 온종일 고민을 해보아도 도무지 해결되지 않는 고민에 론은 답답하기만 했고 아마 격리 기간과 신원확인에 대한 상투적인 이야기로 면담을 질질 끌다 맥락에 어울리지 않게 본격적인 얘기를 꺼내야 할 터였다. 뭐, 계획이 없는 것보단 이게 나으니 어쩔 수 없지. 론은 생각하며 잠자리에 들었다.

한편, 전쟁터에서는 인간 병사들이 적진을 공격하기 위해 야심한 밤, 여우들의 영토로 넘어가고 있었다. 야경꾼들이 있는 걸 알아 걱정됐지만, 그래도 운이 좋으면 병력 차이 문제를 조금이라도 해결할 수 있을 거란 생각에 빨리 여우들의 진지로 가 그림자 안으로 숨어 들어가 조용히 잠들어 있는 여우들 쪽으로 다가갔다. 하지만 그때, 막 텐트에서 나오던 야경꾼이 인간들을 보았고, 인간들은 포로가 되었다. 결국, 그날 밤 여우들은 공격을 대비하기 위해 모두 밤을 새우게 되었다.

그날 밤, 다행히 다른 일은 일어나지 않았고, 결국 새벽 여섯 시에 다들 잠시 눈을 붙여도 좋다는 명령이 하달되었다. 잠시 후, 피곤한 병사들은 다시 일어나 굼뜨게 밖으로 나갔다. 하지만 인간들은 전혀 보이지 않았고, 결국 병사들 몇은 다시 텐트로 돌아가도 좋다는 허락을 받았다.

병사들의 조촐한 잠자리 옆에는 나무로 만들어진 선반이 있었고 그 선반은 세 칸으로 나누어져 있었다. 첫 번째 칸은 옷, 두 번째 칸은 총기 관리 매뉴얼, 그리고 셋째 칸은 책과 가족의 초상. 몇몇 여우들은 이를 보자 가족에 대한 그리움과 함께 허무함을 느꼈다. 영토를 위해 싸우는 것도 아닌데 이렇게 열정적으로 매일 전투를 이어 나가야 한다니. 인간들의 쳐들어와 왕국을 위협한다는 이유 하나만으로 이 짓을 해야 한다니. 병사들은 한숨을 쉬었다. 하지만 바로 그때, 텐트 안으로 인간들이 쳐들어와 포로들 쪽으로 달려가자, 여우들은 다시 열심히 싸우기 시작했다. 안타깝게도 포로들은 탈출해 버렸고, 병사들은 모두 다시 전쟁터로 달려 나갔다.

한편, 호텔에서는 선샤인과 스톰이 다락으로 걸어 들어가고 있었다. 방 끝에는 중년의 여우가 앉아 있었고, 그는 선샤인과 스톰에게 격리 기간 조정 등을 위해 필요한 서류와 문서들을 건네며 신체검사를 하기만 하면 된다고 할 일이 매우 간단하다는 걸 강조했다. "전혀 간단한 일이 아닌 것 같은데." 스톰이 중얼거렸다. "다음 주에는 자녀분들도 데리고 오세요." 여우가 말했다.

이때, 존은 플라자 청소 중이었다. 평소처럼 일하던 존은 곧 무언가 이상한 낌새를 느꼈다. 자신에게 익숙한 언어가 들려왔다. 감히 쓸 수도 없었던 그 언어 말이다. 존은 당황해 다시 한번 귀를 기울여 보았지만 이건 틀림없이 여우들의 언어였다. 그때, 갑자기 존은 번뜩 어떤 생각이 떠올라 엘리베이터도 타지 않고 계단을 뛰어 내려가 자기 생각을 마구 적어 내려가고, 바로 다시 일터로 복귀했다. 물론, 이번에는 엘리베이터를 탔지만 말이다.

그리고 존은 플라자의 창문, 복도 카펫을 닦고는 호텔 프런트로 가

일을 했다. 5분간은 종이 넘기는 소리 외에는 아무것도 들리지 않았지만, 곧 미친 듯이 전화기가 울리기 시작했고, 전화기를 받아든 존은 몹시 당황했다. 누군가가 소리를 지르기 시작했다. "내 말 따라 해, 현재. 우리는. 여러분의. 격리 기간. 조정을. 위해… 이 뒤에는 대본 있으니까 그거 읽고!" 그 남자는 전화를 끊었고 존은 잠시 고민하다 수첩을 꺼내 자신이 방금 들은 모든 것을 전부 다 적어 내려갔다. 누가 호텔로 걸만한 전화는 아니었기에 존은 혼란스러웠고, 다시 한번 수첩을 뚫어지게 바라보았지만 이건 여전히 미스터리에 불과했다.

곧, 다시 전화가 울렸지만, 이번에는 그냥 방을 예약하려는 평범한 가족이었고 곧이어 비슷한 류의 전화들이 퇴근 시간까지 물밀 듯 들어왔다. 퇴근 후, 방으로 들어온 존은 벤에게 자기 말 좀 들어보라며 수첩에서 플라자에서 있었던 일에 대한 기록을 보여주었다. "요즘 이상한 일들이 많더라." 존이 말했다. 벤은 아주 오랫동안 아무 말도 하지 않다가 "호텔 반대편에서 무슨 일이 났나 보네."라고 중얼거렸다. "존, 넌 반대편에 가본 적 없지?" "애초에 못 들어가. 우리 구역이 아니라나… 뭐 그런 소리 하는 것 같던데? 설령 누가 가 봤다고 해도 위험 시간대에 계속 걸리니까 우린 못 보지. 위험 시간대에는 갑자기 커튼을 치니까. 난 내 상사 말고 볼 사람이 없지." "너 이쯤 되면 일이 어떻게 돌아가는지 정도는 알아야 하지 않아? 론이 계획 세우고 있는 거 안 보여? 이 위험한 짓을 모르다니." "사실 말해줄 게 하나 더 있는데… 이상한 전화가 왔어. 일단 통화 내용은 여기." 존이 수첩을 다시금 꺼내며 말했다.

벤은 수첩을 보고, 눈을 비비고, 다시금 수첩을 보았다. "이게 다 사실이라면, 나 론이 무슨 짓을 하는지 알 것 같아. 반대편엔 여우들이 있어. 틀림없이. 이 문젤 해결하려면 바이러스 일도 좀 다시 살펴봐야겠는데. 론이 센터 운영하는 명분은 이거잖아. 그럼 결국, 사람들을 바이러스에서 보호하는 척하면서 바이러스를 이용한다. 이게 론 계획이야. 반대쪽에 사람이 가야 할 것 같은데, 어쩌지?" "주말에는 시간이 나지 않을까? 그런데 네 말이 맞으면 반대쪽은 여우 천지일 테니까 잠입은 불가능한 거 아냐? 아님 아예 그걸 이용해서 잠깐 그쪽을 교란해서 시간을 버는 것도 나쁘지 않은 아이디어지. 넌 길을 잃은 애처럼 잘못 들어온 척을 하고, 그러면 이 상황을 수습하는 동안 난 창문을 통해 그쪽에서 생기는 일이 어떤 건지 확인하면 되겠어. 만약에 네가 안 들키고 들어갈 수 있으면 넌 내부에서 플라자 반대편, 맨 위층에서 생기는 일들을 확인하면 되고. 어때?"

"건물 벽을 타고 올라갈 수 있는 사람이 어디 있나?" "나 생각보단 그런 거 잘해. 그리고 맨몸으로 하는 게 아니라 장비를 구해서 하면 되지." "줄을 타고 위로 올라가면 뼈 부러지는 건 당연하고 사람들도 다 보일 건데?" "네가 나한테 여우들 마법을 좀 가르쳐 줬잖아. 줄을 투명하게만 만들면…내가 투명인간이 될 수 있는 방도는 없나?" "그런 건 없고, 일단 아이디어 나쁘지 않네." "그럼 당장 나가자. 줄도 사야 하고, 난 배고프기도 하고. 우리 지금 음식 다 떨어졌고, 난 아직 밥도 못 먹었단 말이야."

벤은 고개를 끄덕이고는 코트를 입었다. 둘 다 지하철 타는 건 싫어했고, 택시는 잡기 어려워서 둘은 그냥 걷기로 했다. 일단 먼저 편의점에 들리고, 그다음에는 암벽등반 용품점으로 가 15m 정도 되는 줄을 부탁했고, 점원은 무뚝뚝하게 가격표를 가리켰다. 둘은 빨리 돈을 내고 탁자에 앉아 계획을 세우기 시작했다.

한편 웬디는 숙제 검사를 마친 아이들에게 밖으로 나가도 좋다고 했다. 이제 모두 벽에 뚫려있는 거대한 구멍과 알렉스와 타블로를 구멍 근처에 가지 못하게 하는 것도 익숙해졌다. 하지만 그날은 난간 너머를 바라보고 있던 아이들 덕에 알렉스와 타블로는 바로 벽 쪽으로 갈 수 있었다. 그 동물들은 삶의 의미에 대해서 멍청한 어른들보다 훨씬 많은 생각을 했고, 이제 그 아이들의 언어도 조금 이해할 수 있었다.

몇 분 뒤에 그 아이들이 나타나자, 알렉스와 타블로는 그 아이들의 이름을 물었고, 조금 알아들은 듯한 그 아이들은 스프라웃과 드리머라고 자신들을 소개했다. 알렉스와 타블로도 자기들의 이름을 말하고 그 아이들의 말을 배우고 싶다고 했다. 이 말을 겨우 알아들은 여우들은 노력했지만, 이 야심 찬 도전은 결국 대실패로 끝나고 말았고 드리머는 잠시 후 언어를 섞어서 새로운 언어를 만들자는 제안을 했다. 새 언어는 어려웠지만, 제일 괜찮은 아이디어였다. 이 언어를 배우는 데 점점 재미가 붙은 아이들은 저녁이 되자 내일 다시 만나자고 하고 다시 형들과 누나들에게로 가서 좀 쉬다 들어가 이를 닦고 옷을 갈아입고 잠자리에 들었다.

한편, 호텔 반대편에서는 스프라웃과 드리머가 새로 개발해낸 이 멋진 언어에 대해 고민 중이었다. 바보 같은 어른들이 없을 때는 늘 이 언어로 대화를 하려고 노력했고, 형, 누나들 앞에서도 간혹 이 언어를 썼다. 혹시나 이 언어를 알게 되면 비밀 클럽 같은 걸 만들 수 있을 것 같았기 때문이다. 안타깝게도 형들과 누나들은 어른들만큼이나 눈치가 없었고, 힌트를 주는 게 쉽지는 않았다.

그리고 이때, 바보 같은 누나 중 한 명인 마리나는 시험공부 중이었다. 꽤 중요한 시험이었고, 학교에 없는 동안 뒤처지기 싫었던 마리나는 열심히 공부했다. 시험 기간 때 자신과 쌍둥이 여동생이 해야 하는 공부는 겨우 네 시간 분량이었지만, 혹시나 자신의 완벽한 성적이 조금이라도 떨어질까 봐 마리나는 노심초사했다.

이때 미드나잇이 들어왔다. "보드게임 할래?" 미드나잇이 물었다. 마리나는 고개를 저었다. "에이… 참. 알겠어!" 마리나와 미드나잇은 쌍둥이였지만, 둘은 성향이 매우 달랐다. 활동적인 장난꾸러기 미드나잇과는 달리, 마리나는 조용한 성격이었다. 그리고 늘 반에서 가장 키가 컸던 미드나잇과는 달리, 마리나는 여우 나이로 두 살이나 어린아이들보다도 키가 한참 작았다. 사실 어텀이 자기와 더 비슷했다. 미드나잇은 오로라와 더 비슷했다. 이런 걸 한참 생각하다 보니, 결국 집중을 못 할 것 같아 마리나는 보드게임을 하러 갔다. 한 번도 해본 적 없는 보드게임판 앞에는 아이들이 모여 있었다.

그리고 인간 센터에서는 존과 벤이 어떻게 줄을 타고 올라갈지에 대한 열띤 회의를 계속하고 있었다. 가장 큰 문제는 투명해진 줄을 타고 올라갈 방법이 없다는 것이었다. 사람이 지나갈 때만 투명해지게 하는 것도 나쁘지 않으리라 생각했으나, 그건 불가능에 가까웠다. 한 시간 뒤, 정적을 깨고 벤이 입을 열었다. "안전 멜빵을 사서 줄에 그걸 매달면 넌 대충 줄이 어디쯤인지 감이 올 거니까. 근데, 줄을 매는 방법은 아니?" "호텔 꼭대기까지 닿는 사다리는 없어도 거의 거기까지 닿는 사다리는 있으니까 줄을 잘만 던지면 될 것 같아! 그럼, 거기에 안전 멜빵을 매달고, 준비는 끝나는 거지." "사다리는 어디서 구하려고 그래?" "페인트 가게에 사다리 많으니까 하나 빌리면 되지. 내일 너 등교하기 전에 하자. 시간이 없어. 내일은 금요일. 토요일에 갈 거니까 금요일에 준비해야겠어. 그럼, 내일을 위해 푹 자두자!" 이 말과 함께 존은 불을 껐다.

다음 날, 존과 벤은 가게로 가 필요한 물건들을 샀고, 벤은 중간에 학교로 떠났다. 존은 마지막 가게까지 들린 이후 피곤해져 택시를 탔다. 그런데 한참 가던 중, 뭔가 이상한 낌새를 느낀 존은 한 택시가 계속 자신을 뒤따라오는 것 같다는 생각이 들었다. 체크 무늬 모자를 푹 눌러쓴 택시 운전기사와 반쯤 떨어져 나간 의자 시트까지. 허름하기 짝이 없는 택시였지만 집에 갈 방법이 이것뿐이라 존은 참았다.

한편, 알렉스와 타블로는 형 누나들보다 한 시간 전 테라스로 나가 새로 개발한 언어에 관해 이야기를 나누고 싶어 벽돌을 두드리기 시작했다(나와달라는 비밀 신호였다). 곧 스프라웃과 드리머가 나왔고, 알렉스와 타블로는 그 전부터 하고 싶었던 이야기를 꺼냈다. "우리 이제 새로 만든 말은 잘하는 것 같아. 그런데 글로 쓸 수 있으면 나중에 형 누나들이 이걸 배울 때 더 편할 것 같아." "좋은 생각이야!" 스프라웃이 대답했다. 드리머도 동의하리라 생각해 스프라웃은 드리머를 보았지만, 드리머는 마냥
뿌루퉁한 표정으로 "우리 말로 쓸 줄도 모르는데 새로 만든 말로 규칙도 안 만들고 뭘 어떻게 써?" 라 말했다.

"꼭 그렇게 얘기할 필요가 있어? 그건 지금 생각해내면 되잖아. 그리고 우리 말에 뜻 같은 것도 담아야지." "무슨 뜻?" "그, 왜 다른 말들도 다 있잖아. 언어 안에 큰 뜻이 하나가 있고 다른 글자들도 뭐 모양을 따라 하거나 의미를 담아서 하는 경우도 있고… 그래서 큰 뜻 하나를 정하자. 그럼 그거 안에 들어갈 만한 단어 수를 봐서 글자 수도 정하는 걸로! 얘기하고 싶은 사람은 손들고." 드리머가 바로 손을 들었다. "서로서로 도와주기!" 알렉스도 그걸 듣고 색연필로 손에 'ㅅ로시로 더와주기'라

고 적었다.

"스프라웃, 너는?" "친구 챙겨주기!" "음… 그건 약간 드리머 꺼 같잖아. 뭐, 어쨌든." 타블로가 곧바로 손을 들었다. "우리가 모인 이유는 서로 얘기하고 소통하려고 잖아. 소통만큼 중요한 게 어디 있어? 뭐, 소통은 얘기하는 거, 기분, 동작, 다 되잖아." "소통이 뭐야?" "음… 남이랑 생각을 나누는 거야." 알렉스는 끄덕거리며 손에 그것도 받아적었다.

"자, 이제 비밀투표 시작. 눈감고 손드는 거야. 자기 뽑는 건 안 돼. 첫 투표는 내가 셀게. 두 번째는 나 말고 다른 사람이 세." 알렉스는 그 새 종이를 찾아 손든 사람의 수를 세고 스프라웃을 툭툭 쳐 다음 투표를 해야 함을 알렸다. 투표가 모두 끝난 뒤, 스프라웃은 결과를 알렸다. "나랑 알렉스는 아무도 안 뽑아줬네. 드리머 한 표. 타블로 셋. 네 말대로 해보자."

"글자 모양은 어떻게 할까?" "나! 나! 내가 설명할래!" 알렉스가 급히 말했다. 기본 모양을 하나 정하고, 그거랑 비슷하게 다 만들면 돼. 타블로, 생각해둔 거 있어?" "큰 모양을 둘러싼 엄청 많은 작은 모양들." 스프라웃이 곧 아이디어를 냈다. "동그라미를 둘러싼 일곱 개의 네모." "왜 일곱 개야?" 알렉스가 물었다. "그냥." "네모는 그리기 어려워. 동그라미 넷이 나아." 드리머가 말했다. "우리도 네 명이니까. "네 개보다 세 개가 나아. 그래도 중간에 있는 것까지 합치면, 그래도 네 개잖아." "좋아." 타블로가 말했다.

"왜 너희만 정해? 인간만 해?" 스프라웃이 볼멘소리로 물었다. "대장은 필요하잖아. 그럴 거면 너희 중에서도 대장 뽑아. 그럼. 사람이 많아질 때 편하잖아." 타블로가 말했다. "세 시 사십 오 분이네. 해가 딱 그 위치야." 스프라웃이 말했다. "와, 그걸 어떻게 알아?" "인간들은 모르나 보네." "됐어. 투표!" 하지만, 여우들에게는 잘 시간, 인간들에게는 저녁 시간이었기에 엄마들을 따라 들어갈 수밖에 없었다.

한편, 존과 벤은 계획을 세우고 있었다. 사다리를 벽에 기대고 줄을 손에 쥔 상태로 존이 사다리를 타고 올라갔다. 벤은 밑에서 사다리를 잡았다. 그때, 지나가던 사람이 물었다. "동생이랑 같이 있어?" "아… 호텔 외부 공사 중인데 구경나왔어요." 행인이 지나가고, 존과 벤은 안도의 한숨을 내쉬었다. "큰일 날 뻔했다. 계획을 제대로 세우기만 했으면…" 존이 중얼거렸다. 존은 줄을 투명하게 만들려고 했으나 잘 안 되었고 벤이 결국 마법을 걸어 줄을 투명하게 만들었다. 벤은 존에게 연습을 좀 더 하면 잘 될 거란 말을 건넸다. "오늘 저녁에 돌아오면 될 것 같아." 존이 말했다.

어둠이 찾아오자 존과 벤은 호텔 밖으로 나왔다. 예상보다 밤은 더 빨리 찾아왔기에 둘도 조금 더 일찍 나왔다. 하늘은 회색 구름으로 뒤덮여 있었고 비가 추적추적 내렸다. "와. 구름이 다 우는 것 같아." 존이 말했다. "우리한테는 이런 게 제일 좋지. 날씨가 안 좋으면 사람들도 잘 안 나오잖아. 난 인간 가족 아무나 들어가는 거 보이면 길 잃은 애인 척하고 여우 쪽에 들어가서 알아낼 수 있는 건 다 알아내 볼게. 그동안 너는 여기 타고 올라가면 되고. 그나저나 이제 네다섯 시 이후로도 별로 졸려 보이지도 않네. 이제 적응이 된 것 같아. 잠깐. 그런데 론이 여우들을 훈련하는 거면 다 잘 거니까 이 시간에 뭘 해봤자 소용이 없겠는데, 어떻게 하지?"

벤이 이 문제에 대해 존과 이야기를 나누는 동안 시간은 어느덧 일곱 시 반이 되었고, 비는 계속 세차게 내리며 존과 벤의 신발을 흠뻑 적셨다. 그때, 여우 쪽에서 커튼이 서서히 닫히고 인간 가족 하나가 호텔 안으로 들어갔다. 벤은 존을 쿡 쑤시고 여우 쪽 문 앞으로 다가갔다. 존은 안전 멜빵을 입었다. 줄이 보이지 않아 느낌이 꽤 이상했다. 흰 안전 멜빵도 잘 보였고 허리 쪽에 뭔가 꽉 조이는 것도 느껴졌다. 그냥 줄이었지만 존은 예전에 학교에서 배운 걸 기억하려고 애쓰며 줄을 타기 시작했다. 이 상태에서는 눈을 뜨든 감든 상관없다는 걸 알았기에 존은 눈을 감았다.

묘하게도 눈을 감자 줄이 흐릿하게 보이는 것 같았다. 이제 더는 다른 생각은 들지 않았다. 감정이 아닌 뜨거운 무언가가 느껴졌고, 줄은 이제 꽤 뚜렷하게 보였다. 기둥이 보이자 존은 기둥을 잡고 몸을 지붕 위로 올렸다. 조금 전의 자신감은 차가운 밤하늘에 아이스크림처럼 녹아버렸고, 존은 창문을 응시했다. 창문은 열 수 없었지만, 암 여우의 부드러운 말소리가 들렸다. 자신을 편안하게 해주는 언어였다. 다양한 목소리들이 거의 들리지 않을 정도로 큰 소리로 말하는 누군가가 있었지만, 워낙 멀리 있었기에 '머물다', '시간'과 '프로그램' 이외에는 아무것도 들리지 않았다.

그때 창문이 보였다. 커튼을 젖히거나 창문 자물쇠를 열 수는 없었지만, 암컷 여우의 부드러운 속삭임은 들을 수 있었다. 그는 자신을 편안하게 만드는 언어를 들었다. 하지만 그 모든 목소리 너머로 맑고 큰 목소리가 들렸다. 그는 누군가 창문을 향해 걸어오는 것을 느꼈고, 지붕 꼭대기로 걸어갔다. 그 목소리는 거리가 멀어서 잘 들리지 않았지만, 존은 '머물다', '시간', '프로그램'이라는 단어를 들었다. 그러나 곧 매우 조용해졌고 그는 아무 소리도 들을 수 없었다. 그때 그는 한 발이 커튼을 잡아당기는 것을 알아차렸다. 존은 침묵을 지켰다.

그는 내려갈 준비를 하고 다시 한번 눈을 감았다. 이번에는 힘이 천천히 자기 안에서 축적되는 느낌이었는데, 대신 그 힘은 훨씬 더 강력했다. 그는 마치 눈을 완전히 뜬 것처럼, 마치 밧줄이 투명하지 않은 것처럼, 볼 수 있었다. 그것은 분명 그가 감당할 수 있는 놀라운 힘이었다. 이제 그는 땅에서 1미터쯤 떨어진 곳에 땅이 있는 것을 보았고, 벽을 밀어내며 재빨리 땅에 착지한 뒤 쭈그려 앉아 그림자 속으로 흩어졌다.

그러는 동안, 벤은 천천히 복도를 가로질러 걸어가고 있었다. 벤은 최대한 오랫동안 잡히지 않고 건물 안에 있으면 될 것 같았다. 가장 수상하고 위험한 곳에는 존이 있었지만, 벤은 그래도 자신의 가장 중요한 임무는 여전히 호텔에 대한 정보를 알아내는 것임을 잊지 않으려고 노력했다. 그는 벽을 덮고 있는 우아한 돌덩어리 뒤에 숨었다. 돌은 단지 장식을 위해 거기에 있는 것 같았다. 무늬 사이로 작은 틈이 있어서 그 사이로 복도를 지켜보았다. 잠시 후 텅 비었던 복도에 어린 여우 한 마리가 어미 아빠를 따라 허둥지둥 걸어 들어왔다. 그들은 모두 매우 바빠 보였다.

벤은 여우들을 따라다니다, 무언가 이상한 걸 발견했다. 호텔 대부분은 인간 식으로 개조된 것처럼 보였지만, 둥근 문과 그 아래에 이끼를 숨기고 있는 바닥 끝과 같은 일부 조각은 여우의 건축물을 떠올리게 했다. 하지만 그는 여전히 서두르는 가족들을 따라잡으려고 애썼다. 그러다 갑자기 장식용 판이 매우 좁아지는 것 같아서 벤은 위를 쳐다보았다. 이제 판은 난간으로 변해 있었다. 맨 위에는 튜브가 있었는데, 이는 천장을 지탱하는 용도 같았다. 울퉁불퉁한 부분은 이제 손잡이로 사용하는 듯했다.

벤은 매우 빠르게 움직였다. 그러다가 장식용 판이 다시 커지는 것을 느꼈다. 손잡이도 사라졌다. 그리고 완전히 끝났다. 그래도 올라가는 가족들을 따라가야 했기 때문에 한 줄로 늘어선 캐비닛 뒤에 숨었다. 그러자 그 가족은 잠시 멈춰 섰다. 양쪽에 황금 손잡이가 달린 큰 나무문이 있었다. 아무것도 눈치채지 못한 듯, 여우 가족은 문을 두드렸다.

벤은 작은 캐비닛 바로 뒤로 올라갔다. 그때 문이 열렸다. 가족은 안으로 들어갔다. 그때 론은 노래를 흥얼거리며 다른 모임을 준비하고 있었다. 론은 여우 의상을 입고 귀를 달았다. 론은 다음 가족이 집회에 참석하려고 오기 전에 모든 일을 제때 처리하였다. 론은 문을 열려다가 실수로 연필을 떨어뜨렸다.

바로 그때, 벤은 이 자국이 있는 노란 연필을 발견했다. 그는 그것이 좋은 단서가 될 수 있다고 생각했고, 그래서 그것을 들고 가족들 뒤로 걸어갔다. 하지만 바로 그때, 그들 중 한 명이 뒤를 돌아보았다. 다행히 벤은 몸을 피해 복도에 있는 캐비닛 중 하나 뒤로 갔다.

그러는 동안, 존은 사다리를 꺼내 벽에 기대고 있었다. 그는 안전 멜빵을 단단히 잡고 다시 한번 눈을 감은 채 사다리를 올라갔다. 그는 곧 사다리 꼭대기에 도달했고, 그제야 안전 멜빵을 착용했다. 조여진 후에는 다시 떼어내기가 어려웠고 사다리가 너무 짧아서 점프하여 밧줄을 떼기 위해 장대를 움켜쥐었기 때문이다. 존은 다시 건물 옥상으로 올라갔다. 그는 밧줄을 장대에 고정하고 있던 갈고리를 떼어냈다. 그런 다음 그는 긴 밧줄을 손목에 감고 사다리를 바라보았다.

그것은 꽤 긴장감 넘치는 점프가 될 것이었다. 그 와중에 사다리는 안정적이지 않았다. 존은 사다리의 맨 끝조차 건드릴 수 없었다. 그러던 중 한 가지 생각이 떠올랐다. 그는 밧줄의 고리를 사다리 맨 끝에 던져 연결했다. 그러고는 그것을 붙잡고 내려갔다. 밧줄이 다시 풀렸다. 존은 재빨리 사다리를 내려갔다. 그런 다음 그는 사다리에서 밧줄을 떼어내고 다시 손목에 밧줄을 감았다. 그 후 그는 사다리를 치우고 벤을 찾기 위해 호텔로 갔다.

그 당시 벤은 모든 장애물의 끝에 있었지만, 여전히 벽을 둘러싼 판 뒤에 숨어 있었다. 그때 그는 어두운 실루엣이 건물 뒤에서 아주 조심스럽게 다가오더니 문을 부드럽게 밀어 여는 것을 보았다. 벤은 난간 쪽으로 물러섰다. 그러던 중, 그 실루엣이 들어왔다. 벤은 가만히 고개를 들 엄두가 나지 않았다. 그런데 그때 아주 익숙한 목소리가 들렸다. 바로 존이었다. 벤은 눈을 뜨고 존을 바라보았다. 존은 말했다. "빨리 나가야 해. 문을 열고 밖으로 나가자." 그래서 둘은 건물 밖으로 빠져나와 재빨리 자기 방으로 갔다.

침대에 앉자마자 존은 벤에게 "모든 창문이 닫혀 있어서 아무것도 할 수 없었어. 여우가 말하는 희미한 목소리가 들렸지만, 그게 전부였어. 넌? 뭐 본 거 있어?" 벤은 "응! 흥미로운 걸 많이 찾았어. 설명해 줄게. 먼저 철제 가림막 뒤에 숨어 계단을 올라가는 여우 가족을 따라갔어. 그러는 동안 건물 건축양식에서 뭔가 이상한 점을 발견했어. 여우의 건축물과 매우 흡사했지." 바로 그때 존이 끼어들어 "어디선가 읽은 것 같아. 왠지 인간을 훈련 시키는 장소로 사용되어 [인간훈련센터]라고 이름 붙인 것 같은데…. 근데 그것이 어떤 페이지였는지 기억하진 못해." 그러고는 방구석에 있는 배낭을 향해 갔다.

존은 "내가 어떻게 태어났는지 말하려고 했을 때 책에서 읽었다고 말한 걸 기억해? 음, 그 책엔 거의 모든 게 쓰여 있어서, 너도 그 책을 보면 원하는 모든 걸 알 수 있을 거야. 이전에 이 건물에 대한 사실도 거기서 봤어. 어쩌면 우리는 지금 그걸 훑어봐야 할 것 같아." 그러고는 두꺼운 책 한 권을 꺼냈다. 벤은 헉하고 숨을 쉬었다. 책은 적어도 침대 위의 매트리스만큼 두꺼웠고 표지는 모두 닳아 있었다. 벤은 존이 그것을 가방에 넣는 것만 보았을 뿐, 지금처럼 가까이서 본 건 처음이었다. 존은 이 책을 조심스럽게 침대 위에 올려놓고는 말했다, "전통 건축물을 찾아볼까? 아니면 색인에서 [인간훈련센터]를 찾아야 할까?" 벤은 [인간훈련센터]를 찾아보라고 한다. 책장을 넘기던 존이 벤에게 말한다. "색인이 너무 길고 혼란스러워서 도무지 찾을 수 없네. 어쩐지 순서가 계속 바뀌는데?"

"아가타에게 물어보는 게 어떨까?" 존의 제안에 벤은 눈살을 찌푸렸지만, 그가 대답하기도 전에 존은 아가타에게 전화를 걸었다. 그리고 존이 뭐라고 말하기도 전에, 아가타가 먼저 말을 꺼냈다. "우리는 논의해야 할 중요한 것들이 많아. 나한테 준 여우 동상 기억나? 음, 우리는 여우 동상을 성으로 옮긴 후 그의 건강 증진을 위해 사용할 예정이었어. 잠깐이나마 왕은 완전히 치유된 것 같았는데 그땐 전쟁이 시작되기 하루 전 뒤숭숭할 무렵이어서 말하는 걸 잊었어. 그리고 전쟁이 시작되었지. 왕은 점점 더 건강이 나빠졌어. 그래서 여우 동상을 사용해 보았지만, 지금은 작동하지 않네. 아직 다른 할 얘기가 많네. 너랑 벤이 해결하기 위해 최선을 다하는 것을 알지만 여전히 전쟁은 멈추지 않을 것 같고, 너희가 백신 개발 중인 바이러스 역시 점점 더 퍼지고 있는 것으로 보여. 자, 이제 너희의 문제가 무엇인지 말해 줄 수 있어?"

존은 "지금 론은 바이러스 격리센터를 운영하고 있는데, 우리는 격리센터 반대편에 여우가 있다는 것과 론이 여우들에게 이상한 말을 하고 있다는 것을 발견했어요. 또 이 건물이 여기에 오래전부터 있었을지도 모른다고 생각했어요! 그뿐 아니라, 바로 여우들이 그 건물을 지은 것 같습니다."라고 말했다.

존은 아가타에게 [인간훈련센터]와 [큰 책]에 대해 말하려고 했지만, 그는 테이블에서 그 책을 꺼낸 것을 알면 아가타가 별로 좋아하지 않을 수도 있다는 생각에 스스로 멈추었다. 그래서 존은 그 고립된 호텔에 대해 더 이야기하고 싶다고 아가타에게 말했다. 아가타는 "흥미롭네! 너희가 백신을 개발하고 있고, 나도 꽤 관심 있는 그 호텔의 목적을 알아내려고 노력하고 있다는 건 확실히 알겠어. 그런데 내가 가장 걱정하는 것은 론이 여우들에게 이상한 행동을 한다는 거야. 나는 그들이 위장 중이라고 생각해. 또한, 론은 여우 옷을 만드는 방법을 알아낸 게 분명해! 그는 여우 옷을 입어 변장하고 여우들과 소통하는 게 틀림없어."라고 말했다.

존은 "당신 말이 옳은 것 같지만, 더 추가할 것이 있어요. 며칠 전에 우리는 론이 무엇을 하고 있는지 알아내기 위한 계획을 세웠습니다. 그래서 벤은 계단을 올라가는 여우들을 따라가고 있었고, 그는 그들이 큰 다락방으로 들어가는 것을 보았습니다. 그곳이 그가 그들에게 이상한 걸 가르치고 있는 장소일지도 모릅니다."라고 말했다.

그러자, 벤은 "그들은 뭔가를 다시 시작하고 있는 것 같습니다. 이것은 론의 새로운 계획임이 틀림없어요. 저는 론이 그의 근처에 있는 동안 바이러스와 관련된 일을 하는 것을 알게 되었고, 그가 말한 게 이것이라는 것을 압니다. 그래서, 우리는 이 문제에 대해 더 연구를 시작할 필요가 있습니다."라고 덧붙였다. 존 역시 거든다. "제가 호텔에서 일하는 동안, 누군가가 호텔과 바이러스에 대해 말하라고 명령하는 것을 들었기 때문에 저도 알아차렸습니다. 그래서, 론이 때때로 다른 사람들에게 말을 하기 위해 여우를 사용하는 것일 수도 있습니다."

아가타는 "가능한 시나리오야, 너희가 말하는 것은 정말로 매우 어렵고 중요한 문제이지만, 론의 계획과 같은 다른 주제에 대해서는, 나는 론이 그다지 멀리 가지 않았다고 확신해. 상황이 더 나빠지는 것을 막으려면, 우리는 새로운 계획을 짜야 해. 난 너희가 실제로 그 건물의 반대편에 있는 여우와 연락을 시도해 봐야 한다고 생각한다. 그러고 나서, 당신들이 여우들과 조금 더 가까워지면, 나에게 전화할 수 있어. 물론, 당신은 여우 옷을 사용하는 것으로 시작하고 싶겠지."라고 동의했다. 그러고 나서 존과 벤은 아가타에게 "우리는 무슨 일이 일어나고 있는지 공유하기 위해 자주 연락해야 합니다. 알았죠?"라고 말하고 나서 그들은 전화를 끊었다.

한편, 호텔 반대편에 있는 여우들은 소파에 앉아 있었다. 여우들은 태양을 바라보고 있었다. 그러나 바로 그때, 그들은 노크 소리를 들었다. 그리고 그들이 그것을 듣자마자, 스프라웃과 드리머는 낑낑대며 문을 긁기 시작했다. 그래서, 선샤인이 그들을 내보냈다. 그들을 내보내자마자, 그들은 반대편을 보았다. 그들은 알렉스와 타블로가 신호를 보낸 것을 알았다. 그들은 동시에 알렉스를 보았다.

알렉스는 그들이 만들어낸 언어로 그들에게 "타블로가 아파요. 그는 독감이 유행하고 있어요. 어쨌든, 저는 우리의 단어와 언어에 관해 이야기하기 위해 연락했어요. 사실, 저는 연습을 해왔어요."라고 말했다. 스프라웃과 드리머는 이 말을 듣자마자 깜짝 놀랐다. 그들 역시 그랬기 때문이다.

알렉스는 그들에게 언어를 위한 모든 글자를 발명해왔고, 그것을 보여주었고 그것의 사용법을 보여주었다. 단지 23개의 글자뿐이었고, 그것은 사용하기 쉬워 보였기 때문에, 스프라웃과 드리머는 단어를 만들고 철자를 쓰기 시작했고 꽤 익숙해졌다. 그러고 나서 그들은 엄마가 문을 열었을 때 몇몇 단어의 발음을 결정하려고 했다.

알렉스는 재빨리 벽으로 달려가서 혼자 노는 척했다. 그는 엄마에게 "우리 더 놀아도 돼요?"라고 중얼거렸지만, 아무도 대답하지 않았다. 그러고 나서, 알렉스를 안고 있던 웬디는 알렉사를 침대에 눕히고 순정 드라마를 보기 위해 텔레비전을 켰지만, 그녀의 남편 리암은 리모컨을 잡고 뉴스를 켰다.

뉴스는 현재 벌어지고 있는 전쟁에 관해 말하고 있었다. 리포터는 "우리는 우리의 안전을 위해 여우와 싸우고 있고 그것은 매우 위험합니다. 우리가 동물과 전쟁을 하고 있다는 사실이 매우 놀랍지만, 여우는 생각보다 매우 영리해 보입니다. 그들은 우리의 군인을 대량 살상하는데 그치지 않고, 인근 마을들을 동시다발적으로 공격하고 있습니다."라고 말했다.

한편, 존은 그의 방에 앉아 있었다. 그는 그 모든 이야기 후에 휴식을 원했고 그의 문제에 대해 생각할 필요가 있었다. 여전히 기분이 이상했다.

그는 여전히 출생에 대해 알고 싶었다. 하지만 그는 거의 모든 것을 알고 있었다.

존은 자신이 태어난 게 아니라 실험실에서 인위적으로 만들어졌기 때문에, 엄밀히 말해 그의 부모님은 존재하지 않는다는 것과, 벤과 론이 이에 관여했다는 걸 알고 있었다. 그러나 존은 여전히, 론과 벤, 둘 다 어떻게 인간이 되었는지는 알지 못했다. 그것은 그가 아직 알지 못하는 사실이었지만, 벤에게 물어보기에는 너무 두려웠다. 존이 아무리 노력을 한들 벤이 아무에게도 말하지 않으리라는 것을 알고 있었다.

론이 벤과 존을 적대하는 사실을 고려하면, 존에게는 론 역시 전혀 물어볼 상대가 아니었다. 존은 한 가지 선택지가 아직 남아 있다는 것을 알고 있었다. 바로 그 책을 읽는 것이었다. 존은 아직 그 부분을 읽지 않았다는 걸 알고 있었기 때문에, 책 읽기를 멈춘 부분을 찾아서, 이른 저녁 식사 후 침대에서 낮잠 자는 벤 옆에 누웠다.

존은 독서 등을 켜고 여우 세계의 역사에 대해 읽기 시작했다. 그는 몇 시간 동안 책을 읽었지만 원하는 부분을 찾을 수 없었다. 존이 몰랐던 사실은, 공교롭게도 그 부분은 존이 터널 안에 있을 때 책 밖으로 떨어졌고, 론에게 발견되었다는 것이다. 몇 시간 후 존은 포기했다.

통제가 시작되다!

9. 통제가 시작되다!

한편 론은 복도를 걸으며 뭔가를 생각하고 있었다. 그는 여우들을 가르칠 생각을 하고 있었다. 여우들을 가르치는 일이 천천히 진행되는 것 같았지만, 좀 더 빨리 일을 진행하기 위해 새 계획을 짰다. 그는 전쟁터에 있는 여우 부족으로 가서 군인들을 가르칠 셈이었다. 그는 인간과 여우를 가르칠 것이다. 그들은 이미 이상적인 방식으로 생각하는 데 익숙해지고 있었기 때문에, 이는 더 쉬울 것이다. 론은 유리 터널에서 계획을 세울 예정이었고 거기에 갔다.

론은 자신만의 유리 터널에 도착했다. 그는 터널을 보고 자신의 작은 자동차를 확인한 다음, 차를 타고 가서 방들과 준비물들을 확인하기 시작했다. 그러나 그가 가서 바이러스실을 확인했을 때, 그는 새 바이러스를 만들기 위한 비커 중 일부가 빠져 있다는 걸 알게 되었다. 여분이 있었기에 큰 문제는 아니었지만, 론은 조짐이 이상하다고 여겼다. 다음 계획을 위해 전쟁터로 가야 한다는 것을 알면서도 더 조사하고 싶었다. 하지만 나중에도 조사할 수 있다고 생각해서 론은 터널의 끝으로 달려가서 여우 옷이 들어있는 가방을 가지고 여우 부족으로 향했다. 터널에서 나와서, 주변을 둘러보았다. 거기는 여우 부족의 영역이었기 때문에, 지금은 여우처럼 보이는 게 훨씬 더 나으리라 생각했다. 론은 터널로 돌아가서 여우 옷을 입었다.

론은 다시 터널 밖으로 머리를 내밀고 거리로 걸어 나와 전쟁터로 향했다. 어디로 먼저 가는 게 좋을지 생각하는 사이, 그는 이미 인간의 텐트에 도착했다. 론은 여우 복장을 벗어 가방에 넣었다. 그러고 나서 그는 계획을 세웠다. 그날, 론은 인간들이 텐트를 지키기 시작한 자정까지 기다렸다. 론은 작은 불빛을 준비해서 높은 나무로 올라갔다. 그리고 경비병들이 그 키 큰 나무에 대고 번쩍이는 빛을 쏠 때까지 기다려서, 자기가 보이지 않는다는 사실을 재차 확인했다. 론은 작은 새가 지나갈 때까지 하늘을 지켜보다가, 재빨리 지나가는 새의 다리를 붙잡고, 준비한 불빛을 연결한 후, 놓아주었다. 병사들은 헉하고 놀랐다. 그는 일주일 동안 매일 이 짓을 반복했다. 곧 군인들은 겁에 질렸다.

다음 날, 론은 검은 망토를 입고 인간 텐트로 갔다. 인간들은 그를 보았다. 얼굴을 숨긴 채, 론은 병사들에게 "요즘 들어 이상한 일이 일어나지 않았나요?"라고 물었다. 병사들은 모두 동의했다. 론은 "이유가 있습니다. 대단한 것은 아니지만, 여우들이 한 일 때문입니다. 여우들은 인간과 인간 세계를 정복하려고 할 것입니다. 우리는 반격해야 합니다. 그리고 제가 크게 도와드릴 수 있습니다." 병사들은 이미 세상이 불공평하며 잘못되어 싸울 필요가 있다는 것을 알고 있었기에, 론을 크게 의심하지 않고 받아들였다. 흡족한 론은 다음 날 다시 돌아올 것이라고 말하고 떠났다. 그는 자신의 계획이 착착 실행되고 있어서 기뻤다. 그는 깊은 숲속으로 들어가 여우 옷으로 갈아입고 다시 망토를 걸쳤다.

그러고 나서 그는 매우 천천히 여우의 곁으로 향했다. 그는 텐트 안으로 들어가 앉았다. 여우 군인들은 매우 흥미롭게 그를 응시했고 그에게 물었다. "왜 여기에 왔어요? 여기는 위험해요." 론은 그들을 뚫어지게 응시하며 말했다. "따끈한 소식을 전하러 왔어요. 바로 다른 텐트에서요. 오늘 거기서 무슨 일이 일어나고 있는 것 같습니다. 그래서, 제가 몇 가지를 가르쳐 줌으로써 여러분을 도울 수 있다고 생각했어요. 내가 필요 없다면, 괜찮습니다. 저는 정말로 도움을 줄 뿐이에요, 있잖아요…." 그 군인들은 "당신이 우리를 도울 수 있지만, 어떻게요? 그리고 어떤 소식을 가져왔나요?"라고 물었다. 론은 "인간들이요. 그게 다예요. 인간이 여우를 공격할 계획을 세우고 있어요. 그렇다고 전적으로 그들의 잘못은 아닙니다. 이런 게 세상이니까요. 어쨌든, 인간은 여우를 부러워하기 때문에 공격할 계획입니다. 그리고 제가 가르쳐주고 싶은 것은 그들을 정신적으로 어떻게 방어하는지에 관한 거예요."

군인들은 이를 받아들였지만, 아직 론을 잘 알지 못했기에, 여전히 조심스럽게 접근했다. 그들은 "왜 아무 말도 하지 않는 거죠? 우리는 인간의 공격 전에 당신이 우리에게 무엇을 말할 것인지 알고 싶어요. 이곳은 사람들이 침입한다면 안전하지 않아요."라고 말했다. 론은 그들에게 "오랫동안 말해야 할 것이 있습니다. 정말로 짧은 이야기가 아니에요. 만약 당신들이 저를 이곳에 머물게 해준다면요? 일주일에 3일을 가르쳐주고 나머지 4일은 다른 장소에서 머물 거예요. 4일 후에 가르쳐 드리겠습니다."

그러고 나서 론은 숲에서 여우 옷을 벗은 후 조용히 인간 텐트로 떠났다. 인간들은 모두 그를 반갑게 맞이했다. 그들은 "우리에게 무엇을 가르쳐 줄 건가요?"라고 물었다. 론은 "여우는 우리의 마음을 통제함으로써 우리를 정복하려고 할 것입니다. 그래서, 나는 여러분이 자신을 방어할 수 있도록 여러분을 훈련할 것입니다. 먼저, 나눠줄 게 있습니다."라고 말했고, 그들에게 [레슨 1: 규칙]이라고 씌어 있는 인쇄물을 나눠주었다. 그리고 론은 "이 책은 매우 기초적이고 당신에게 세상을 식별하는 쉬운 방법들과 함께 기술들과 자신을 방어하는 방법들을 가르쳐 줍니다. 여러분 모두 첫 페이지를 읽어 주시겠습니까?"라고 말했다.

첫 페이지에는 작은 글씨로 1장이라고 쓰여 있었다. 그들 모두는 그 페이지를 응시했는데, 그 이유는 그 아래에 작은 글씨로 그것이 잘못된 방법에 대한 것이라고 쓰여있었기 때문이었다. 론은 바로 목소리를 높여서 말했다. "여러분이 보다시피, 세상의 모든 잘못된 것들에 대한 것입니다. 여러분은 이것이 여러분의 영혼을 보호하거나 여우로부터 자신을 보호하는 것과 관련이 없다고 생각할지 모르지만, 실은 관계가 많습니다. 왜냐하면, 그들의 행동은 세상의 많은 무책임한 일들 때문에 일어났기 때문입니다. 여우들을 멈추게 할 방법은 한 가지뿐입니다. 만약 그들이 틀리고 있다면, 우리는 그들의 방식에 똑같이 틀린 무언가를 해야 할 필요가 있습니다. 그렇지 않으면, 여우들은 우리를 더욱 괴롭힐 것입니다. 여우들은 그들이 세상에서 가장 좋은 동물이라고 생각하기 때문입니다. 그들이 틀렸다는 것을 증명하고, 우리가 더 낫고 최고라고 말하기 위해서, 우리는 그들을 패배시키고 그들을 포기하게 만들어야 합니다. 제가 말한 것이 다음 페이지에 언급되어 있습니다. 그러니, 저는 여러분이 잠시만 시간을 내어 제가 언급한 내용과 설명이 있는 다음 페이지로 넘어가기 바랍니다."

인간들은 점점 더 확신에 차서 그 페이지를 주의 깊게 보았다. 그들은 론에게 "우리가 세상을 더 좋게 만들기 위해 할 수 있는 건 무엇일까요?"라고 물었다. 론이 대답했다. "세상은 이제 결코 더 좋아질 수 없습니다! 마치 바이러스와 같습니다. 그 바이러스는 매우 중요하고 여러분 모두가 생각하는 것보다 훨씬 더 위험합니다. 어쨌든, 세상이 모두를 위해 더 나아질 수는 없으므로, 우리는 우리를 위해 더 나은 세상을 만들어야 합니다. 그리고 그것을 하기 위해, 우리는 여우를 희생시켜야 합니다. 그들은 결코 자발적으로 그렇게 하지 않을 것이기 때문에, 우리는 우리의 힘을 사용하고 우리의 강한 군대를 통해 공격해야 합니다." 모두가 손뼉을 쳤다.

그러고 나서 론은 연설을 계속했다. 그는 모든 사람에게 힘의 중요성에 대해 말했고, 더 나은 생명체가 다른 생명체들을 지배하는 건 매우 자연스러운 일이라고 말했다. 그것이 세상을 공정하고 올바르게 만드는 진정한 방법이라고 강조했다. 모두가 동의했다. 그 후, 론은 밖을 내다보았고, "우리는 충분히 잠을 자두어야 합니다."라고 말했다. 군인들은 아직 시간이 오후 6시밖에 되지 않는다고 했지만, 론은 다음날 매우 일찍 일어나서 공격 개시해야 한다고 말했다. 군인들은 모두 론을 믿었기에 론이 시키는 대로 했다. 병사들이 잠자리에 들 때, 론은 다음 날 10시까지는 그곳에 없을 것이라고 덧붙였다.

그들은 모두 기다리겠다고 말했고 론을 보기 위해 돌아섰지만, 론은 이미 떠난 뒤였다. 그는 또 다른 계획을 세우고 바이러스 비커를 훔친 범인을 알아내기 위해 터널로 향했다. 그는 문을 열고 자동차를 탔고 시간을 절약하기 위한 계획을 세웠다. 먼저 여우 텐트에서 몰래 총과 함께 인간을 위한 음식을 훔쳐 실을 예정이었다.

왜냐하면, 자신의 꿈을 이루기 위해서, 론은 여우가 아니라 인간이 이기기를 원했기 때문이었다. 모든 인간을 지배하기 위해서였다. 그리고 이것은 그렇게 하기 위한 첫 번째 단계였다. 그는 여우 옷을 다시 한번 입고 여우 부족으로 직행하는 터널을 걸어 나왔다. 그는 또한 망토를 걸쳤다. 여우들은 그를 맞이하여 물었다. "우리에게 준 게 대체 뭡니까?" 론은 인간을 위해 사용했던 책을 다시 꺼내 들었는데, 여우가 생각하는 방식을 조금 바꿔서 여우 언어로 번역해 왔다. 그는 첫 두 페이지를 읽은 후 모든 사람에게 말했다. "여러분이 읽었듯이, 첫 장은 잘못된 인간의 방식으로 만들어졌습니다. 여러분 모두 첫 두 페이지를 읽었나요?" 여우는 그렇다고 대답했다. 책에서, 각각의 단어는 설득력이 있었고 사실처럼 보였다. 그리고 론의 무겁지만 신비로운 목소리는 연설할 때 더욱 설득력 있었다. 론이 바로 그런 호소력 있는 목소리를 가졌기 때문이었다.

그가 다른 사람들에게 불리한 말을 해야 할 때면, 그의 목소리와 얼굴은 항상 변했다. 그때가 바로 그런 때였지만, 여우들은 그 생각에서 바로 벗어날 수 있었다. 왜냐하면, 론이 "4시간 정도 있다가 오겠습니다. 그때까지, 여러분들은 전쟁터에서 싸울 필요가 있습니다. 인간들이 아마 곧 몰아칠 겁니다."라고 말했기 때문이었다. 그리고 론이 "창고 열쇠 좀 주시겠어요? 계획을 실행하는 데 필요해요."라고 요청했을 때, 여우들은 흔쾌히 허락했다. 론은 조용히 창고로 갔다. 그는 창고를 지키는 군인에게 열쇠를 보여준 후, 문을 열고 들어가, 전쟁을 위한 음식, 총 그리고 많은 도구를 자루에 몰래 숨겼다.

그러고 나서, 론은 아무도 눈치채지 못하도록 깊은 숲으로 가서 여우 옷을 벗은 다음, 인간의 영역으로 향했다. 그는 인간들에게 손을 흔들고 그들 쪽으로 걸어갔다. 텐트 안으로 들어가 인간들에게 "여러분을 위해 제가 준비했습니다, 매우 특별한 대접이지요"라며 생색을 냈다. 그는 등 뒤에 있던 자루를 보여주면서 말했다. 군인들은 그가 가죽 자루에서 빨간 끈을 당겨 가방을 여는 것을 지켜보았다. 그리고 가방 안에 무엇이 들어 있는지 보자마자, 병사들은 입이 떡 벌어졌다.

론은 그들의 반응을 살피며, "여러 가지 도구와 음식을 가져왔어요."라고 말했다. 인간들은 그를 보고, "이걸 다 어디서 얻었어요? 그 도구들은 여우들이 사용했던 것들처럼 생겼네요! 무슨 음식인가요?" 그 밖에도 무수한 질문들이 있었다. 론이 답했다. "그 도구들은 여우 저장고에서 가져온 것입니다. 이제 여우들은 아무것도 할 수 없겠죠. 그 음식도 여우 저장고에서 가져온 것입니다. 더는 질문하지 마세요. 그리고 여우들에게 그 도구를 사용하지 마세요. 그럼 여우들이 바로 알아차릴 겁니다. 이해하겠습니까?"

사람들은 모두 알겠다고 대답했다. "이제 가야겠어요. 곧 돌아올 거예요." 론은 텐트에서 멀리 떨어진 후 여우 옷으로 갈아입고 창고로 들어가 자루에 물건들을 더 넣고 터널로 향했다.

한편, 개 부족에서는 인간 세상에 진출하지 않은 개들이 인간 세상의 개들을 불러 모임을 하고 있었다. 모두가 도착하자 개들의 왕이 "어서 오세요. 나는 우리가 인간들과 함께 전쟁에 참여해야 하는지 물어보려고 여러분 모두를 불러 모았습니다. 만일 전보다 더 많은 개가 인간에 합류해 함께 전쟁에 나가면 인간이 이기게 될 것입니다. 그리고 여우가 인간에게 지면, 우리는 오랫동안 잃어버렸던 자유를 얻을 수 있으므로, 이런 제안을 하게 되었습니다. 그러고 나서 우리는 다른 모든 생명체를 지배할 것입니다."라고 말했다. 개들은 모두 손뼉을 치며 왕에게 말했습니다. "폐하, 정말 멋진 생각입니다. 하지만 우리가 어떻게 인간을 도울 수 있을까요?" 왕은 "여러분이 원하는 대로 인간을 도울 수 있습니다. 우리는 뒤에서 여우를 공격할 수 있습니다. 이제 여러분의 주인들이 여러분을 찾기 전에 집으로 돌아가세요!" 그 순간, 호텔에서는 엄청난 일도 일어났다.

격리하던 여우 아기들과 인간 아기들은 그들의 부모님이 그들은 이해하지 못하는 전쟁 뉴스를 보는 동안, 서로 이야기하기도 하고, 때때로 쪽지도 주고받기도 했다. 그들은 보통 3시간 동안 소통하다가, 부모님들이 눈치채기 직전에 멈추었다. 아기들이 이야기하는 동안, 그들의 형제자매들이 들어왔다. 아기들은 그들의 친구들을 보기 전에 그들의 형제자매들에게 상황을 설명하기 위해 서로에게서 떨어졌다. 드리머와 스프라웃은 "사실, 우린 여기서 친구들을 사귀었어. 보여?"라고 말하고는 벽 쪽으로 돌아갔다. 어텀은 "이런…… 이 이상한 것들은 뭐야?" 오로라는 "나한테서 떨어져! 그게 뭐든, 당장 여기서 꺼져!"라고 소리쳤다. 인간에 대해 들어본 적이 있고 전쟁에 대해서는 별로 들어본 적 없는 미드나잇과 마리나는 호기심 가득한 눈으로 그들을 쳐다보았다. 그러자, 스프라웃은 "걱정하지 마. 우리끼리 같은 언어로 말할 수 있고 저 아이들은 해치지 않아"라고 말했다. 짧은 순간 동안 아무도 아무 말도 하지 않았다. 드리머는 "걔들 완전히 괜찮아. 물러설 필요 없어."라고 말했다. 이와 동시에 알렉스와 타블로는 여우들을 그들의 형제자매들에게 소개했고, 그들 역시 많이 놀랐다.

아이들이 진정된 후에, 알렉스와 타블로는 그들의 부모님께 말하지 말라고 말했고 여우들도 똑같이 말했다. 그 시점에서, 여우와 인간의 아이들은 서로를 보고 얼어붙었다. 그들은 상대편 어린 동생들을 보고 충격을 받았고, 여우들은 인간들이 자라면서 점점 더 못생겨지고 있다고 생각했다.

큰 아이들이 자리를 모면하기 전에, 그들의 어린 동생들은 "이제 우리 언어를 배워야 해. 우리가 선생님이야. 알았지?"라고 말했다. 여우와 인간 아이들 모두 도망치기를 원했지만, 그들의 어린 형제들이 그들을 주시하고 있었기 때문에 그렇게 할 수 없었다. 또 새 언어를 배운다는 것은 숙제와도 같았다. 하지만 어떤 이유에서인지, 약 한 시간 후에, 그들은 진도를 따라잡기 시작했다.

새 언어는 마음을 사로잡는 이상한 불꽃을 일으켰다. 그들은 이제 그 이상한 생물체가 아닌 새 언어를 익히는 일 자체에 집중할 수 있게 되었다. 그러나 여전히 다른 존재들과 이야기하기 위해서는 통역을 해줄 형제들이 필요했다. 그들이 아직 인간-여우 언어로 편하게 말할 수 없었기 때문이다.

여우들은 자러 갈 시간이 되었다. 그리고 그들이 작별 인사를 하기 전에, 아이들은 모두 큰형들에게 그들의 부모님께 말하지 말라고 일렀다. 그들은 동의했지만, 만일 그들의 부모님이 이것을 알게 된다면 무슨 일이 일어날지도 걱정했다. 다른 어떤 것보다도 이를 말하는 게 더 두려웠다. 무슨 일이 일어날지 전혀 몰랐기 때문이다.

그러나 사람의 집에서, 타블로는 그의 부모님에게 이 언어에 대해 모두 말할 생각을 하고 있었다. 그는 다른 모든 사람의 관심을 받기를 원했다. 그는 평소에 특별히 중요한 역할을 하거나 뭔가를 놀라울 정도로 잘하지 못했다. 하지만 그는 정말로 모든 사람의 관심을 받기를 원했다. 그리고 그는 언제 이런 말을 해야 할지 계획을 세우고 있었다.

진실의 발견

10. 진실의 발견

한편, 존과 벤은 그들의 침대에 앉았다. 그들은 위층에서 들은 것 때문에 매우 놀랐다. 그것은 인간의 어떤 언어도 아니었다. 그것은 여우의 언어도 아니었다. 벤은 이것에 대해 존에게 말했다. "이건 뭔가 좀 이상한데! 인간과 여우가 서로 만나고 있을지도 몰라. 우리가 인간과 여우의 의사소통을 논의한 이래, 이제는 이것이 사실이라고 꽤 확신하지만, 우리가 아직 설명할 수 없는 것들도 있을 테니까, 여전히, 난 네가 이게 아직 사실이라고 확정 짓지 않기를 바라. 예컨대 그들이 어떻게 만났는지, 왜 우리에겐 여우어나 영어가 들리지 않는지, 등등이 아직 규명되지 않았으니 말이야." 존은 "밖에 나가서 생각해 볼까?"라고 제안했다.

벤이 말했다. "하지만 가장 중요한 것은 우리가 조사할 필요가 있다는 거지. 무슨 일이 일어나고 있는지 보기 위해 계획을 세워야 해. 그러고 나서, 그들이 의사소통을 활발히 하고 있다면, 우린 좀 더 계획에 쉽게 착수해 그들과 함께 일을 도모할 수 있을 거야. 또한, 많은 사람에게 연락해야 할 필요가 있겠지." 존은 "나쁜 생각은 아니지만, 우리가 그들을 볼 때 그들 역시 우리를 볼 수 있을지도 모른다… 그리고 어쩌면 그들이 어떤 종류의 의사소통도 하고 있지 않을지도 모르잖아."라고 말했다. 벤은 "그래도, 만약 우리가 계획을 잘 세운다면, 우리는 들키지 않고 이것을 할 수 있을 것이다. 또, 그들이 의사소통하는지 아닌지도 확인해보면 되지."라고 말했다. 그러고 나서 그는 존에게 "이제, 난 계획을 대부분 짰다. 매우 쉬울 거야. 일단 난 그 소리가 2시에서 4시 사이에 들린다는 것을 알게 되었어."라고 말했다. 바로 그때, 존이 나지막이 외쳤다. "조용히! 무슨 소리가 들려!"

하지만 단지 멀리서 총소리와 비명만 들릴 뿐이었다. 존은 "미안해. 그냥 전쟁 때문에 나는 소리였군. 글쎄, 그들이 의사소통하고 있다면, 그들이 우리에게 약간의 도움을 줄 수 있겠네. 아마 전쟁을 조금 더 쉽게 멈출 수 있을 거야. 그렇지?"라고 말했다. 벤은 말한다. "하지만 아무도 전쟁이 끝날지 안 끝날지 몰라. 지금 당장 우리의 목표는 그저 전쟁을 끝내는 거지, 빨리 끝내는 것은 아니야. 비록 이것이 부정적으로 들릴지도 모르지만, 만약 우리가 무언가 잘못하거나, 조금 실수하거나, 론에 대한 약간의 암시를 놓치면, 우리는 누군가 파놓은 함정에 빠질 것이 확실해. 내 말은, 우리가 실제로 피해야 하는 것은 론만이 아닐지도 몰라. 그렇게 생각하지 않아?" 존은 벤에게 "글쎄, 네 말이 꽤 맞아. 그래도, 적어도 언젠가는 모든 것이 끝났으면 하고 희망하되 그래도 조심하자 이거지?"라고 말했다. 벤은 "하지만 중요한 것은 잘못된 작은 일 하나가 모든 것을 큰 혼란으로 만들 수 있다는 거야. 그래서, 너는 이 일에 대해 매우 조심해야 해." 존은 "맞아."라고 말했다.

그리고 그들은 밤새 이 문제에 관해 이야기를 나누었지만, 어떤 계획에 대해서는 확실한 결론을 내릴 수 없었다. 그러자 존은 일단 잠을 자고 다음 날 아침에 생각해보는 것이 어떻겠냐고 제안했다. 그들은 침대로 가서 잠을 청했다. 그러나, 존은 잠이 오지 않았다. 그는 책을 읽고, 우유를 조금 마시고, 하늘을 보았다. 또 뜨거운 물로 목욕을 했다. 그러나 그는 총소리 때문에 잠들 수 없었다. 존은 한숨을 쉬며 "전장 근처를 산책해야겠어. 너무 짜증이 나. 넘 가까이 가면 다칠지도 모르니 조심할게."라고 말했다.

한편, 론 역시 전쟁터로 갈 준비를 하고 있었다. 그는 야간 근무를 하는 여우들을 만나 몇 가지 추가적인 것들을 가르치고, 인간들이 전쟁에서 이길 수 있도록 몇 가지 잘못된 계획들을 말해 줄 예정이었다.

그는 탁자에서 주운 펜을 들고 있었는데, 그가 속도를 내어 걸어갈 때, 펜은 그의 손에서 미끄러져 나와 뒤로 굴러갔다. 펜은 위쪽 언덕에 닿을 때까지 계속해서 뒤로 굴러갔다.

존은 그 펜을 발견하고 "이상하네. 뭐라고 쓰여 있는 거지?"라고 중얼거렸다. 그리고 그 펜을 자세히 살펴보았지만, 존이 찾을 수 있었던 것은 희미하고 지워진 이름뿐이었다. 그것은 꽤 이상해 보여서, 존은 그 펜이 굴러오던 곳을 향해 계속 걸어갔다. 그리고 그가 그 장소를 향해 걸어갈 때, 그는 자기 훨씬 앞에서 누군가가 걸어가는 것을 볼 수 있었다. 존은 앞에서 걷고 있는 어두운 형상을 응시하고 그것을 향해 달려갔다. 그러나 그때, 그는 태양이 떠오르고 있는 것을 보고 호텔로 돌아갔다.

한편, 론은 여우 곁에 도착했다. 이제 군인 대부분은 깨어났다. 론은 그들에게 "여러분에게 어떤 소식을 들려주기 위해 여기에 왔습니다. 바로 전쟁에 관한 것입니다. 나는 인간들이 언제 당신을 공격할 것인지를 방금 알았어요. 그들은 오늘 밤 정확히 8시에 여러분을 공격할 것입니다. 그러니, 그때까지, 당신들은 방어태세로 그냥 쉬면 됩니다." 론은 인간들이 실제로 8시에 공격하리라는 것을 알고 있었다. 그것은 단지 여우들이 그를 따르도록 하기 위함이었다. 또한, 만일 여우들이 승리하여 인간의 영토의 작은 부분을 지배하기 시작한다면, 그들은 그곳에 그들의 보급품 대부분을 놓을 것이다. 그리고 나서 인간들이 공격할 때, 인간들은 더 많은 보급품을 얻을 것이다.

그러나 여우들은 론의 꿍꿍이를 아직 전혀 눈치채지 못했고, 그래서 그의 말에 귀를 기울였다. 그러나, 전쟁에 대한 계획은 그렇게 쉽게 바뀔 수 없었다. 여우들은 계획을 갑자기 변경하면 통수권자가 그것을 허락하지 않기 때문에, 일부 군인들을 밤에만 내보내야 할 것이라고 론에게 전했다.

론은 고개를 저으며 군인들에게 천천히 말했다. "왜 다른 사람들에 대해서 그렇게 신경을 쓰나요? 여러분은 지금 통제되고 있는 거예요. 저를 믿으세요. 이것은 전쟁에서 이길 좋은 기회입니다. 제 말은, 지금이 기회라는 것입니다. 글쎄, 뭐, 꼭 제 제안을 수락할 필요는 없지만, 하여튼, 말씀드려야 할 것 같았어요. 그게 전부입니다." 론은 "꼭 그 책을 공부하세요!"라고 말하면서 떠났다. 론의 다음 목적지는 호텔이었다. 그는 여우들을 더 훈련해야 했다.

한편, 당시 어린 여우들은 모두 한자리에 모여 있었다. 두 번째 만남일 뿐이었지만, 이미 새 언어를 열심히 연습한 덕에 마음이 한결 편해졌다. 그들은 모국어처럼은 쉽게 말하고 쓸 수 없었지만, 여전히 의사소통하기에 충분했다. 그들은 몇 가지 간단한 것들로 시작했다. 그러나 막내들이 집중할 수 없었기 때문에, 사방으로 뛰어다녔다. 특히 드리머와 타블로! 오늘도 평소와 같았다.

타블로는 감자칩 한 봉지를 꺼내 나중에 먹기 위해 구석에 숨겼다. 그러나 그때, 알렉스가 그것을 발견하고 천천히 구석을 향해 후진했다. 그들의 엄마는 과자를 못 먹게 했기 때문에, 알렉스는 그것이 무슨 맛인지 알지 못했고, 그는 드리머에게 그것을 맛보라고 했다. 그러나 여우로서, 드리머는 그런 것을 본 적이 없었다. 그러나 드리머가 갑자칩을 한입 베어 물었을 때, 그는 이것이 꽤 맛있는 것이라는 걸 깨달았다. 그리고 마침내 알렉스가 드리머의 얼굴에 어린 표정을 보고, 그게 맛있다는 걸 확신했다.

알렉스는 재빨리 드리머로부터 칩 봉지를 훔쳤고, 한입 베어 물었다. 드리머는 칭얼대기 시작했다. 그리고 다시 알렉스로부터 칩 봉지를 빼앗았다. 그리고 이번에는 알렉스가 울기 시작했다. 이것은 좋지 않았다. 그들 모두는 엄마가 언제든 들어올 수 있다는 것을 알고 있었다. 그러나 마치 그들이 모르는 것처럼, 드리머와 알렉스는 계속해서 울었다. 타블로는 당황했고, 과자 봉지를 난간 아래로 던졌다. 과자는 그들 아래 바닥에 떨어졌다.

존과 벤은 무언가를 궁리하고 있었다. 그들은 위층으로 올라가서 일어나고 있는 이상하고 이상한 일에 대해 알아낼 방법을 생각해내려고 하고 있었다. 하지만 저번처럼, 그들은 아무것도 생각해 낼 수 없었다. 바로 그때, 존은 "산책이라도 하자. 아이디어가 떠오르겠지."라고 말했습니다. 벤은 "우리가 아이디어를 얻을지 얻지 못할지 누가 알겠어? 이런 산책이 대체 무슨 의미가 있지?"라고 반문했다. 존은 벤을 쳐다보며 얼굴을 찡그렸다.

존은 짜증이 났지만, 애써 침착하게 말했다. "그렇게 말한다면, 나는 그냥 빵집이나 들러야겠네. 케이크 좀 사 올게. 오늘이 뭐 딱히 특별한 날은 아니지만, 특별한 걸 먹으면 특별한 날이 되겠지. 나는 네가 특별한 날에 더 나은 생각을 할 수 있다고 생각해." 그 말과 함께, 존은 거리로 사라졌다. 무의식적인 결정이었지만, 벤이 혼자 생각하도록 내버려 둔 셈이었다. 존은 브레인스토밍을 위한 시간을 절약하기 위해, 서둘러야 한다는 것을 알고 있었다. 이처럼 안개가 낀 날, 쇼핑의 진정한 의미는 진짜 그게 필요해서가 아니라, 그저 쇼핑이라는 행위에 의지할 필요가 있기 때문이라는 것을 알고 있었다.

그때가 바로 그런 때였다. 존이 빵집에 들어갔을 때, 그곳은 조용히 앉아 있는 사람들로 가득했다. 가게는 바빴지만, 평소의 명랑한 분위기는 아니었다. 그리고 존이 기대하지 않았던 누군가도 그곳에 있었다. 바로 론이었다. 그는 스카프와 마스크와 모자로 얼굴을 꽁꽁 싸맨 남자와 함께 있었다. 그의 얼굴은 잘 보이지 않았다. 존은 케이크는 잊어버린 채, 빵집을 나가는 그들을 응시했고, 그들이 보이지 않을 때까지 기다렸다. 그러고 나서, 존은 그들을 뒤쫓았다. 존은 그들이 어딘가 이상한 곳으로 갔으면 좋겠다고 생각했지만, 그들은 호텔로 향하고 있었다.

존이 빵집으로 돌아가려던 찰나에, 그들이 동물원으로 들어가는 것을 보았다. 존은 그가 호텔을 떠난 직후 동물원이 문을 닫았다는 것을 알았기 때문에 놀랐다. 존은 그들이 우리 중 한 곳으로 들어가는 것을 지켜보았고, 그 근처 덤불 뒤에 숨었다. 그리고 론과 함께 있던 남자가 모자를 벗자마자, 존은 자신이 본 것을 믿을 수 없었다. 스카프로 둘러싸여 있던 남자는 바닥으로 쓰러졌고, 론은 침착하게 그 남자를 쳐다보았다. 존은 소리 지르고 싶었지만, 그렇게 할 수 없다는 것을 알고 있었다.

그 남자가 땅에 완전히 쓰러진 후, 론은 주위를 둘러보았고 땅에 떨어진 막대기로 허공에 무언가를 그리기 시작했다. 존은 그것이 지팡이가 아니라는 것을 알았지만, 론은 그것에 전혀 신경 쓰지 않는 것처럼 보였다. 그 요상한 행위가 끝났을 때, 피처럼 붉은 원이 나타났다. 론은 거기에 입을 대고 뭔가를 속삭였다. 그러니까 그 남자가 갑자기 벌떡 일어섰다.

존은 그들이 호텔로 들어갈 때 따라갔고, 그러고 나서 더욱 놀라운 것을 보았다. 그들이 호텔에 들어가기 전에, 론은 그 남자의 붕대와 스카프를 모두 제거했다. 그 남자의 얼굴이 드러났다. 다만, 그는 실제로 남자 사람이 아니었다. 그는 여우였다. 존은 누군가가 타인에게 어떻게 최면을 거는지에 대해 읽어 본 적이 있었다.

소통과 단절

11. 소통과 단절

이제 존은 떨고 있었다. 자기 방으로 도망갔다. 그러고 나서 그는 침대에 걸터앉아 벤에게 더듬더듬 말했다.

"내 눈을 믿을 수가 없어. 론이 뭘 하는지 알았어!"

"이미 알고 있지 않았나?"

"아니, 훨씬 더 심해. 론의 계획은 여우들에게 최면을 거는 것이고, 나는 방금 그와 함께 동물원에서 최면에 빠진 여우 한 마리를 봤어."

"뭐라고? 한 번 더 얘기해줄래?"

"론이 여우들에게 최면을 걸고 있는데, 방금 최면에 걸린 여우가 동물원을 돌아다니는 것을 봤어!"

벤은 침착하려고 노력했다. 존은 "이것이 전쟁과 관련이 있을 수도 있다고 생각해. 만약 사실이라면, 론이 최면을 걸어 전쟁 상황을 꾸며내고 있는 것일 수도 있어. 하지만 제가 본 것은 최면에 걸린 여우가 호텔의 여우 쪽으로 들어가는 것이었어. 그래서, 이것은 론이 고립된 여우에게 최면을 걸기 시작했다는 뜻일지도 몰라. 우리는 지금 당장 그곳의 소리에 대해 알아내야 해."라고 말했다.

그러자 벤이 묻는다. "론이 바이러스 자체를 퍼뜨릴 가능성에 대해서도 생각해 봤어? 내 말은, 생각해 보면 꽤 가능한 상황이라는 거지. 바이러스는 전쟁, 호텔, 그리고 론이 하는 모든 일의 이유니까. 이제 모두 퍼즐 조각처럼 맞아떨어지지 않나? 하지만 난 아직도 왠지 미로 속에 갇혀 있는 거 같은 느낌이네. 어떻게 생각해?" 존은 "슬프게도, 사실인 것 같은데…"라고 말했다.

벤이 끼어들었다. 그는 "이 층으로 가서 조사해 보자. 그들이 탈출하지 않았는지 확인하기 위해 체크인하는 직원인 척할 수 있어." 존은 비록 다음 층이었지만 엘리베이터를 탔다. 엘리베이터가 하나 있었고, 그들은 아무도 그들이 무엇을 하는지 알아채지 않기를 원했다. 그들이 도착하자마자, 존은 그의 근무복을 입고 자기 방 바로 위로 가서 노크했다.

바로 그때, 한 여성이 방에서 나왔다. 그녀는 "어쩐 일이죠? 무슨 문제라도 있나요?"라고 의아해하며 물었다. 존은 "아니요. 오늘은 정기적으로 객실 점검하는 날입니다."라고 말했다. 그는 테라스로 걸어가서 쳐다보면서 말했다. 벽 앞에 아이들이 몇 명 있었다. 그는 조용히 아이들을 보았고 그들이 누구와 이야기하고 있는지 보았다. 존은 소파로 뛰어가서 "모든 게 괜찮아 보이네요. 실례했습니다."라고 말했다.

존은 방을 나와 벤에게 달려갔다. 그는 기쁘지만, 또 매우 걱정스러운 표정으로 말했다. 그는 벤에게 "그 소리는 아이들이 노는 소리였어. 하지만 단지 아이들이 수다를 떨고 있는 것만은 아니었어. 그들은 다른 언어로 반대편에 있는 여우들과 이야기하고 있었어! 그 부모들은 모르는 것 같아. 아마도 그들은 자신만의 사회를 형성한 것 같아. 여우와 인간이 대화할 때 그다지 쾌활해 보이지 않아서, 의사소통해도 서로를 이해하지 못할까 봐 두렵지만, 뭐, 싸우는 것 외에 다른 의사소통이 있다는 점에서는 긍정적이지."라고 보고했다.

벤은 "그들이 다른 언어를 사용하고 있다는 것을 어떻게 알았어? 그 어린아이들? 비록 그들이 스스로 만든 다른 언어를 사용하고 있다고 할지라도, 그것이 비밀이라면 의사소통의 의미가 없지. 나는 계속 보는 것보다 두려워해야 할 것이 더 많을 수 있다고 생각해."

그들이 그들의 방에 도착했을 때, 존은 갑자기 벤에게 "아가타에게 전화해야 해. 그녀는 이런 것들에 대한 전문가니까."라고 말했다. 벤은 가벼운 신음 후, 마지못해 고개를 끄덕였다. 존은 잠시 후 "아가타와 연락이 될지 모르겠네. 내 생각에 아가타는 지금 다른 사람과 텔레파시를 이용해 소통 중인 것 같아. 일이 끝나면 다시 전화할 수도 있어." 존은 이렇게 말했지만, 마치 일주일 동안 연락이 안 된 것처럼 초조하게, 손톱을 물어뜯었다.

그날 밤, 존은 아가타에 대해 생각하고 있었다. 그는 그녀가 그날 마침 바빴다고 혼잣말을 했지만, 곧 그의 상상력이 펼쳐지기 시작했다. 그는 이미 아가타가 갇히거나, 론과 팀을 이루거나, 그들을 배신하는 것에 대해 생각하고 있었다. 존은 고개를 저었고, 그러고 나서 '그냥 자야겠다. 내일까지 기다릴 수 있다'라고 생각했다.

존은 무아지경에 빠지는 것을 느끼며 잠이 들었다. 마치 수천 개의 밧줄이 침대에 묶여 있는 것처럼 보였고, 그는 숨을 쉴 수 없었다. 그 핏빛 원들이 그의 꼭 감은 눈에 다시 나타났다. 존은 발로 차며 눈을 뜨려고 했다. 존은 저항하려고 노력했고, 목이 멘 목소리로 소리쳤다. 그러고 나서, 그는 마침내 압도적인 감정이 사라지는 것을 느꼈다. 그는 숨을 헐떡이며 벤을 쳐다보았다. 그는 또한 약간 숨을 헐떡이고 있었기 때문에, 존은 그를 흔들어 깨웠다. 벤은 괜찮아 보였다. 벤은 덜 깬 눈으로 "왜 나를 깨웠어?"라고 물었다.

존은 "음…. 악몽을 꾸다가 깼는데, 너도 그래 보여서…. 너를 깨우는 것이 더 나을 것 같다는 생각이 들었어."라고 대답했다. 벤은 "오케이"라고 말했다. 그런 다음 잠을 자도 되겠냐고 물었다. 존은 말로는 그러라고 했지만, 꼭 무슨 일이 일어날 것 같은 느낌이었다. 그는 자신이 본 최면에 대해 생각하고 있었다. 존은 그날 밤 조금도 잠을 자지 않고 비이성적인 두려움으로 주위를 둘러보았다. 그는 손톱을 깨물고 주위를 둘러보며 밤을 보냈다. 그러고 나서 존은 시계를 보았다. 5시 57분. 그는 대부분 밤을 걱정하고 생각하며 보냈다. 그러나 잠을 자지 않고 계속 밤샐 수 없었다. 그는 또한 깨어있는 것 외에는 아무것도 할 수 없었다. 존은 자신에게 저주가 걸렸다는 것을 느껴, 다시 두꺼운 책을 펼쳤다.

존은 그 책을 한 페이지씩 찬찬히 보았다. 그가 원하는 것은 아무것도 없었다. 존은 이상하게 느껴졌고, 바닥으로 내려갔다. 그는 그곳에서 나머지 하루를 보냈다. 존은 그날 일하러 가는 것도 잊어버리고 있다가 벤이 학교에서 돌아왔을 때야 비로소 자신이 무엇을 하고 있는지 깨달았다. 벤은 그의 표정을 보고 그에게 "뭐가 문제야? 왜 여기에 앉아 있어?"라고 물었다. "나 좀 이상한 게 보이는 것 같아. 숲으로 걸어가는 누군가가 자꾸 보여!"라고 존은 소리를 질렀다.

벤은 이상한 표정으로 존을 바라보더니 "꽤 오랫동안 이러고 있었잖아. 난 정말 무언가가 있다고 느껴. 우리는 매우 큰 함정에 빠졌어. 우리는 그것에 대해 뭔가를 해야 하는데, 난 그게 뭔지 안 느껴져. 함께 살펴보자. 먼저 질문이 있는데, 뭘 본 거야?"

존이 작은 목소리로 말했다. "누군가 다른 사람과 함께 숲속에 있어. 둘 다 나에게는 꽤 친숙해 보이지만, 난 그들을 알아볼 수 없어." 벤이 고개를 끄덕였다. 존이 말했다. "어젯밤에도 그 사람 중 한 명을 본 것 같아. 음, 나는 그를 보지 못했고, 그 사람을 느꼈을 뿐이지만. 그래서, 사실 잘 모르겠어." 벤이 말했다. "겁에 질린 거 같네. 차 한 잔 마실까?" 존이 고개를 끄덕이며, 티백을 꺼내 찻주전자에 담았다. 차를 데우려던 참이었는데, 그의 손은 떨리고 있었고, 차는 바닥에 쏟아졌다.

존은 재빨리 차를 치우고는 "그럴 의도는 아니었어…."라고 말했다. 그러고 나서 그는 또 다른 티백을 사서 그것을 데웠다. 그가 차를 데우는 동안, 벤은 식탁을 차렸다. 잠시 침묵이 흘렀다. 그러고 나서 존은 앉아서 벤에게 "계속 말해도 될까?"라고 물었다. 벤은 고개를 끄덕였다. 존은 "너도 내가 말하는 것에 영향을 받은 것처럼 땀을 흘리고 있었어. 그래서, 널 깨웠는데 넌 아무 일도 없다는 듯이 대답해서, 기분이 이상했어. 모든 것이 어둠 속으로 천천히 녹아 들어가는 것 같아서, 일어나서 주위를 둘러봤지만, 아무것도 없었어."라고 말했다. 벤은 존에게 "그러니까 이건 일종의 비이성적인 공포 같은 것이고, 넌 그 감정을 통제할 수 없어."라고 말했다

존은 "어, 음… 중요한 건 나도…. 아니, 그건 아니야. 신경 쓰지 마." 벤이 차를 난로에서 내리자 찻잔에 붓고 존을 바라봤다. 존은 벤을 쳐다볼 수 없었다. 그는 이게 최면과 관계가 있는 것 같다며 기분을 말하고 싶었지만, 감히 말할 수 없었다. 무언가가 그가 그것을 말하는 것을 막았고, 그는 그것이 금지된 것이라고 말하고 싶었다. 그는 벤이 아닌 다른 것을 볼 수 있도록 차를 홀짝홀짝 마셨다. 존은 그 침묵을 깨고 싶지 않았다.

벤은 정보를 원했고 그는 그 문제를 빨리 해결하고 싶었다. 존도 그것을 느낄 수 있었다. 존은 두려움을 느꼈고 자신이 겁쟁이라고 느꼈다.

존은 왜 그 말을 했는지 몰랐지만, 그는 벤을 바라보며 "지금 당장은 아무것도 생각나지 않네."라고 말했다. 벤은 "괜찮아. 나라도 무서웠을 거야. 오늘만큼은 쉬자"라고 말했다.

그래서, 그들은 밖으로 걸어 나왔다. 바로 그때, 그들은 밖에서 론과 마주쳤다. 그가 어딘가에서 막 돌아오는 것 같았다. 거리에는 다른 사람이 없었기 때문에, 존은 그게 좋은 상황이 아니라는 것을 알았다. 론은 아무 말도 하지 않는 것 같았지만, 로비로 걸어 들어갈 때 뭐라고 속삭였다. 그러자 연기나 회색 구름 같은 것이 보였다. 존은 기분이 이상했다.

벤은 론이 사라질 때까지 조용히 있다가, 존에게 조용히 말했다, "그는 우리를 알고, 우리는 그를 알고 있어. 단지 다른 사람들과 함께 있을 때만 공식적인 관계를 유지해야 할 필요가 있지. 그건 꽤 분명해. 우리가 그와 단둘이 있을 때, 론은 우리에게 뭔가를 할 거야. 이제 말해봐. 론이 너에게 속삭였던 게 뭐지?"

존이 말했다. "무슨 뜻인지 모르겠어. 그는 방금 '너도 알잖아'라고 말했어. 그리고 떠났어. 왜 그런지 설명할 수 없지만, 그는 그런 뜻이 아니었어. 론은 다른 의도가 있었다고 생각해. 그리고 그는 내가 그것을 알고 있는지 궁금해했어. 분명히, 나는 그 의미를 모르겠어. 기분이 좋지 않아. 오, 그리고 네 말이 맞아. 그는 도전적으로 사람들이 있을 때와 우리밖에 없을 때 다른 방식으로 행동할 거야. 그게 나도 걱정하는 거야."

벤은 "이것은 실제 상황이야…. 그리고 이 현실을 더 좋게 만들려면 오직 한 가지 방법뿐이야. 열심히 일하고 현실을 받아들이는 거지."라고 말했다. 존은 "나도 알고 있어. 우리는 그다지 좋은 상황이 아님을 인지할 수 있어. 그런 다음 작업할 수 있어. 왜냐하면, 폭풍우는 언제든지 올 수 있기 때문이지. 여전히, 난 다른 사람들이 모르는 무언가를 느끼는 기분이 들어. 그건 좀 무섭네."라고 말했다. 벤은 "그것은 사실일 수도 있지만, 조심해. 넌 실제로 그렇지 않은데, 이상주의자인 척하는 것일 수도 있어. 스스로 속이지 마. 흠, 공포에 질리면 저주받았다는 생각은 할 수 있지만, 실제로 그렇지 않아. 그냥 너무 심각하게 생각하지마."

존은 별로 편안해 보이지 않았고, 땅을 계속해서 쳐다보았다. 벤은 그것을 알아차리고, 말을 멈추었다. 그러고 나서 그들은 아무 말 없이 그들의 방으로 가서 잠을 잤다.

존이 그다음에 알게 건, 지금이 새벽 4시경이고, 금요일이라는 것이었다. 그는 자신의 전화기에 오류가 있다고 생각하고 그의 전화기를 껐다 켰다. 여전히 금요일이었다. 그러고 나서 존은 론이 최면을 거는 것을 어떻게 자기가 볼 수 있는지 생각했다. 또 그는 론이 다른 계획을 세우고 있으리라 생각했다. 그러던 중, 존은 자기 머리에서 이미지들이 번쩍이는 것을 보았다.

누군가가 숲에서 웅크리고 앉아서 울고 있었다. 그는 그것이 사람인지 여우인지 구별할 수 없었다. 그 옆에는 웃음을 터뜨리는 또 다른 인물이 있었다. 그러고 나서 장면은 전쟁터로 변했다. 존은 그가 알고 있는 전쟁터라는 걸 바로 알아차릴 수 있었다. 그것은 똑같았다. 존은 공중에 손을 저어서, 떠내려오는 것처럼 보이는 이미지들을 끌어내렸다. 그는 마침내 그 이미지들이 녹는 것을 보았다. 그는 다시 한번 벤과 함께 호텔 방에 침대에 앉아 있었다. 존은 도망치고 싶어서 잠옷 차림 그대로 호텔을 나왔다.

그는 전혀 당황하지 않았다. 그는 두려움으로 가득 차 있었다. 그는 자신이 꿈을 꾸고 있었으면 했다. 꿈에서 깨어날 수 있는지 보기 위해 자신을 때렸다. 아무 일도 일어나지 않았다. 존은 마치 악몽 속에서 사는 것처럼 느꼈고, 절망으로 가득 찬 자신의 방으로 돌아갔다. 벤은 아직 자고 있어서, 존은 그를 깨우지 않기로 했다. 몇 분 후, 존은 다시 잠이 들었다. 그러고 나서 그는 깨어났고 소리치기 시작했다. 그는 누군가가 자신에게 더 가까이 다가와서 자신에게 무언가를 하려고 하는 것을 보았다. 그러나 그는 다시 잠이 들었고, 자신이 본 이상한 것도 자신의 꿈 일부라고 생각했다.

아침 7시쯤, 벤이 일어났다. 존은 이미 깨어있었고 하루를 시작할 준비를 하고 있었다. 벤은 존에게 "몇 시?"라고 물었다. 존은 "아침 7시, 금요일. 넌 학교를 빠졌고, 나는 출근 못 했네. 학교에 전화해서 아프다고 말해놨어. 나는 이제 일하러 가야 할 것 같아." 벤은 "좋아. 어쨌든 나도 나갈래. 안녕!"이라고 말했다. 벤은 자신은 완전히 괜찮은 것처럼 말했지만, 그는 어떻게 그들이 그렇게 잠을 잘 수 있는지 이상하다고 생각했다. 벤도 잠을 잘못 잔 것 같았다. 존은 자신을 찌르려는 남자를 보았다고 말했다. 벤은 그를 무시하고 문밖으로 향했다.

존은 그날의 일로 홀을 청소하기 시작했다. 마음속으로는, 존은 아직도 그 이상한 꿈에 대해서만 생각하고 있었다. 바로 그때, 누군가가 들어왔다. 그 사람은 그의 동료 근로자 중 한 명이었고, 그들은 함께 홀을 청소했다. 존은 상황이 매우 낯설다고 생각했다. 왜냐하면, 그는 항상 조용해서 그동안에는 누군가 그에게 말을 건 적이 거의 없었기 때문이다.

그는 존에게 "어제는 왜 결근했어요? 일정이 있었나요?" 존은 자신이 자고 있다고 말하면 이상하게 생각할 것 같아서, "미리 얘기하는 것을 잊었어요… 미안해요. 중요한 가족 일이었어요."라고 답했다. "오, 정말요? 가족을 봐서 정말 좋았겠네요?" 존은 '가족'이라고 부를 만한 특별한 사람이 없어서 기분이 상했지만, 아닌 척해야 했다. 존은 "네, 저는 그곳에 있는 것이 정말 즐거웠지만, 어제 여기에 오지 못한 것에 대해 매우 유감스럽게 생각합니다. 당신은 제가 없어서 힘들었을 것입니다."라고 공손히 말했다.

잠시 뜸을 들인 다음, 그는 "음, 존, 별로 바쁘지 않았던 것 같아요. 우리는 최선을 다했고, 호텔을 운영하는데 아무런 문제가 없었어요. 사실, 당신이 여기 오지 않아도 우리는 호텔을 운영할 수 있어요. 우리 사장님은 당신이 가끔 오지 않는 것에 대해 약간 걱정했지만, 당신 없이 우리가 얼마나 잘 일 했는지에 대해 꽤 만족하셨어요."라고 말했다. 존은 "오, 그 모든 것을 봐줘서 정말 고마워요. 사무실에 내려가서 그 문제에 관해 이야기할게요. 당신이 나 없이도 잘 일 했다는 말을 들으니 매우 기뻐요."라고 말했다.

그러고 나서, 그는 떠났고 존은 다시 혼자 남겨졌다. 존은 다시 누군가가 그런 말을 하는 것이 이상하다고 생각했지만, 론을 보러 가야 한다는 것을 알고 있었기 때문에 론의 방으로 갔다. 존은 그들이 둘뿐일 때 무슨 일이 일어날 수 있다는 것을 알았기에 누군가가 근처에 있기를 바랐다. 존은 심호흡을 크게 하고 방으로 갔다. 사무실 문은 잠겨 있었다.

존은 론이 자기 사무실 문을 잠그는 것을 본 적이 없어서 그것이 특별히 이상하다고 생각했다. 더욱 이상한 것은 회의가 진행되고 있다는 것을 보여주는 표지판도 없었는데, 방 안에서 약간의 소음이 있었다는 것이었다. 존은 조금 이상하게 느껴졌지만, 마음을 가라앉히려고 노력했고, 그가 할 수 있는 일들에 대해 생각했다. 그는 문 쪽으로 더 가까이 다가갔는데, 그때 의자가 움직이고 창문이 열리는 소리가 들렸다. 존은 매우 놀랐다. 곧 조용해졌다.

어떤 사람들은 존을 응시했지만, 존은 그 순간 그것에 대해 생각하지 않았다. 그러나 그는 다른 모든 사람이 자신을 바라보는 것을 알아차리고 프런트로 돌아갔다. 그날, 그것은 놀라울 정도로 바빴다. 모든 직원은 아무 휴식도 없이 일해야 했지만, 많은 사람이 호텔로 밀려들고 있었다. 존은 걱정으로 가득 찼다. 이건 바이러스가 퍼지고 있으며, 더 많은 사람이 호텔에 와서 론에 의해 통제를 받을 수 있다는 것을 의미했다.

그날 존은 밤 10시 15분쯤, 매우 늦게 돌아왔다. 벤은 그를 쳐다보았다. 그러고 나서 "왜 이렇게 늦었어?"라고 물었다. 존은 "글쎄, 오늘은 호텔이 매우 바쁜 날이었지만, 그것만이 이유는 아니야. 다른 것 때문이야."라고 말했다. 벤은 존에게 "그럼 뭔데?"라고 물었다. 존은 앉아서 생각했다.

프런트 일을 도울 사람이 충원되어, 존은 부엌일을 돕고 있었다. 모두 다음날 먹을 음식을 준비하고 가족들에게 배달할 음식 준비를 마무리하고 있었다. 주방장이 그를 가게 한 것은 8시 반쯤이었다. 밖으로 나갔을 때, 그는 저주처럼 머릿속에서 크게 우렁찬 목소리를 들었다. 그는 그것을 언어라고 부를 수 없었고, 소리라고 부를 수도 없었다. 그것은 목소리로 주조된 어둡고 매력적인 느낌 그 자체였다.

그러고 나서 숲으로 돌진하는 한 남자의 모습이 떠올랐다. 남자는 동굴에 도착하여 입구를 막고 있는 돌을 굴렸다. 안에는 밧줄로 묶여 있는 우거진 모습이 있었다. 존은 비명을 지르려고 했지만, 그 모습은 사라지고 존이 본 건 호텔뿐이었다. 그리고 히스테리 부리듯 자기 방으로 쿵쿵 걸어 들어왔다.

벤이 이 모든 걸 들었을 때, 그는 이상하리만치 침착했다. 아니면 그가 침착해 보였다고 말할 수도 있는데, 왜냐하면 그 역시 그 이상한 경험에 꽤 멍해 있었기 때문이다. 존은 천천히… "뭔가가 나를 쫓고 있는 것 같아. 나는 그것을 느낄 수 있어. 항상!"이라고 말했다. 그리고 그가 이 말을 했을 때, 잠시, 존의 눈에 작은 섬광이 있는 것처럼 보였다. 벤은 사실 존의 뜻을 어느 정도 이해할 수 있었지만, 다른 무언가가 존의 입장을 완전히 이해하지 못하게 막는 것도 같았다.

어쨌든 벤은 존의 연설을 이해하는 것처럼 보이기 위해 매우 열심히 노력했다. 그러나 존은 벤이 그 주제에 관심이 없다는 것을 알아차렸고 재빨리 그의 말을 끝냈다. 존은 생각하더니, "내가 곧 대체될 걸 알고 있으니, 서둘러야겠어."라고 말했다. "뭐라고?" "꿈에서 죽는 것보다 악몽 속에서 사는 것이 낫다."

그러던 중 저 멀리 개 부족의 숲 어딘가에서 소리가 들려왔다. 개 부족의 개들에게 큰 문제가 생긴 것이다. 인간은 예전만큼 개들에게 신경을 쓰거나 의지하지 않았다. 아이러니하게도 이는 전쟁 때문이었다. 전쟁으로 인해 사람들은 새로운 주인의 사랑과 관심에 의지하게 되었고, 개 몇 마리를 제외하고는 많은 개가 인간 세상에서 개 부족으로 돌아왔다. 인간은 개들이 자신들과 똑같이 똑똑하고 영리하다는 걸 몰랐다. 그리고 개 부족이 지금 인간이 사용하는 언어를 창조했다는 거나, 이 괴상한 생물체에 진정으로 집착하는 것은 사실 인간이라는 것 등을 전혀 눈치채지 못했다.

인간의 세계에서 돌아온 개 한 마리가 불평했다. "성에서 일하는 수컷들을 제외하고, 우리는 모든 개를 인간의 세계로 내보냈습니다. 이것 좀 보세요! 그 지역의 정원사가 어떻게 우리를 위해 음식을 만들 것인가요? 집들은 어디에 있나요? 어쨌든, 이것은 악몽입니다. 만약 우리가 이것을 해결하기 위해 무엇이든 할 수 있다면, 우리가 할 수 있는 두 가지 일이 있습니다. 하나는 전쟁에 더 깊이 들어가서 더 큰 역할을 하도록 노력하는 것입니다. 전쟁, 더 많은 군견, 더 좋은 생각이 필요합니다. 우리는 이 혼란에서 탈출하려고 시도할 수 있지만, 소용이 없을 것입니다. 그것은 또한…인간들과 여우들 모두에게 공격당한다는 것을 의미할 수도 있습니다." 그러자, 갑자기, 군중들 사이에서 웅성거리는 소리가 났다. "무엇을 할지 결정합시다!" 숲 근처 다른 곳에서, 론이 그 연설을 보고 있었다.

그는 모든 생명체를 속일 수 있을 정도로 충분히 완벽하게 이 전쟁을 개선할 방법에 대해 생각하고 있었다. 그는 개들을 이용하는 게 최선이라 생각했다. 그는 미소를 지으며 계속해서 연설을 지켜보았다. 그는 누군가 자신을 볼까 봐 두려웠지만, 망원경으로 그들을 관찰하면서 멀리 덤불 뒤에 숨어 있었다. 그는 숲을 유심히 살피고 떠났다. 그는 그곳에 더 오래 머무른다면 아무 소용이 없다는 것을 알고, 망토와 양복을 챙겨 전장으로 향했다. 바람은 계속 불었고, 그는 덤불 뒤에 숨어서 미소를 지었다. 그때 개의 영역을 훨씬 넘는, 알 수 없는 곳에서 소리가 들려왔다. 뭔가

군중이 웅성거리는 소리 같았다. 그 소리는 숲의 바깥쪽, 심지어 전장 근처까지, 가벼운 돌풍처럼 조용하게 울려 퍼졌다.

그때 존은 호텔 근처 강으로 걸어 내려오고 있었다. 존은 무섭고 외로웠는데, 숲으로 걸어 들어가는 어떤 남자들의 기이한 환영을 보기 시작했다. 그들은 뭔가를 찾으려고 애쓰는 듯했고, 무언가를 찾으러 이리저리 헤치고 다녔다. 그런 다음 그들은 존에게 어느 정도 친숙한 거대한 나무 앞에 쭈그리고 앉았다. 그들은 생각하고 또 생각하는 것처럼 보였지만 슬프게도 원하는 결과를 얻지 못한 것처럼 보였다.

하지만 만약 존이 본 것이 그것뿐이었다면 그는 여기까지 달려오지 않았을 것이다. 그 후 누군가가 작은 열쇠를 들고 계단을 올라오는 것을 보았다. 그 남자는 그림자처럼 존에게 다가가고 있었다. 그 남자는 재빨리 존을 공격했고, 열쇠를 땅에 던졌다. 존이 반격하려던 찰나에, 존은 환각 상태에서 깨어났다.

그런데 존은 땅에 떨어져 있는 열쇠들을 그의 눈으로 직접 보고 말았다. 우연의 일치인지, 하필 현장학습을 하러 가서, 벤도 거기에 없는데 말이다. 존은 혼자서 그 문제를 처리해야 했다. 열쇠는 매우 낡았고, 놋쇠로 만들어졌다. 존은 열쇠들을 움켜쥐고 그 오래된 책 위에 올려놓았다. 그러고 나서 그는 그 책을 보고 한 번 읽어봐야겠다고 생각했다. 그는 도움이 되는 무언가를 찾기 위해 페이지를 넘겼지만, 그 책은 그가 생각했던 것보다 훨씬 더 많은 정보를 가지고 있었다. 그래서, 그는 책의 끝까지 페이지를 넘겼지만, 놀랍게도, 아무것도 바뀌지 않았다. 그 책은 보통 1초 안에 자동으로 수천 페이지를 생성하지만, 맨 뒤 페이지에서는 아무 일도 일어나지 않았다.

그는 꽤 놀랐지만, 자신이 잘못 본 것 같아 눈을 비비고 책을 다시 자세히 들여다보았다. 그러나 여전히 볼 수 있는 것은 몇 분 전에 보았던 페이지들뿐이었다. 그는 꿈처럼 이상한 사건들의 연속을 애써 외면하며 고개를 저었다. 그리고 그는 이런 일들에 대해 아주 잘 아는 누군가를 생각했다. 존은 아가타가 이런 일들에 전문가라고 믿었다. 그는 그녀가 여우 세계에서 일어나는 일들에 대해 거의 모든 것을 알고 있다고 생각했고, 그것은 꽤 옳은 판단이었다. 사실, 그 장소에 대해 그녀보다 더 나은 사람은 많지 않았다.

그는 아가타에게 전화하기로 마음먹고, 전화기를 집어 들었다. 그는 잠시 기다렸다가 몇 분 더 기다렸지만, 슬프게도 아가타는 응답하지 않았다. 이번에는 존이 마법을 사용하여 그녀를 불렀다. 그러나 시간이 꽤 지난 후에도 그녀는 여전히 응답하지 않았다. 존은 그녀가 그렇게 오랫동안 연락을 받지 않는 게 이상해서, 아가타를 찾아가기로 했다.

한편, 아가타는 그녀의 집에 앉아 있었다. 그녀는 매우 혼란스러웠다. 존은 그녀의 메시지를 받지 않았다. 그녀는 존에게 연락을 시도했지만, 그는 응답하지 않았다. 그래서, 아가타는 그녀가 존에게 가야 한다고 생각했다. 그녀는 다른 사람들이 그녀를 보는 걸 원하지 않아서, 숲 한가운데로 지나갔다. 그때, 존은 아가타의 집으로 가고 있었다. 그는 그녀의 집으로 갔지만, 그녀는 우연히 그곳에 있지 않았다. 존은 겁을 먹고 가만히 있었다.

아가타 역시 터널 안으로 기어갔으나, 아무도 발견하지 못했다. 그녀는 매우 혼란스러웠고, 무슨 일이 일어났을까 걱정했다. 존 또한 최근에 악몽을 꾸고 있었기 때문에 걱정이 많았다. 그는 숲을 향해 다시 건넜지만, 아무도 없었다. 존은 정말로 뭔가 잘못되었고, 아가타가 큰 위기에 처해 있다고 생각했다. 한편, 아가타는 자기 집을 향해 달려가고 있었다. 존은 너무 걱정되어, 숲속으로 들어가 보는 중이었다. 뭔가가 빙빙 돌고 있었다. 그가 다시 보았을 때, 그것은 사라졌다. 그런 다음, 존은 호텔로 돌아갔다. 그는 곧 도착했고, 아가타에게 무슨 일이 일어났는지에 대해 여전히 매우 두려워하고 있었다.

그때, 아가타는 존에게 전화하려고 했다. 평소 같으면 바로 전화를 받았을 텐데, 대체 왜 존이 응답하지 않는지 궁금했다. 그녀는 호텔에서 존을 볼 수 없었고, 이제 그녀는 무슨 일이 일어나고 있는지 약간 의심스러웠다. 아가타는 존과 연락한 지 꽤 오래되었고, 직접 호텔에서 본지도 오래되었다.

그러던 중, 누군가가 의자에 앉아 바쁘게 무언가를 하고 있었다. 그로부터 붉은 광선이 뿜어져 나왔고, 그것은 둥근 모양이었다. 붉은 광선은 땅 위를 살금살금 기어 나와 땅 위로 퍼지고 있었다. 그것은 끔찍해 보였지만, 일단 누구라도 그것을 보고 나면, 눈을 떼기는 매우 어려울 것이었다.

그때, 벤은 현장학습에서 막 돌아온 참이었다. 존은 그를 보자마자, 무슨 일이 있었는지 알렸다. 벤은 존만큼 놀라지 않았지만, 이 소식을 듣고 여전히 꽤 충격을 받았다. 벤은 존에게 "그녀가 연락이 안 터지는 곳에 갔을 가능성도 있지 않나?"라고 물었지만, 존은 고개를 저었다.

존은 뭔가를 중얼거리며 벤에게 "아마도 누군가가 아가타를 납치했을 거야."라고 말했다. 벤은 "내 말은, 그것은 일어날 수 있는 일이지만, 아가타는 매우 강력한 걸~! 누가 그런 일을 할 수 있을까? 우리가 알아차리기도 전에 아무도 그런 일을 할 수 없다고 생각해. 뭐, 내가 아가타를 걱정하는 건 아냐. 그녀는 참 끔찍한 노파지."라고 말했다. 존은 그를 무시하고 말했다. "글쎄, 난 일어날 가능성이 있는 다른 어떤 일도 생각나지 않네."

벤은 "글쎄…. 그다지 의미는 없지만, 나는 가능한 시나리오는 하나뿐이라고 생각해. 누군가가 우리와 그녀 사이의 연결을 차단하고 있는 게 아닐까." 그러자 존은 재빨리 "하지만 그렇다면 우리가 그녀를 보지 못한 건 어떻게 설명할 수 있지?"라고 반문했다. 벤은 다시 말했다. "그건 말이 안 되긴 하네. 두 사람이 정확히 같은 시간에, 다른 길로 서로를 찾을 가능성은 거의 없으니까."

존이 끼어들었다. "차라리 누군가가 그녀를 납치했다고 믿고 싶어. 차단은 완전히 말도 안 되는 소리니까!" 그리고 나서 벤은 존에게 "두 가지 모두 불가능해 보이지만, 그들 가운데 정답이 있을 거야."라고 말했다. 바로 그때, 그들은 숲 뒤에서 큰 소리가 나는 것을 들었다. 존은 "이건 틀림없이 수류탄이야. 나는 우리가 전쟁을 멈추려고 노력하는 사실이 너무 낯설게 느껴지는데, 한편으로는, 전쟁에 너무 익숙하다는 사실이 완전히 아이러니하네."라고 말했다. 벤 역시 그를 바라보며 한숨을 내쉬었다. 안개가 자욱한 하늘은 해가 지면서 점점 더 어두워지고 있었다.

그날 밤, 늦은 시각, 그들은 숲에서 들려오는 엄청난 소리에서 잠에서 깨어났다. 존은 벤에게 물었다. "와, 무슨 소리지?" 벤은 존을 보고 "큰일은 아닐 거야."라고 말했다. 존은 "소리 진짜 크지 않아? 귀청 떨어지겠어! 우리는 총포 소리에 너무 익숙하지만, 또 그 소리에서 깼네!"라고 말했다. 벤은 무언가 말을 하려고 했지만, 존은 그를 쳐다보고 그를 테라스로 끌어냈다. 숲 근처에서 파란 불꽃이 튀고 있었다. 벤은 더 가까이에서 보았고 "신경 쓰지 마, 숲은 아니야."라고 말했다. 존은 그를 보고 "그럼 어디지?"라고 물었다. 벤은 숨을 죽이고 "여우 부족 쪽으로 더 멀리에서!"라고 말했습니다. 그리고 존은 "아니야! 그렇게 멀리서 무슨 소리가 들릴까?"라고 했다. 존은 심호흡 후 속삭였다. "이제 조용해졌어. 무슨 일이 일어나고 있는지 살펴보자." 벤은 그 제안을 수락하지 않았다. 그는 그토록 위협적인 곳에 가까이 가는 게 너무 위험하다고 생각했다.

결국, 파란 불빛도 잦아들었고, 두 사람 모두 이미 모든 일이 일어난 후에 가는 건 무의미하다고 생각했다. 또 소리가 나는 곳에 도착할 수 있는지조차 알 수가 없었다. 그래서 그들은 잠자리에 들었다. 곧, 벤은 잠이 들었지만, 존은 쉽게 잠을 잘 수 없었다. 그는 이상한 일이 일어난 곳에서 무슨 일이 일어나고 있는지 생각하는 것을 멈출 수 없었다. 그래서 그는 침대에서 기어 나와 파란불을 다시 찾을 수 있는지 확인하기 위해 테라스로 갔다. 물론, 그는 밖에 있는 것을 하나도 감지할 수 없었고, 모든 것이 평소처럼 정상적으로 보였다. 사실, 전에는 아무 일도 없었던 것처럼 보였다.

이제 존은 자신과 벤이 본 것이 실제로 존재하는지조차 확신할 수 없었다. 그는 여전히 그것이 존재하는지에 대해 꽤 확신하고 있었지만, 이제 그의 머릿속에 떠오르는 생각은 누가 그것을 만들었는지에 대한 문제였다. 그는 그 일을 할 수 있는 사람을 생각해낼 수 없었다. 처음에는 마을을 공격하는 군인들 때문에 생긴 소리라고 생각했지만, 그 소리는 그렇게까지 크지 않으리라는 것을 알고 있었다. 그리고 그들이 마을을 공격했다면 더 많은 소리를 냈을 것으로 추측했다. 게다가 전쟁이 그렇게 크게 벌어졌더라면 정말 끔찍했을 것이다.

무슨 일이 일어나더라도, 그건 무척 끔찍할 거라는 걸 이미 알고 있었지만, 이제는 호기심보다 두려움이 더 컸다. 그 와중에 존은 위층에서 두드리는 소리를 듣고 바깥 테라스로 나갔다. 위층으로 올라가는데, 쇠창살이 젖어 있어서 쉽지 않았다. 존은 후들거리며 아래를 내려보았다. 그리고 올라가서 무엇인가 위에 앉았다. 그것은 바닥이 아니었다. 그곳에서, 그는 자기 밑에서 그를 매우 흥미롭게 바라보고 있는 몇몇 아이들을 발견했다. 그는 일어나서 아이들을 힐끗 쳐다보았지만, 감히 그들에게 말을 걸지는 못했다. 최근에, 어린아이일지라도 사람을 믿기 어렵게 만드는 일들이 너무 많았다.

1분간의 침묵 후, 존은 그가 말하지 않는 한 아이들이 그에게 말을 걸지 않으리라는 것을 깨달았고, 그들에게 먼저 말해야 할지 고민했다. 그렇게 천진난만해 보이는 아이들을 피하기는 어려웠다. 바로 그때, 두 명의 아이들이 더 기어 나왔다. 사실, 그들을 아이들이라고 부르는 건 어려웠다. 그들은 걸음마를 못 뗀 아기에 가까웠다. 존은 속으로 '더 있었어?'라고 생각했다. 하지만 존이 다시 안으로 들어가기도 전에, 그 어린 아이는 그에게 "누구세요?"라고 물었다.

존은 전혀 대답하고 싶지 않았지만, 그가 아무것도 하지 않고 정신을 차리기도 전에, 그의 입에서 갑자기 대답이 튀어나왔다. 존은 마치 그렇게 할 의무가 있다는 듯이 아이들에게 자신을 소개했고, '이건 완전히 미쳤다. 지금 나한테 무슨 일이 일어나고 있는 거지?'라고 생각했지만, 그의 입은 심지어 아이들에게 그들이 누구인지에 대해 질문하기 시작했다. 아이들은 미소를 지었고, 그들 중 한 명은 "비밀이에요!"라고 킥킥거렸다.

존은 그들과 아무것도 안 하고 싶었지만, 그들이 무엇을 하고 있는지 궁금하기도 했다. '이 아이들은 지금, 이 늦은 시각에 뭘 하는 거지?'라는 생각이 들었고, 호기심보다는 걱정이 되었다. 아이들에게 "부모님은 어디에 있니?"라고 물었지만, 아이들은 대답하고 싶어 하지 않는 것 같았다. 아이들은 그저 서로를 바라보았고, 오직 한 명만이 기어나가는 아이들에 대해 무언가를 중얼거렸다. 존은 이 활동이 비밀리에 행해졌다는 것과 아이들이 그를 관찰하고 있다는 것을 바로 알아차렸다.

이제 존의 감정은 걱정스러운 것에서 두려운 것으로 바뀌었다. 존은 누군가 자신을 지켜보고 있다는 느낌을 전혀 좋아하지 않았다. 그는 재빨리 되돌아가 창문을 잠갔다. 그는 침대에 털썩 주저앉아 침대 위에 있는 침대 시트를 사용하여 자신을 덮었다. 바로 그때, 벤이 문을 닫을 때 존이 내는 큰 소리에서 깨어났다. 벤은 존에게 "무슨 일이야?"라고 물었다. 존은 "우리를 지켜보고 있는 아이들이 있어!"라고 바로 대답했다.

벤은 존을 바라보며 말했다. "그럴 리가 없어. 왜 아이들이 우리를 지켜보고 싶겠어? 넌 그저 다시 뭔가를 보고 있을 뿐이야. 전에 나를 깨웠을 때처럼 말이야." 존은 그를 바라보며 말했다. "나가 보면 알게 될 거야." 그리고 벤을 밖으로 끌어냈다. 하지만 그들이 테라스에 도착했을 때, 그들 위에는 아무도 없었다. 벤은 존을 바라보며 말했다. "저기, 저기 위에 아무도 없어. 분명 또 이상한 것을 봤을 거야. 누가 우릴 관찰하고 싶어 하겠어?" 존은 벤을 바라보며 말했다. "아니, 실제로 그들을 보았고, 심지어 말도 걸었어. 그들도 나에게 질문했어!" 벤은 존을 바라보며 "…괜찮아?" 걱정했다. 존은 괜찮다고 말했지만, 벤은 더는 믿지 않았다. 존이 벤에게 말하였다. "아니, 내일 다시 한번 확인해보자. 위에 사람들이 있다는 데 전 재산 건다." 벤은 대답이 없었고, 그들은 다시 잠자리에 들었다.

한편, 론은 인간의 텐트를 향해 걷고 있었다. 그는 오랫동안 그 군인들을 보지 못했고, 그들이 어떻게 지내는지 확인할 필요가 있었다. 밤이었지만, 모든 군인은 그가 들어가자마자 그를 보기 위해 일어났다. 론은 싱긋 웃으며 "잘 지냈어요?"라고 말했다. 군인 한 명이 그에게 말했다, "크게 다르지 않습니다. 저희는 몇 가지 계획을 세우고, 시간이 남으면 당신의 책을 공부하고, 여우들을 공격하고 있습니다. 그 생물체들은 잔인해요." 론이 말했다. "물론이죠. 모두가 여전히 잘 지내고 있다는 소식을 들으니 기쁩니다. 여러분은 여러분 모두가 영웅이라는 것을 알아야 합니다. 그 생물체들을 제거하는 것은 영광입니다." 인간들은 고개를 끄덕이고 나서 말했다. "최근에, 여우들이 우리 쪽으로 또 다른 폭탄을 던졌고, 그들은 우리가 그들로부터 빼앗았던 많은 땅을 되찾았습니다. 우리는 당신이 우리에게 이기는 방법을 알려줄 수 있다면 매우 도움이 되리라 생각합니다." 론은 군인들을 바라보며 말했다. "여우들이 그들이 하는 것을 하도록 내버려 두세요. 결국에는, 아무것도 그들의 편에 남지 않을 거예요. 여우들이 복원한 땅을 훔치는 것에 집중하세요."

인간들은 고개를 끄덕였고 론은 자리를 떠났다. 그러고 나서 그는 여우 옷을 입고 여우가 있는 반대편으로 갔다. 여우들 또한 그를 반갑게 맞이했다. 론은 그들을 보고 "정말 오랜만에 만났네요."라고 인사를 건넸다. 여우들은 "정말 오랜만입니다. 다시 만나서 기뻐요."라고 외쳤다. 론은 어떻게 지내는지를 물었고, 여우들은 "우리는 그저 싸우고, 계획을 세우고, 무기를 닦고, 시간이 있을 때 당신이 준 책을 읽고 있을 뿐이에요."라고 말했다. 론은 "좋네요. 여러분은 항상 내 책을 읽을 시간이 있어야 해요. 나는…"라고 말했다.

바로 그때, 한 군인이 "우리는 최근에 도둑맞은 땅을 되찾았어요!"라고 보고했다. 론은 그를 바라보며 말했다. "나는 이미 알고 있었어요. 그 장소들은 전략적으로 그다지 중요하지 않습니다. 사실, 여러분이 그것을 소유하는 것은 좋지 않습니다. 만약 사람들이 그것을 아직 소유하고 있었다면, 그들의 땅은 이미 잿더미로 변했을 것입니다. 그 땅은 저주받은 것입니다." 그러자 군인들은 "그럼 어떻게 할까요? 오! 정답을 말해주세요!"라고 말했다. 론은 "당신이 되찾은 모든 장소에 당신에게 제공된 음식 일부를 놓으세요. 그러고 나서, 그것을 버려두세요. 사람들은 다시 음식 가져갈 것이고, 천천히, 파멸이 올 것입니다. 여러분께 이것을 보장합니다."

여우들은 고개를 끄덕이고는 부탁대로 했다. 론은 "좋군요."라고 말하고는 그 장소를 떠났다. 그는 양복을 벗고, 하늘을 쳐다보았다. 해가 떠오르고 있었고, 군인들이 갑옷을 입는 소리가 들렸다. 론은 비웃고는 군인들이 다시 싸우는 동안 매우 천천히 호텔로 돌아갔다. 호텔에 도착했을 때, 론은 곧장 호텔의 여우 영역으로 가서 노동자 중 한 명을 만났다. 그는 노동자에게 '계획'이 잘 진행되고 있는지 물었다. 론은 웃으며 가장 높은 층으로 걸어 올라갔다.

그는 자신의 계획이 멋지게 진행되고 있는 것을 볼 수 있었다. 그는 방을 둘러보았지만, '계획'을 위해 시험 대상자들에게 자신을 드러내지 않으려고 노력했다. 론은 아무도 자신을 보지 않기를 바라며, 건물의 다른 쪽으로 갔다. 론은 주위를 둘러보더니 사무실로 들어갔다. 그는 거기서 다음 계획을 생각해냈다. 그러는 동안, 전쟁은 잠시 멈췄다.

인간들은 무슨 일이 있었는지에 대해 매우 혼란스러워했다. 그들이 잃었던 땅은 심지어 음식과 함께 그들에게 되돌아왔다. 그러고 나서, 인간들은 남겨진 편지를 보았다. 그것은 얇은 종이에 쓰여 있었고, 거기에는 오직 한 가지만 적혀 있었다. '가져라' 사람들은 음식(과 땅)을 가져도 아무 문제가 되지 않으리라 생각했고, 그래서 그들은 그렇게 했다.

여우들은 인간들이 그곳에 텐트를 짓는 것을 보았고, 그들의 마음속에서 행복한 감정이 피어오르는 것을 참지 못하고 이리저리 뛰어다녔다. 그들은 승리할 것이고, 전쟁은 끝날 것이다. 여우들은 전쟁에 지쳤지만, 승리해야 한다는 말을 들었다. 여우들은 또한 지고 싶지 않았다. 이번이 그들의 첫 번째 전쟁 참가였고, 그들은 실패하기를 원하지 않았다. 인간들 또한 매우 행복했다. 그들은 땅을 되찾았다. 그들은 이것이 승리의 열쇠가 될 수 있다고 확신했다. 그들은 이제 그 땅을 가지고 있으므로, 전쟁이 눈치채기도 전에 금방 끝날 것으로 생각했다. 그리고, 전쟁이 재개되었다. 사람들은 여우의 텐트 쪽으로 가서 공격하기 시작했다. 여우들은 반격했고 싸우기 시작했다. 모든 것은 이전과 같았다.

비가 내리고 있었고 하늘은 다소 회색으로 우중충해 보였다. 한 사람이 실수로 총알을 떨어뜨렸고, 총알은 근처의 개울로 굴러 들어갔다. 그것은 바닥에 박혔고, 개울은 짧은 순간 동안 진흙투성이가 되었다. 개울은 곧 검붉은 색으로 가득 찰 것이기 때문에, 어쨌든 상관없었다. 전장에서 나는 시끄러운 소리는 사무실에 있던 론에게 들릴 정도였다. 론은 고개를 저으며 이 생물체들은, 위대한 자신의 계획을 따르기에는 너무 어리석다고 생각했다.

론은 불완전함과 어리석음 때문에 인간에게 매료되었다. 론은 호텔에 대한 몇 가지 문서를 쓰기 시작했다. 음악을 틀고 다시 일을 시작했다. 그는 매우 열심히 집중했고, 약 3시간 후에 그는 자기 일을 마쳤다. 지금은 약 11시였고, 그는 조금 배가 고팠다. 밖으로 나가서 식당으로 들어갔다. 샌드위치를 주문하고 그것을 받자마자 호텔로 돌아왔다.

론은 호텔을 둘러보며 '계획'을 비롯한 모든 일이 잘 진행되고 있는지 확인했는데, 이것이 그가 확인해야 할 가장 중요한 것이었다. 그리고는 다시 집무실로 들어가 병사들을 위해 책을 쓰기로 했는데, 병사들은 대부분 자신이 준 책을 이미 다 읽었다는 것을 알았기 때문이다.

론은 컴퓨터 자판을 두드렸고 순식간에 몇 개의 장을 써냈다. 그는 짧은 시간에 글 쓰는 것을 매우 잘했다. 론은 완벽한 책을 쓰려고 노력하면서 문법과 철자를 점검했다. 결국, 그는 완벽주의자였고, 모든 것이 깔끔하게 보이기를 원했다. 그는 계속해서 글을 쓰고 자신의 실수를 점검했다.

론은 여우들에게 맞는 책을 쓰는 것이 힘들 것이라는 것을 알았지만, 지금은 인간들을 방문해서 그들에게 다음 계획을 말할 시간밖에는 없었기 때문에 그것 또한 괜찮았다. 모든 것이 그의 뜻대로 되어 가고 있었기 때문에, 론은 매우 신이 났다. 사무실에 도착하자마자, 글을 쓰기 시작했다. 글쓰기는 그가 사랑하는 것이었고, 좋은 작가가 되는 건 매우 유용했다. 특히 그의 계획상, 그가 자리를 비울 때조차 생물체들을 설득할 수 있는 무언가가 필요했기 때문이었다. 그는 미친 듯이 타자 쳤다. 해가 천천히 지기 시작하고, 집으로 돌아가는 몇몇 학생들을 보았을 때, 마침내 집필이 끝이 났다. 론은 초본을 인쇄했고, 다시 여러 부 복사했다. 론은 책들을 배낭에 넣고 망토를 걸쳤다.

론은 웃으며 전쟁터로 달려갔다. 그는 숲속에 숨어서 싸우는 사람들을 보았다. 전쟁터는 붉게 변하고 있었고, 주변에는 시체들이 누워있었다. 그는 어떤 순간을 기다리며 그들을 관찰했다. 그는 사람들이 벌이는 짓을 보는 걸 좋아했고, 그걸 보며 그들에게 나타날 적절한 순간을 선택하려고 했다. 잠시 후, 모두가 피곤하고 졸린 상태에 이르렀다. 이것이 바로 론이 인간의 텐트 안으로 미끄러져 들어가는 정확한 순간이었다.

그가 전에 보았던 사람들의 절반이 사라졌지만, 그것은 별로 중요하지 않았다. 그는 그저 자신이 너무 많은 책을 인쇄했다는 게 슬펐다. 그는 인간들에게 "어떻게 지냈어요? 여러분께 줄 게 있어요!"라고 말했다. 사람들은 모두 론에게 여우에게서 어떻게 그 땅을 다시 훔쳤는지에 대해 알렸다. 론은 고개를 끄덕이고 그들에게 그 땅을 안전하게 유지하라고 명했다. 그러면서 그는 배낭에서 자신의 책을 꺼내 그들에게 주었다. 그러고 나서, 군인들이 어떤 말도 꺼내기 전에, 론은 그들에게 그 책을 공부하라고 말하며 떠났다.

인간 병사들은 모두 매우 혼란스러웠지만, 론이 바쁘겠거니 했다. 전쟁이 나면 둘러앉아 있을 시간도 별로 없으니, 그냥 다시 밖으로 싸우러 나갔다. 일부는 너무 노곤해서 텐트 안으로 돌아왔기 때문에, 전장에 나갈 사람이 부족한 게 그들의 걱정이었다.

한편, 텐트 밖에서는 인간들이 여우들과 여전히 싸우고 있었다. 날이 늦기 시작하고 있었지만, 오늘의 싸움은 끝나지 않을 것 같았다. 해가 저

물고 있었고, 하늘은 땅을 물들인 피와 매우 비슷한 색으로 바뀌었다. 그것은 썩 유쾌해 보이지 않았지만, 모두 너무 익숙해져서, 아무도 이와 같은 싸움이 끔찍하다고 생각하지 않았다.

그러던 중 존은 호텔 카운터에 앉아 고객들에 관한 서류들을 뒤지며 어떤 방을 예약했는지, 어떤 서비스가 필요한지 등을 확인했다. 그는 사무실에 중요한 자료들이 모두 있다는 것을 알았지만, 그런 자료들을 살펴볼 필요성을 느끼지 못했다. 어쨌든 그는 더 오래 머물 생각이 없었다. 오늘은 많은 사람이 오지 않았는데, 또다시 악성 바이러스가 퍼져서 여행을 가려고 하는 사람들이 많지 않았기 때문이었다.

한 가족이 왔고, 존은 그들의 방으로 안내했다. 그러고 나서 그는 내려가서 복도를 닦기 시작했다. 이미 깨끗해 보였지만, 누군가 항상 완전히 닦이지 않은 어딘가를 지적했다. 그는 별로 신경 쓰지 않았고, 그런 말을 무시하거나 그것을 더는 지적하기 어렵게 더 큰 노력을 보이곤 했다. 그가 다 닦았을 때, 대걸레가 갑자기 반으로 부러졌다. 존은 자신이 문제가 있다는 것을 확실히 알았다. 그는 아무도 그것을 보지 않기를 바라며 카운터 뒤에 숨겼다. 새것을 하나 사기 위해 가게로 달려갔지만, 대걸레는 매진되었다. 아무도 카운터에서 기다리지 않기를 바라며, 존은 다섯 군데의 다른 가게를 돌아다녔고, 마침내 하나를 발견할 수 있었다. 가격이 저렴하지는 않았지만, 그는 문제를 해결해 기뻐했다. 그는 다시 뛰었고, 카운터에서 아무도 안 기다리는 것을 보고 안심했다. 그러고 나서 부엌으로 가서 설거지하고 그릇을 마른행주로 훔쳤다.

호텔에는 식기 세척기가 없어 인부들이 설거지를 모두 해야 했는데, 인부들도 별로 없었다. 호텔 앞에 있는 전광판에는 직원을 모집한다고 했지만, 형편없이 후려친 월급 때문에 자원하는 사람은 아무도 없었다. 호텔은 거대했고, 거기에는 거의 아무도 없었다. 존은 반대쪽은 잘 몰랐지만, 바로 옆에는 전체 인원이 60명이었고, 대부분 카운터나 홀에서 일했기 때문에 주방을 위한 인원이 부족했다. 전문적인 요리사가 아니어서 요리를 전혀 하지는 않았지만, 숟가락과 포크, 나이프를 방에 새로 주고, 설거지하고, 설거지하고, 건조하고, 걸레를 치고, 먼지를 닦고, 심지어 호텔을 쓸기까지 했다. 그는 본업이었기 때문에 카운터에서도 일했고, 가끔 정원에 물을 주기 위해 밖으로 나가기도 했다.

존은 가장 바쁜 사람 중 한 명이었지만, 생계를 꾸려가야 했고, 자신과 상사는 적이었기 때문에 최소한 맡은 일에서는 매우 순종적이어야 한다는 것을 알고 있었다. 그는 론이 괴물 같은 계획의 일환으로 자신을 이용하기 위해 자신을 곁에 두고 있을 뿐이라는 것을 알고 있었고, 자신은 서서히 지워지고 있다는 것 역시 알았다.

그때 다른 가족이 들어와서 존은 그들을 빈방으로 안내했다. 그는 바구니에 나이프와 포크, 밀키트를 가득 담아서, 그들이 들어갈 때 건네주었다. 그들은 불평하지 않았고, 존은 매우 고마워했다. 그는 사람들의 만족하는 표정을 보는 것과 칭찬을 듣는 것을 좋아했다. 그러고 나서 존은 설거지로 돌아가서, 벤에 대해 생각했다.

벤은 예전처럼 행동하지 않았다. 그는 항상 존의 말을 무시했다. 존은 신뢰를 얻기 위해 모든 걸 시도했으나, 이제 벤은 존을 적으로 생각하는 듯했다. 존은 일찍 귀가하고, 선물을 주고, 집을 깨끗이 정돈하려고 노력했고, 론의 계획과 같은 것들에 관해 이야기할 때 벤이 좋아하는 아이디어에 대해 더 많이 말했다. 그 모든 노력에도 불구하고, 아무 일도 일어나지 않았다. 벤은 여전히 그를 싫어하는 것 같았다. 그 역시 벤에게서 지워진 것일까? 존은 알 수 없었다.

벤도 뭔가 좋지 않았다. 벤은 자신이 안전하지 않다고 느끼기 시작했다. 그는 이제는 아무도 믿을 수 없어서, 혼자서 자신을 방어할 필요가 있었다. 그는 더 깊은 무언가에 빠져드는 것 같았고, 때때로 자신 안에서 다른 무언가가 깨어나는 것을 느꼈다. 그것은 그를 다른 사람처럼 느끼게 했다. 이것은 그를 더욱 혼란스럽게 했고, 그의 인생에서 걱정할 것이 너무 많은 지금 그의 인생 자체가 갈등인 것처럼 보였다.

벤은 이것이 그의 두 번째 인생이라는 것을 알았지만, 인생을 가지려고 시도했지만 아무 소용없었기 때문에, 다시 살 가치가 있다고는 전혀 생각하지 않았다. 학교생활은 더 나아졌지만, 그의 모든 걱정을 씻어내기에는 충분하지 않았다. 그는 꽤 조용한 소년이었고, 아무와도 이야기하지 않았다. 아무도 그에게 말을 걸지 않았다. 그는 대답하기 위해 그의 선생님과 이야기를 했을 뿐이고, 다른 것을 물어본 적이 없으며, 다른 어떤 것도 하지 않았다. 재미있는 것은 그가 존과 이야기할 때 매우 말이 많았으며, 그전에 론과 함께 있을 때도 매우 수다스러웠다는 점이다. 글쎄, 지금 그는, 그저 조용했다.

벤은 존이 아직 직장에 있을 때 호텔 다른 쪽에 대해서 조사를 좀 했지만, 존이 보지 못하도록 그것을 숨겼다. 그는 계속 론과 대결할 예정이었지만, 그렇다고 그것이 존과 계속해서 같이 일한다는 의미는 아니었다. 벤은 이상한 말을 하는 사람과 함께 하는 건 위험성이 너무 크다고 생각했다. 심지어 존은 가끔 뭔가를 하기 위해 밖으로 돌아다녔다. 벤은 무슨 일이 일어났는지 전혀 듣지 못했고, 따로 계획이 없었기 때문에 따라갈 엄두도 내지 못했다. 하지만 벤은 자신에 대한 진실을 발견한 이후부터는 새 계획을 짰고, 새 계획에 따를 때 벤은 밖으로 나서야 했다.

그 이후로 벤은 산책하려는 존을 따라나섰다. 그는 존이 마지막 결정을 내리기 전에 무엇을 하고 있는지 보고 싶었다.

존은 막 잠자리에 들 준비를 하고 있었다. 그가 우편물을 넣으러 갔을 때 기분이 좀 이상하긴 했지만, 별로 대단한 일은 아니라 생각했기 때문에 완벽하게 괜찮았다. 존은 또한 벤이 조금 다르게 행동하는 것을 눈치채지 못했는데, 왜냐하면 존은 그 미묘한 변화들을 아주 평범한 일로 간주했기 때문이다. 그는 벤의 미묘한 행동 변화가 최근에 그들 사이에 일어난 사건 때문에 일어난 것으로 생각하기도 했다.

그런데도, 존은 그가 우편함으로 걸어갈 때 왜 그렇게 이상한 기분이 드는지 궁금했다. 그는 단지 여우 부족에게 그의 편지를 보내기 위해 그곳에 가는 중이었다. 그의 임무는 꽤 완성되었지만, 그가 아직 인간 세상에 머물렀기 때문에, 여전히 일의 진행 상황에 대한 편지들을 보내야 했다. 전에도 론이 편지 보내는 자신을 따라오는 것을 본 적이 있어서, 그것이 론이었을지도 모른다고 생각했지만, 존은 확신하지 못했다. 세상은 이미 그를 등지고 있었다.

그러는 동안, 누군가는 편지를 타이핑하고 있었다. 그것은 아가타였다. 아가타는 존으로부터 전화를 받지 못해서, 매우 걱정했다. 그녀는 존이 답장을 하는지 확인하기 위해 그에게 편지를 보낼 예정이었다. 계속 타자치는 중이었는데, 그녀의 아이들은 여기 꼭대기에 올라가 그녀가 쓰고 있는 걸 보려고 했다. 편지 쓰기에 집중하는 것은 거의 불가능했다. 곧, 그녀의 아이 한 명이 그녀의 작업장 중 하나에 들어가 그녀의 모든 파일을 쏟았다. 그녀는 아이들을 꾸짖느라 타자 치는 것을 멈추고 파일을 분류하기 시작했다. 아이들은 자기 방으로 돌아갔고 아가타는 평화를 얻을 수 있었다. 그녀는 계속해서 글을 썼다.

편지를 다 쓰자마자, 아가타는 호텔로 걸어가서 존이 볼 수 있도록 우편함에 편지를 넣었다. 다른 사람들이 그녀의 편지를 안전히 배송하는 것을 믿을 수 없어서, 직접 배송했다. 그녀는 집으로 걸어가서 잠자리에 들었다. 그러고 나서 그녀는 "정말 피곤한 하루네. 출근했다가, 귀가했다가, 인간 세상에 갔다가, 그리고 다시 집으로 돌아왔네. 곧 잠이 들 것 같다!"라고 생각했다. 정말 그녀는 곧 잠이 들었다.

하지만 얼마 지나지 않아 잠에서 깨어났다. 왜냐하면, 아이들이 악몽을 꾸고 깨어났기 때문이다. 그녀는 세 명 모두가 동시에 악몽을 꾸는 것이 이상하다고 생각했지만, 그것이 꽤 가능한 일이라고 생각하고 그녀의 아이들을 침대로 돌려보냈다. 이제 그녀는 정신이 번쩍 들어 다시 잠을 잘 수 없었다.

한편, 호텔에서 웬디가 설거지하고 있었을 때, 갑자기 그녀의 아이들이 그녀에게 다가왔다. 타블로는 무엇인가를 말하려고 했지만, 알렉스는 타블로가 무언가를 말하는 것을 막았다. 웬디에게는, 그들이 싸우는 것이 분명해 보였고, 그녀는 그들을 멈출 필요가 있었다. 웬디는 아이들에게 무엇이 문제냐고 물었지만, 알렉스는 타블로를 발코니로 끌어내며 도망갔다.

알렉스는 타블로에게 "조용히 해! 내가 엄마한테 말하지 말라고 했잖아!"라고 윽박질렀다. 하지만 타블로는 "엄마한테 그것에 대해 말해주고 싶어! 우리는 말할 필요가 있어, 우물쭈물하다가는 너무 늦을 거야!"라고 대꾸했다. 그러자 알렉스는 "시간을 벌다가, 다음 주에 엄마한테 말하자"라고 제안했다. 그들은 동의했고 발코니에서 나오자마자 장난감 문제로 싸우는 척했다. 웬디는 그들을 떨어뜨리고 그들의 장난감을 가져갔다. 그러고 나서, 다른 아이들이 방에서 나와서 무엇이 문제냐고 물었지만, 웬디는 너무 피곤해서 아이들에게 대답할 수가 없었다. 그녀는 헉하고 숨을 내쉬며 의자에 털썩 주저앉았다.

그때, 알렉스는 발코니에 앉아 창문을 통해 안을 들여다보고 있었다. 그는 타블로가 어디에 있는지를 찾으려고 하고 있었다. 사실, 타블로가 엘리베이터 근처의 복도 끝에 있었기 때문에 알렉스는 그를 발견할 수 없었다. 엄마는 그들을 분리했다. 알렉스는 타블로가 어디에 있는지 전혀 알지 못했지만, 지금 당장 타블로와 이야기해야 할 필요가 있었다. 그는 발코니로 몰래 빠져나와 타블로를 찾을까 생각했지만, 그렇게 하다가 또 문제가 생길까 봐 두려워서 알렉스는 엄마에게 가서 그가 사과할 준비가 되었다고 말하기로 했다.

알렉스는 문을 열었고, 엄마에게 곧장 다가갔다. 사과할 준비가 되었다고 말했고, 웬디는 타블로를 방으로 데려와 둘 다 사과하라고 말했다. 알렉스와 타블로는 서로 사과했고, 웬디는 그들에게 이제 놀러 가도 된다고 말했다. 두 소년은 모두 그 방에서 도망쳐 나와서 기뻐했다.

그러고 나서, 그들은 발코니에 있는 그들의 모든 형제자매를 불렀다. 모두 그들에게 달려갔고, 무슨 일이 일어났는지 물었다. 알렉스와 타블로는 그들을 발코니로 불러냈고, 그들에게 시간이 다시 왔다고 말했다. 곧 반대편에 있는 아이들이 뛰쳐나갔다. 그들은 언어를 연습하는 등 평소에 하던 것을 했고, 매우 잘했다. 큰아이들은 몇 주 전에 그들에게 무언가를 말해주었고, 그들은 새로운 계획을 세우고 있었다. 인간 아이들은 여우 아이들에게 첫 번째 계획이 완성되었다고 말했다. 여우 아이들은 모두 고개를 끄덕였고, "자, 이제 우리의 다음 계획을 실행하자!"라고 말했다.

갈등의 극대화

12. 갈등의 극대화

"듣고 싶지 않아." 벤이 의자에서 일어나며 말했다. "그렇지만 다 사실인데! 뭔가를 해야 해!" "뭐에 대해서?" "무서운 일이 벌어지고 있어. 난 그것을 볼 수 있어. "존이 말했다. "무서운 일이 벌어지고 있다 해도… 뭐 어쩔 건데? 나는 우리가 론을 제지하는 중이라고 생각했어. 그가 촉발한 일들은 멈춰. 지금 우리를 봐? 다른 모든 생명체가 어려움에 부닥쳤는데, 그저 우리의 목숨을 구하기 위해 도망치자는 건가? 우리는 이미 아무도 구할 수 없었어. 모두를. 우리가 존을 더 빨리 막지 못했기 때문에 생명체들이 죽어 나가고 있다고! 네가 하는 것은 회피일 뿐이야!"

존은 벤의 눈을 가만히 응시했다. "그래도 도망치는 건 아니야. 한 걸음 뒤로 물러나고, 다른 방향으로 한 걸음 더 나아가고 있어." 벤은 비웃었다. "너 미쳤어." 벤은 존을 힐끗 쳐다보며 다시 비웃고 나서, "그래서? 난 질렸어. 나는 그저 내 자신인 편이 낫겠어. 그렇지 않나?"라고 말했다. "하지만… 우리는 너무 가까워! 저 아이들이 말하는 것을 보았고, 누군가가 우리를 공격하는 걸 보았고, 그 아이들이 나를 보고 미소 짓는 것을 보고 우리가 해야 할 일은 퍼즐 조각을 맞추는 것뿐이라는 것을 깨달았어. 모든 것이 완벽하게 맞지만, 나 혼자서는 아무것도 할 수 없어." "너는 모든 것에 내가 필요해. 내가 너를 영원히 돌봐야 해? 내 말은, 너는 독립할 필요가 있어."

그날 밤, 두 사람은 아무 말도 하지 않았다. 그들은 눈길조차 돌리지 않았다. 방에 다른 사람이 있다는 사실을 그냥 무시했다. 존은 일찍 잠자리에 들었다.

전쟁은 최악으로 치달았다. 여우 개체 수가 많아지고 무기가 끊임없이 공급된다는 사실은 분명 유리한 점이었지만, 인간은 무기를 더 잘 운용하는 방법, 즉 더 효율적인 방법을 알고 있었다. 사실을 말하자면, 전쟁이 곧 끝날 것 같지는 않았다. 사람들은 전쟁에 싫증이 났을지 모르지만, 그렇다고 정말 전쟁을 멈출 이유는 없었다.

존은 호텔 문밖으로 나와 우체통으로 걸어갔다. 그는 여우나 아가타에게서 온 편지가 있는지 매일 확인하고 있었다. 우체통은 항상 비어 있었기 때문에 상자 안에 봉투가 들어있는 것을 보고는 깜짝 놀랐다. 존은 그것을 집어 들고 코트 주머니 안으로 슬며시 넣은 다음, 누가 그에게 편지를 주었는지 알아내기 위해 필사적으로 호텔로 다시 달려갔다. 방에 들어서자마자, 그는 눈물을 흘리며 봉투를 열고 욕실로 걸어 들어갔다. 그가 불을 켰을 때, 그는 매우 친숙한 서명을 보았다. 아가타였다.

편지에 적혀 있는 내용이 모든 것을 설명해주었다. 아가타 역시 마법을 사용하거나 전화를 걸거나 연락이 되지 않았다. 뭔가가 그들을 막고 있었다. 존은 그 '뭔가'가 론이라고 확신했다. 그는 그들이 우편으로도 의사소통하리라는 것을 예상하지 못했을 뿐이다. 론은 존이 자는 동안 존에게 이미지를 전송했는데, 하마터면 아가타가 갇혀있었다고 속을 뻔했다. 그는 모든 것을 알게 되어 기뻤지만, 그 후에 훨씬 더 중요한 것을 깨달았다. 이것은 론을 막는 데 아무런 도움이 되지 않았다. 물론, 존은 자신에게 계획이 있다고 말했지만, 그것은 벤을 설득하기 위한 것이었을 뿐이다. 론은 존에게 그것들에 대해 알게 되더라도 상관없는 것들만 영리하게 보여주었다.

존은 잠을 잘 수가 없었다. 그가 아는 모든 것은 론이 자신을 지우고 혼란스럽게 하려고 자신의 능력을 사용하고 있다는 것뿐이다. 론이 호텔 주변에서 하는 전화를 감청할 수 있다면…! 하지만 그때 그는 더 좋은 생각을 하게 되었다. 그는 아가타에게 편지를 썼다.

호텔로 걸어가는 동안 론은 숲의 절반을 덮고 있는 안개 사이로 겨우 앞을 볼 수 있었다. 그는 희미한 건물의 윤곽이 보일 때까지 희뿌연 공기를 뚫고 나아갔다. 거기서 그는 망토를 벗어 던지고 코트 아래로 집어넣었다. 론은 계단을 올라가면서 자신이 가장 좋아하는 노래의 한 곡을 휘파람으로 불면서 비어 있는 홀밖에 없는 문으로 들어갔다.

502호는 화장실에서 나오는 옅은 빛을 제외하고는 어두웠다. 론은 싱긋 웃는 얼굴을 한 다음 침대로 다가가서 보라색 공을 만들려고 했다. 언제나처럼 거의 보이지 않았지만, 존의 머릿속에 무미건조한 이미지를 심어줄 수 있었다. 론은 존의 인간 뇌가 여우의 뇌보다 더 쉽게 뚫릴 수 있다는 것을 알았다. 존이 깨어났을 때 론은 집중해서 숲의 모습을 존의 머리에 투사했다. 론은 재빨리 침대 밑으로 몸을 피해서 보라색 빛이 사라졌다. 존은 고개를 한쪽으로 갸우뚱한 다음 방을 둘러보았다. 존은 침대에서 일어나 방을 둘러보기 시작했다.

존은 침대 밑에서 튀어나오는 멋지고 광택이 나는 신발을 보고 몸이 얼어붙었다. 무엇이 더 드러날지 몰라서 겁에 질려 떨리는 손으로 긴 이불을 들어 올렸다. 존은 론이 더 가까이 다가가는 것을 지켜보았다. "비켜!" 존은 누군가 그의 말을 듣기를 바라며 소리를 질렀다. 호텔은 조용했다. 존은 벤을 흔들어 깨웠지만, 벤은 잠들어 있었다. 존은 론이 금방이라도 그를 깨울 거라고 확신했지만 론은 그냥 웃었다.

"그러니까 너는 내가 다른 사람들이 모두 깨어있게 할 만큼 어리석다고 생각했구나?" "당신이 모두에게 최면을 걸었군요. 그래서 아무도 일어나지 않는 거네요." "응" 론의 얼굴에 미소가 퍼졌다. "했지! 응, 힘든 일이었어… 이 층 전체를 돌아다니는데, 일주일이 걸렸어." "왜 지금 저한테 아무것도 안 하는 거죠? 날 잡으려고 기다렸던 거죠?"

론은 "널 잡는 데 필사적이었지만, 널 잠시 살려두는 게 더 현명할 것이라고 결정했다. 알다시피, 나는 너무 어리석었다. 너 때문에 전쟁이 계속되고 있고, 나는 지금 전쟁을 멈추고 싶지 않다. 너도 알다시피, 생명체들은 너를 찾으려고 노력해왔다. 나는 너의 얼굴을 잊히게 하려고 몇 명한테 최면을 걸었는데, 이럴 땐 네가 그렇게 흔한 이름을 가진 것이 편리하지." 존이 한발 물러섰다.

론은 존의 짙은 갈색 눈을 들여다보고는, 그의 뒤에 있는 문을 닫았다. 존은 겁에 질려 있었고, 무엇을 해야 할지 몰랐다. 론은 단지 존을 희롱하고 있을 뿐이었다. 존은 전쟁이라는 활활 타오르는 불꽃은 존을 계속 연료로 사용하고 있다는 것을 알고 있었다. 존은 도망치고 싶었다. 하지만 어디로 갈 수 있지? 인간 세상은 그에게 등을 돌렸고, 끊임없는 위험이 그에게 닥쳤다. 여우들은 두려워했고, 그들은 존을 괴물로 생각했다. 절대 만들어지지 말았어야 하는 무언가. 존은 발코니로 갔지만, 이번에는 그가 더 혼자가 아니라는 것을 깨달았다.

"야!" 목소리가 "또 우리 염탐하는구나!"라고 말했다. 존은 주위를 둘러보았고, 그의 위에 있는 작고 통통한 얼굴 몇 개를 보았다. 불과 며칠 전에 보았던 아이들이 다시 여기에 있었다. 하지만 그들은 단순한 아이들이 아니었다. 존은 그들을 보는 것이 두 번째가 아니라는 것을 깨달았다. 그들은 그들만의 언어를 창조한 아이들이었다. '이것이 그 문제를 해결하는 열쇠일지도 몰라.' 존은 생각했다. 의사소통! 정말 멋진 일이었다! 망설임 없이, 존은 올라가서 "대화 좀 할래?"라고 물었다. 아이들은 쳐다보기만 했다.

"너희는 최면에서 벗어났네. 어떻게? 너희는 정말 어리잖아…." "우리가 해냈어. 알다시피, 우리에게는 그렇게 복잡하지 않아." 그리고 나서 존의 눈은 무너져가는 벽으로 달려갔고, 그들은 자신을 흥미롭게 바라보는 어린 여우들을 발견했지만, 그들 역시 약간 겁에 질린 것처럼 보였다. 존도 그들에게 말을 걸었고, 그들은 인간들과 똑같은 대답을 했다. 존은 그들이 침실에서 몰래 도망쳐 나온 것에 놀랐지만, 이 여우들은 불가능한 일들을 많이 해냈다. 이제 존은 이 어린 생명체들이 무엇을 할 수 있는지 알았기 때문에, 그들에게 협력할 필요가 있었다. 하지만 그가 그들에게 무엇을 말할까? 그리고 어떻게? 존은 무슨 말을 해야 할지 몰랐다.

다행히도, 존이 말을 꺼내기 전에, 그 어린아이들은 "우리가 도와줄게, 하지만 잠깐만 시간을 줘. 다음 주쯤? 우리의 도움이 필요하다면 뭐든지 부탁해."라고 말했습니다. "정말?" 존은 아이들이 자신을 그들의 도움이 절실한 사람으로 본다는 생각에 약간 불안하기도 했지만, 혼자서는 쉽지 않을 것이었다. 존은 아이들을 바라보며 "언제까지 얘기할 수 있을까?"라고 말했습니다. "지루한 어른들이 일어날 때까지. 그때까지, 우리는 안전해." "알겠어." 존이 말했다. "너희의 언어를 나에게 가르쳐 줘."

아이들은 어안이 벙벙한 표정이었다. "왜 우리말을 배우려고 해? 이건 그저 친구들과 이야기하기 위해 지어낸 것일 뿐인데." 그들은 서로를 바라보며 말했다. "응, 바로 그거야!!! 암호로 사용될 수도 있고, 목적도 좋네!! 나도 배우고 싶어." 아이들은 잠시 망설이다가, "알겠어요." 아이들은 존에게 자신들이 만든 작은 글자들을 보여주었다.

한편, 론은 호텔로 걸어 들어가고 있었다. 그는 한동안 자신의 프로그램을 확인하지 않았고, 그 이후로 어떤 진전이 있었는지 궁금했다. 그가 옷을 갈아입고 호텔의 여우 쪽에 발을 들였을 때, 그는 직원들이 호텔의 주인들을 다락방에 가두고 허둥지둥 돌아다니는 것을 보았다. 론은 매우 기뻐했고, 그날 직접 프로그램을 보기로 했다. 그는 실제로 어떤 진정한 진전을 이루고 싶었다.

론이 다락방으로 성큼성큼 들어갔을 때, 그는 그가 다른 사람들보다 먼저 도착한 것을 보았다. 그 방은 비어 있었고, 매우 휑했다. 론은 내부를 신경 쓰지 않았다. 그의 생각에, 이는 사람들이 '올바른 사고방식'으로 들어갈 수 있도록 도와주었다. 그는 주위를 둘러보았고, 그 방에 아무것도 없다는 것을 알았다. 그는 책을 좀 만들어야 한다고 생각했고, 발견된 이후 내내 호텔을 차지하고 있던 오래된 찬장 안으로 들어갔다. 그것은 그 방에 있는 유일한 가구였고, 따라서 숨을 수 있는 유일한 것이었다. 론은 거대한 이중문을 통해 들어오는 모든 인간을 보았고, 녹음을 시작하기 위해 그의 전화기를 꺼냈다.

존은 하품하며 난간을 내려 방으로 돌아갔다. 그는 해가 뜨는 것을 보았고, 역겨웠다. 불그스름한 하늘은 그에게 피를 연상시켰다. 피는 그에게 전쟁을 상기시켰다. 죽어가는 사람들을. 그가 하지 못한 것들. 존은 그가 조처해야 한다는 것을 알았고, 그는 어떤 것이든 준비하고 싶어 했다. 그러나 그는 발코니에 서서 벤이 한밤중에 몰래 빠져나온 이유에 대한 설명을 요구하는 것을 볼 준비가 되어 있지 않았다.

"누구를 만났어?" 벤이 물었다. "네가 관심 있을 사람은 아무도 만나지 않았어. 나는 싸우고 싶지 않아." 존은 방어적으로 말했다. "사실, 나도 관심이 있어. 그 아이들에 대한 쓸모없는 이론을 증명하기 위해 위층으로 올라갔어?" "쓸데없는 게 아니야. 사실이야. 그리고 너도 아이면서!" "말도 안 돼! 너는 아이들이 존재한다는 것조차 증명하지 못했지만, 매번 그 말을 하네. 그리고 네가 무엇을 하려고 하는지 충분히 알고 있으니까, 너의 바보 같은 속임수를 내가 이해할 수 없다고 생각하진 마. 너는 내가 알고 싶지 않은 어떤 활동을 하기 위해 이러거나, 제정신이 아닌 거지." 존은 계속해서 쏘아붙이는 것에 대해 벤에게 화를 내기 시작했고, 그래서 그는 벤이 너무 화가 나서 따라오기를 바라며 방으로 들어갔다.

한편, 인간의 아이들은 그들이 어젯밤에 존과 맺었던 이상한 관계에 대해 어떻게 해야 할지를 논의하고 있었다. 그들은 이미 그에게 거의 모든 것을 말했지만, 타블로는 어른과 관계를 맺는 것에 대해 기뻐하지 않았다. "우리가 이 일을 시작했을 때, 우리는 어른들이 이 일에 적합하지 않다고 말했어. 그런데, 이제 우리는 그가 누군지도 모르는 상황에서 이 남자를 그냥 들여보내고 있네?"

한편, 아가타는 혼란스러웠다. 이해가 되는 게 없었다. 성안에서 일어난 이상한 일들은 그저 우연의 일치라고 하기엔, 아니면 약간의 웅얼거림이라고 하기엔 무리였지만, 아가타는 책에서 몇 시간 동안 고군분투하고 연구한 끝에도 무슨 일이 일어나고 있는지 알지 못했다. 그녀는 일어난 기이한 사건과 이상한 단어 외에 왜 이런 일이 마음에 박혔는지 알 수가 없었다. '식물을 심었다'는 이상한 단어였고, 그녀가 알고 있는 것 이상의 의미가 있어야 했다. 그녀는 도움이 필요하다고 판단하고, 존에게 편지를 쓰기 위해 나무에서 잎사귀를 떼어냈다. 그녀는 그만큼 절박했다. 존에게 의지할 수 있을 만큼 절박했다. 이 일은 '식물을 심었다'고 관련이 있었다. 그래야 했다. 그 말은 너무나 의심스러웠다. 그 말이 여우의 왕이 아니었다는 것처럼 이상하지는 않았을 것이다.

존은 우편함에 접근하면서 주위를 둘러보며 거리로 걸어갔다. 편지가 한 통도 없었는지 이틀에 한 번씩 확인하고 있었다. 존은 봉투 쪼가리 하나도 볼 수 없어서, 더는 편지를 기대하지 않았고, 나뭇잎 하나라도 있으라는 기대는 더더욱 못했다. 그래서 아가타의 서명이 적힌 나뭇잎을 보고는 굉장히 충격을 받았다. 벤이 여전히 화가 많이 난 상태여서, 존은 호텔 안으로 들어갈 생각은 전혀 없었기 때문에, 그는 어떻게 해야 할지 몰랐다. 어딘가 개인적인 곳이 최선일 것으로 판단하고, 위험할 정도로 전쟁 지역과 가까운 숲으로 가는 자신을 발견했다.

그가 자신의 편지를 펼치기 위해 숲 입구에 있는 둑 근처에 자리를 잡았을 때, 그는 개울에서 총알이 흘러내리는 것을 발견했다. '병사들이 가까이 있을 거야.' 그는 개울을 건너는 다리 아래의 특히 그늘진 구석에 자리를 잡으면서 생각했다.

그 편지는 다음과 같았다.

*

친애하는 존,

내가 지금 막 쓰려고 하는 글은 반역으로 비칠 수 있으니, 아무도 보지 못하게 제발 혼자 읽어 보고, 다 읽은 후에는 찢어 버리길. 먼저 좋은 소식을 전해줄게. 왕은 나아졌고, 제가 가장 싫어하는 신하 중 한 명인 마빈의 도움으로 서서히 회복되고 있어. 정말로 이상해 보이는 것은, 마빈이 왕을 어떻게 치유했는지 아무도 모른다는 점이야. 내 생각에는, 그가 여우 동상을 어떻게 활성화한 것 같은데, 더는 작동하지 않아. 그런데, 치료 후에, 그가 한동안 이상한 말을 중얼거렸는데, 대부분 이치에 맞지 않는 말이어서 부작용일 가능성이 크지. 그런데 나는 거기서 꽤 특이한 단어를 발견했는데, (이게 바로 나쁜 소식이지) 무슨 뜻인지 모르겠어. 그는 '이식됨'이라고 평소와 다른 목소리로 말했는데, 정말 가냘프고 띄엄띄엄한 말투였어.

*

존은 혼란스러워했다. 왕이 왜 그랬을까? 그 말에 정말 의미가 있었을까, 아니면 그저 치료의 부작용일까. 존은 시간이 나면 그 말을 들여다보기로 마음먹고, 자기가 그 편지를 파괴해야 한다는 사실을 잊은 채, 셔츠 주머니에 슬쩍 넣었다. 결국, 그는 마음에 두고 있는 게 많았다. 여우들에 대해 의심할 만한 것은 아무것도 없었고, 아가타에게서 나온 것들은 신비롭지만, 이해할 수 없었고, 아이들의 생각을 어떻게 해결책으로 승화시킬 수 있는지 몰랐다. 아무것도 도움 되지 않았다.

존은 산책하는 것이 집중력에 도움이 되리라 판단하고는 숲에서 벗어나서 마을로 돌아왔다. 벤과 지금은 관계가 좋지 않아 호텔에 가기 싫었다. 안개가 자욱한 거리를 헤매는데, 멀리서 총소리가 들렸다. 존은 호텔 중앙홀에 있는 텔레비전을 생각했다. 그리고 전쟁터 근처로 향하면서 풍경이 TV에서 보던 디스토피아 영화에 나오는 도시 같다고 생각했다.

벤은 자신의 물건들을 들어서 문 가까이에 놓았다. 존과의 말다툼은 무의미해서 이제는 참을 수가 없었다. 벤은 만약 그들이 다시 이렇게 싸우면 이곳을 떠나 새로운 집을 짓기로 했다. 그는 조금은 슬픔을 느꼈지만, 그것은 희미해졌다. 결국, 이것이 그의 원래 계획이었고, 그들이 또 큰 말다툼을 시작하지 않았다면 떠날 필요가 없을 것이다. '이건 내 잘못이 아니야.' 그는 존이 돌아오기를 기다리면서 자신을 안심시켰다.

"왕명이다!" 한 전령이 여우 진영을 향해 터벅터벅 걸어갔다. "또?" 한 병사가 앞발을 칠하면서 중얼거렸다. 그러고 나서 전령은 새로운 정책을 발표하기 위해, 비상벨 소리와 함께 모든 병사를 모았다. "하루에 5명 미만의 적을 처치하지 못하는 사람은 누구나 그 진영에서 내보내질 것이다." 일부 병사들은 그 결정에 화가 났다. 그들은 "내보낸다고요?" "우리는 굶게 될 거야!" "침묵!" 전령이 말했다. "동기유발이 된다면 도움이 될 것이다." 여우 병사들은 해산했다.

존은 그가 방금 들은 말을 믿을 수가 없었다. 정말로? 아가타의 말이 옳았다. 뭔가가 잘못되었다. 사람들의 머리에 그런 것들을 심는 것… 심는 것? 이식됨? 그것이 아가타가 지적한 말이었다. 그러니까, 어떤 사람이 왕의 머리에 정보를 심었다. 그를 최면 상태에 빠뜨려라. 그것은 마치 나무처럼 폭력적으로 뿌리를 펼치고 있었다. 생명 나무처럼 말이다. 그때 존은 왕이 통제되고 있다는 것을 깨달았다.

론에 의해서.

이 모든 것은 이치에 맞다. 론은 나무 옆에 인간을 창조했고, 그것을 자랑스러워했다. 그가 싸우도록 장려하고 싶다면 여우를 통제해야 했을 것이다. 론은 아마도 여우를 싫어했을 것이고, 그래서 정부를 장악하는 것이 중요하다는 것을 깨달았을 것이다. 그리고 론은 사람들에게 최면을 거는 데 뛰어났고, 존은 이미 그것을 보았다. 하지만 이것은 또한 그를 절망하게 했다. 론은 이미 이만큼 앞섰고, 존은 아마도 론이 계획의 절반도 알지 못할 것이다. 의사소통이 그 어느 때보다 필요했다.

존은 매우 불안해하며 호텔로 돌아왔다. 벤이 그렇게 화를 내지 않았더라면 존에게 무슨 사실을 알았는지 물어봤을 텐데, 지금 당장은 존에게 방을 나가라는 말 외에 다른 것을 물어볼 기분이 들지 않았다. 벤은 아무도 없는 척만 했을 뿐이다. "얘기 좀 해." 존의 목소리가 방안을 울려 퍼졌다. "저리 가." 벤은 무슨 일이 있었는지 존에게 묻고 싶은 유혹을 뿌리치며 말했다. "하지만 난 알아낸 게 있어! 그러니까-" 벤의 짜증 섞인 목소리에 존의 말문이 막혔다. "반복하게 하지 마! 저리 가!" "안돼, 그 아이들을 다시 보러 가야 하니까. 지금 당장."

"우린 끝이야." 벤이 물건을 손을 뻗으며 존을 바라보며 말했다. "잘 있어."

그리고 벤은 호텔을 떠났다.

존은 방금 벤이 나간 문을 멍하니 바라보다가 침대 위에 쓰러졌다. 몸이 떨려 왔다. 침착하려고 노력했지만 그럴 수가 없었다. 어쩌면 두 사람은 다시는 못 만날지도 모른다. 왜 그렇게 바보같이 굴었을까? 아이들 보는 문제로 난리를 피우지 말았어야 했다… 혼자서 아이들을 만나러 갈 수도 있었다. 존은 살짝 흐느끼며, 벤을 다시 볼 수 있다는 희망으로 핸드폰을 움켜쥐었다. 하지만 그 옆에서 벤의 핸드폰을 봤다. 벤은 이렇게 단호한 모습을 보였다.

다음 날, 존은 벤의 학교를 방문했고, 문밖으로 쏟아져 나오는 십 대들을 보았다. 수백 명이 하교 중이었다. 그리고 그들 중, 벤은 거기에 없었다. 존은 절망으로 가득 찬 채, 호텔로 돌아갔다. 모든 것이 끝났다. 그는 혼자였고, 아무도 더 그와 함께 서 있지 않았다. 실제로 어떤 상황인지 알고 있는데, 왜 이런 일이 일어나야 했을까? 왜 그는 벤에게 아이들에 대해 언급했을까? 존은 모든 것을 후회했다.

하지만 그때, 그는 무언가를 생각해냈다. 그는 이것을 혼자서 해야 했다. 그는 이것이 그를 끌어 내리도록 내버려 둘 수 없었다. 그는 무엇인가를 해야 했다. 존은 호텔로 걸어 돌아왔고, 급히 그의 방으로 들어갔고, 아이들을 찾기 위해 테라스를 타고 올라갔다.

"안녕"이라고 존이 인사했다. "안녕." 아이들이 대답했다. "너 우리 언어를 배웠구나. 그렇지?" "들어봐… 최근에 한가한 시간이 별로 없었고, 그리고…" "맞아. 그래서, 너는 연습을 하지 않았어. 변명의 여지가 없어. 자, 너는 아무것도 기억나지 않니?"라고 리더의 역할을 하는 것으로 보이는 한 여우가 말했다. 존은 주머니에서 공책을 꺼내, 아이들이 별로 좋아하지 않았지만, 새까맣게 연습한 흔적이 있는 페이지를 넘기며 필기 내용을 보여주었다. 그러나 존은 사실 말하기를 더 잘했기 때문에, 마치 그가 세 살배기인 것처럼 그를 가르쳤던 아이들과 함께 공부를 계속할 수 있었다.

그날 밤늦게, 존은 주머니에서 공책을 꺼내며 그의 방으로 돌아왔다. 그는 마지막 20페이지를 펼쳤다. 존은 앉아서 그 공책을 벤의 컴퓨터 옆에 있는 책상 위에 놓았다. 벤의 컴퓨터. 그것은 벤이 전화기 옆에 두고 온 유일한 것이었다. 존의 눈이 잠시 벤의 컴퓨터를 응시하다가, 이번에는 전화기를 보았다. 그것은 잠겨 있었다. 벤은 언제부터 전화기에 비밀번호를 달았을까? 벤은 분명히 존이 전화기를 들여다보기를 원하지 않았다. '필요한 일에 집중하세요'라고 그의 머릿속에서 한목소리가 말했다. 그는 그저 의자에 구겨졌다.

론은 의자에 앉아서 물을 한 모금 마셨다. 그는 한 달 동안 더 여우 왕국을 확인할 필요가 없었다. 한 달 내내 말이다. 왕은 최면 상태가 아주 좋았고, 심지어 론이 여우들에게 그들의 왕이 치료되었다고 믿게끔 만들었을 때보다 더 좋았다. 여우들은 그렇게 많은 것을 알지 못했다. 그러나 론은 알고 있었고 다른 사람들은 알지 못했을 것이다. 론은 웃고 만족하며 일어섰고, 그러고 나서 그의 사무실을 나와 전쟁터로 갔다.

그날 저녁, 아가타는 존에게서 왕의 이상한 행동에 관한 존의 이론을 알려주는 잎사귀를 받았다. 그녀는 방금 본 내용을 부정하고 싶어 필사적으로 그것을 몇 번이고 읽었다. 그동안의 일들은 끔찍했지만, 아가타는 론이 정부를 습격할 수도 있었을 거라고는 상상도 하지 못했다. 그는 어떻게 통제를 할 수 있었을까?

어찌 보면 일리가 있는 말이었지만, 최면술사인 론? 론이 성에 잠입할 가능성은 거의 없어 보였고, 더군다나 왕에게 최면을 걸 가능성은 더더욱 없어 보였다. 사람들을 통제하기 위해서는 자주 최면을 걸어야 한다. 론이 어떻게 그럴 수 있었을까? 존의 이론은 전혀 말이 되지 않았고, 왕을 통제하는 것은 불가능할 것이다.

그때, 아가타의 머릿속에 하나의 생각이 떠올랐다. 그 반대였다면 어땠을까? 존은 누군가를 비난하고 싶은 마음이 절실하지 않은 이상, 왕을 비난할 필요가 없었을 것이다. 하지만 론이라면 그렇게 했을 것이다. 아마도 빙의된 사람이 바로 존이었을지 모른다. 그래, 이건 진실이어야 해. 그렇지 않다면 존은 론이 최면술사라는 걸 어떻게 알아낼 수 있었겠어? 그렇지 않고서야 어떻게 존을 가장 증오하는 남자인 벤과 함께 일할 수 있었을까? 그것도 모르고 자신은 기꺼이 자신의 비밀을 존과 공유해왔다…. 아가타는 자신이 쓰고 있던 막대기를 떨어뜨리고 전율했다. 그녀는 진작에 깨달았어야 했다.

그녀는 존의 잎사귀를 땅에 던져 버리고는, 마치 괴물이라도 본 것처럼 그것으로부터 물러났다. 그녀가 존이 누구인지 알고 난 후, 그녀는 잎사귀를 만질 수도, 심지어 그것에 가까이 갈 수도 없었다. 왕이 어떻게 생각할까? 그 많은 시간이 지나고 나서, 인간은 마침내 세상에 위협이 되었다.

그렇다, 그녀는 그날이 오리라는 걸 알았고, 존은 소속되지 않을 것을 알았고, 여우도 아니고 인간도 아닌 생명체로서, 존은 위험하리라는 것을 알고 있었다. 하지만 그녀는 그를 보호하려고 노력해왔다. 그리고 이제는 이 사달이 났다. 존은 결국 적이었다. 아가타는 먼저 왕에게 편지를 썼고, 그다음에 존에게 편지를 썼다. '나는 네 정체를 알아.' 그 한 줄이 아가타가 가까스로 쓸 수 있었던 전부였다.

새로운 힘의 발견

13. 새로운 힘의 발견

지나치게 열정적인 유아들이 2주간의 밤샘 수업을 한 후, 존은 그들의 언어를 훌륭하게 말하고 쓸 수 있게 되었지만, 일부는 존이 어눌한 억양을 가지고 있다고 생각했다. 여느 날과 마찬가지로, 존은 해가 떠오르는 것을 보고 나서 자신의 방으로 다시 내려왔다. 존은 이제 꽤 자신감이 생겼고, 그 언어를 사용할 계획이었다. 그는 컴퓨터 앞에 앉아서, 자신의 프로젝트에도 이 언어를 사용할 수 있는지를 보았다. 그는 자신의 계획을 기록하고 싶었는데, 더 비밀스러운 방식으로 해야 했다.

그가 컴퓨터를 켰을 때, 사소한 오류가 발생했다. 존은 메모하기 위해 파일로 들어갔고, 이상한 것을 발견했다. 그것은 '심기'라는 라벨이 붙어 있었다. 그 옆에 있는 파일에는 뿌리가, 다음에는 잎이, 그리고 큰 나무가 적혀 있었다. 이름이 알려지지 않은 파일도 하나 있었다. 존은 이 것이 아가타의 말과 왕이 통제되고 있는 것과 관련이 있다고 생각했고, 첫 번째 파일을 클릭했다. 심어졌다. 왕이 중얼거린 것과 같은 말이었다. 아가타가 말하려던 한 가지였다. 하지만 벤은 어떻게 이것을 알고 기록했을까? 그 밖에 또 무엇을 알았을까? 큰 나무는 무엇이었을까?

심는 시간은 짧았다. '일곱 번째 심기'라고 쓰여 있었다. 큰 나무의 첫 걸음이 완성되었다. 모두 통제되고 있고, 규제 센터는 잘 작동하고 있다. 전투가 시작되었고, '오점'은 의심하지 않았다. 존은 이것을 보고 혼란스러웠다. 뭔가가 통제되고 있었고, 규제 센터라는 곳이 있었고, 론이 전투를 촉발했던 것 같다. 누군가는 '오점'이었다. 아마 그건 자신일 거라고, 존은 생각했다.

존은 다음 파일로 넘어갔다. '뿌리' 177-4530-5641. 그게 전부였다. 무슨 뜻이었을까? 그는 전화기를 보았다. 이것은 무슨 일을 위한 전화번호였다. 존은 떠나려고 했다. 구원의 섬, 5월 31일 오전 9시. 이건 분명했다. 구원의 섬은 어떤 장소였다. 5월 31일은 2주 앞으로 다가왔다. 거기서 무슨 일이 일어나고 있었다. 그때, 존은 자신이 대나무 프로젝트를 읽어야 한다는 걸 알아차렸다. 존은 그것을 열었다.

파일은 다음과 같았다:

도와주세요!!!!!!!!!!!!!!!!

존은 화면을 멍하니 쳐다보다가, 누군가가 실제로 도와달라고 비명을 지르고 있다는 걸 깨달았다. 위층에서, 누군가 곤경에 처해 있었다.

존은 발코니 난간을 타고 올라가 문을 열어 방으로 들어갔다. 그곳은 비어 있었다. 존은 복도를 질주해서 문을 활짝 열었다. 아무도 없었다. 존은 계단을 뛰어내려 1층으로 내려갔다. 존은 곤경에 처한 사람을 발견하지 못했다. 존은 다시 자기 방으로 올라가서 발코니 밖을 내다보았다. 갈색 코트를 입은 누군가가 사람과 여우 몇 마리와 함께 도망치고 있었다. 존은 헐떡이며 론을 쫓기 위해 문으로 다시 뛰었지만, 론은 숲속으로 사라진 뒤였다.

존은 떨고 있었지만, 전화기를 들어 벤의 컴퓨터에서 보았던 번호를 눌렀다. 익숙한 목소리가 들렸다. "여보세요." "벤!" 존이 말했지만, 벤은 대답하지 않았다. 그것은 녹음이었다. "시간이 많지 않지만, 내가 할 수 있는 대로 당신에게 말할 것이다. 론은 최면술사이다. 당신이 그의 속임

수에 속지 않는 것 같아서 그는 화가 났다. 하지만 나는 최면에 걸렸고, 호텔을 탈출해야 했다. 하지만 몇 가지를 말하고 싶었다. 론은 궁정 중 한 명인 척하며 왕에게 최면을 걸었다. 그는 이번에 왕이 정말로 최면에 잘 걸려서 만족한 것 같지만, 론이 실수로 왕에게 빙의했기 때문에, 왕이 론의 말을 할지도 모른다. 대나무 프로젝트는 생명 나무와 그 씨앗을 사용하여 인간 창조물과 모든 생명체를 인간으로 바꾸는 프로젝트의 암호명이다. 그는 나무가 호텔에 있는 몇몇 아이들에게 어떻게든 다가가서 론에 대한 일시적인 보호막을 제공하려고 한다는 걸 깨달았기 때문에, 언젠가는 아이들과 가족을 납치할 것이다. 언제 이 메시지를 발견할지 모르지만, 발견하면, 당신은 구원의 섬으로 가야 한다. 론은 전쟁을 촉발하고 지속하기 위해 그 힘을 사용하고 있다. 바이러스는 진짜 병이 아니다. 그것은 론이 사회를 조종하는 방법이다. 가벼운 증상을 가지고 있지만, 그것들은 론이 그것들을 통제하는 데 도움이 되는 효과가 있다. 나는 정보를…." 전화기에서 지직거리는 소리가 났고, "내면에서 얻었…" 벤은 기침했다. 녹음은 끝났다.

존은 충격을 받았어야 했지만, 받지 않았다. 론은 그보다 더 많이 알고 있었고, 더 많은 계획을 세우고 있었다. 존은 자신이 이 게임에서 이길 수 없다는 것을 알고 있었다. 벤은 왜 그렇게 그를 믿었을까? 그는 모든 이상한 힘과 유전을 가진 엉뚱한 사람이었다. 바로 그때 존의 머릿속에 무언가가 떠올랐다. 전 같으면 감히 엄두도 못 냈을 미친 생각이지만, 그는 지금 그것을 할 필요가 있었다.

존은 그의 물건들을 가져다가, 그의 오래된 자루에 넣었다. 그러고 나서, 그는 마지막 서류철을 열었다. 그것은 영어로 쓰인 것이 아니라, 아이들의 언어로 쓰여 있었다. "나의 진정한 목적을 찾아라"라고 쓰여 있었다.

벤과 아이들은 도움을 요청하고 있었고, 이것은 아이들의 언어로 되어 있었다. 존은 내면에서 답을 찾으리라 생각하고, 호텔의 반대편으로 달려갔다. 여우들에게 말이다.

그는 꼭대기 층으로 이어지는 계단을 뛰어 올라가 다락방 문을 열었다. 그는 여우들이 그를 쫓는 것을 보고, 방으로 뛰어 들어갔다. 몇몇 여우들이 그를 흥미롭게 쳐다보고 있었다. "넌 적이냐?" 그들 중 한 명이 말했다. "인간이네!" 다른 한 명이 대답했다. "우리는 적을 무찔러 해!" 존은 여우어로 다급히 말했다. "그만! 나…너는 여기서 나가야 해! 당장 나가야 해!"

모두가 멍하고 감정이 없는 것처럼 보였지만, 인위적일 정도로 불편해 보이는 분노를 표출했다. 존은 창문을 부수고 지붕으로 도망친 다음, 자루에 챙겨둔 망치를 꺼내어 최대한 힘껏 지붕을 부숴 버렸다. 그는 계단에 착지했다가 다시 위층으로 뛰어 올라갔다.

만약 존이 그 존재들을 무아지경에서 빼낼 수 없다면, 그는 최소한 모든 존재의 주의를 딴 데로 돌리게 할 만큼 충분히 소란을 피워야 할 것이다. 그는 문을 부수고 나서, 다시 지붕으로 뛰어갔다. 그는 호텔에 가능한 한 큰 피해를 주기 위해, 이것을 여러 번 반복했다. '여기는 호텔이 아니라 감옥이야.' 존은, 복도를 뛰어다니며 방마다 문을 쾅쾅 두드리면서, 누가 도망가는지 보겠다고 생각했다. "정말 미안해요!" 존은 깜짝 놀란 여우 몇 마리를 지나치면서 소리쳤다.

그는 호텔을 마지막으로 한번 본 다음, 숲으로 도망갔다. 왜냐하면, 그는 다시는 호텔에서 안전하지 않으리라는 것을 알았기 때문이다.

존은 갑자기 두려움을 느끼면서 돌아섰다. 숲은 그에게 안전하지 않았다. 만약 론이 이 전쟁을 통제하고 있다면, 전쟁터로 걸어 들어가는 것은 끔찍한 결정이었을 것이다. 그는 땅에 쓰러졌고, 떨기 시작했다. 그는 실제로 자신에게 관심 가져 줄 누군가를 원했다. 그를 도울 수 있는 누군가. "아가타!" 그가 갑자기 외쳤다. 그는 숲에서 뛰쳐나와 우체통으로 달려갔다. 그는 아가타의 편지를 가져가서, 마치 보물인 것처럼 숲의 가장자리로 그것을 옮겼다. 그는 편지를 열고 그것을 읽었다.

"나는 네가 누군지 알아." 존은 밝은 햇살에 반짝이고 있는 초록색 나뭇잎과 정성 들여 쓴 편지들을 바라보며 말했다. 그를 실제로 이해해주는 사람이 있었다. 누군가가 돕고 싶어 했다. 그는 혼자가 아니었다. 누군가가 신경을 썼다. "오, 아가타!" 그는 말했다. '제가 당신에게 바로 달려가지 않았다는 것을 믿을 수 없어요!' 존은 중얼거렸다. 그는 조심스럽게 나뭇잎을 걷어 주머니에 넣고는 숲 옆으로 여우 부족을 향해 걸어갔다. 아가타를 향해.

아가타는 황급히 성으로 달려갔다. 왕은 모든 신하를 성으로 불러들였고, 여우 부족의 모든 백성은 왕이 긴급성명을 듣기 위해 안뜰에 모였다. 아가타는 다른 신하들처럼 털을 푹신하게 단장하고, 딸기류와 나뭇잎을 목에 둘렀다. 그녀는 땅굴을 통해서 성안으로 걸어 들어갔다. 다른 사람들 대부분은 이미 거기에 있었고, 엄숙하게 서 있었다. 그들은 모두 같은 길을 향하고 있었고, 관문 역할을 하는 큰 구멍을 향하고 있었다. 아가타는 관문의 이끼를 만졌는데, 이는 건물의 창문을 덮고 있던, 인간 동물원의 커튼을 강하게 연상시켰다. 그녀가 그토록 아끼던 인간들이 여우들에게 등을 돌린 것이었다.

신하 중 한 명이 이끼 커튼을 걷자, 안뜰 가득 군중이 모습을 드러냈다. 왕은 몸을 떨며 커튼 앞의 높은 바위 위에 섰다. "오늘은 우리 역사에서 완전히 새로운 시대의 시작을 알리는 날입니다. 그것은 한 이야기의 끝이자, 다른 이야기의 시작입니다. 나는 우리의 낡은 규칙을 없애기로 했습니다. 인간들에 의해, 우리는 변화하고 새로운 결정을 내릴 수밖에 없었습니다. 그러므로, 나는 우리의 법을 확장하여 우리의 무기와 일상생활을 위해 불을 사용하기로 했습니다." 군중들은 숨을 멈췄고, 아가타는 몸을 떨기 시작했다.

왕은 그의 연설을 계속했다. "두 번째로, 나는 나와 함께 모든 정치적인 결정을 내릴 분대를 만들 것입니다. 나머지 신하들은 매일 거리를 순찰하고 우리 시민들을 감독하도록 독려받을 겁니다. 나는 여기 우리의 새로운 법이 있는 두루마리를 가지고 왔습니다. 모두 이 두루마리를 받을 것이고, 아무도 이 법을 어기지 않도록 확인할 것입니다. 누구든지 나의 법을 어겼다고 보고되거나 인간과 어떤 연관이 있다고 의심되는 행동을 보이면, 즉시 인간 군인들에게 넘겨질 것입니다." 왕은 이어서 말했다. "나는 또한 여러분이 새 부대의 상급 사령관을 환영하기를 바랍니다. 이제 나와 함께 정부의 지도자로서 복무할 것입니다." 그는 자신의 병을 치료한 신하 중 한 명을 앞발로 가리켰다.

여우 백성들은 침묵했다. 나눠 받은 나뭇잎 두루마리에는 이전 그 어느 때보다 압도적으로 많은 양의 새 법이 담겨 있어서 너무 놀랐기 때문이었다. 한 신하가 높은 바위로 올라가서, "부족의 여우들이여, 기뻐하세요! 오늘부터 여러분은 여러분의 굴과 구멍 안에서 안전하고 행복할 것입니다! 모두가 우리 군대에 합류하여 적과 싸울 것이고, 왕을 위해 싸울 영광을 가질 것입니다! 수컷 여우들은 저항군에 합류하여 왕을 위해 싸울 것입니다. 암컷과 아이들은 위대함을 배울 것이고, 우리 군인들이 배울 수 있었던 축복의 책을 공부할 것입니다. 여러분은 아름다움과 경이로움이 가득 찬 새로운 세상을 위해 싸우고 있으므로, 자부심을 가지세요!"
모두 손뼉을 치고, 앞으로 다가올 새로운 것들에 대한 '두려움'을 숨기려고 노력했다.

다음날, 여우 부족의 모든 여우에게 두꺼운 책들을 나눠줬고, 모든 수컷 여우들은 전쟁터로 보내졌다. 왕과 그가 선택한 여우는 위대한 법을 공부하는 게 가문의 영광이라고 강조했기 때문에, 여우들은 읽고 또 읽었다. 책의 첫 페이지는 왕과 지도자를 위한 찬송가였다. 두 번째 페이지에는 새로 만들어진 부족의 법들을 실었다.

그 후는 병사들이 받은 책과 똑같았다. 이제, 이 책을 공부하는 것이, 여우가 할 수 있는 가장 큰 일이 되었다. 아이들은 모두 학교에 보내져 이 책을 공부하는 것으로 역사 수업을 대체했다. 그리고 왕과 지도자의 위대함이나, 적이 가져올 공포, 그리고 자신들이 세상에 가져온 신무기에 대한 노래를 배웠다. 그들은 또한, 매일 순찰하는 데 익숙해졌고, 사복을 입은 여우들이 잠복해 있다가 지도자를 욕하는 범법자를 잡아가는 데 익숙해졌다.

아가타는 전직 궁정 신하였고, 왕의 새 부대에 속하지 않았기 때문에, 자연스레 순찰자가 되었다. 그녀는 범법자들을 부족과 전장의 경계로 데려오는 일을 담당했고, 그곳에서 범법자들을 하급 분대원에게 넘겼다. 범법자들은 그들의 손에 파멸에까지 이르렀다. 그녀는 요즘은 모든 게 어떻게 진행되고 있는지 항상 궁금해했다. 모든 여우는 모든 걸 알고 있고,

모든 걸 관장하는 '지도자'에 의해 구축된 제도의 작은 톱니바퀴일 뿐이었다. 그녀는 '지도자'가 왕을 치료해 준 것에 감사하면서도, 자신이 새로이 지켜야 할 율법들 때문에 은밀히 그를 경멸했고, 그가 여우들이 그를 욕하는 것을 금지했을 때 절망했다. 그녀는 신하 대부분이 그녀와 같은 생각을 할 것이라고 꽤 확신했지만, 가혹한 결과 때문에 감히 어떤 법도 어길 엄두를 내지 못했다.

그녀는 때때로 자신이 즐겁게 일했던 곳이자 걱정이 훨씬 적었던 성곽을 동경의 눈으로 바라보았는데, 이는 세상에서 일어나는 모든 문제를 자신이 알고 있다는 확신이 있었기 때문이었다. 이제 그녀는 아무것도 몰랐다. 존이 배신자임을 밝히면서, 인간 세상은 미스터리가 되었고, 여우의 영역은 이제 비밀로 가득 차 있었다. 이제 그녀가 아는 것이라고는, 다른 순찰대원들이 범법자들을 모으는 장소와 여우의 영역에서 전쟁터로 가는 관문 사이의 짧은 길이 전부였다.

아가타는 남편이 전쟁터에서 어떻게 지내고 있는지 궁금했다. '자랑스러워해야 한다.' 아가타는 '그가 왕을 위해 싸우고 있기 때문'이라고 생각했다. 그러나, 그녀는 여전히 그에게서 엽서 몇 장을 받을 수 있기를 간절히 바랐다. 이제 우편 발송이 금지되었고, 모든 사람은 누구와도 연락할 수 없었다. 그녀는 자신을 위로해줄 아이들이 있기를 바랐지만, 그들은 떠나버렸다. 그들은 학교에 있었고, 그녀는 그들을 방문할 수 없었다. "아주 가까우면서도 너무 멀다." 아가타는 학교 운동장에 아무도 들어오지 못하게 막고 있는 키 큰 가시덩굴을 바라보며 종종 말했다. 학교는 그녀가 사는 집에서 겨우 스무 걸음 떨어져 있었다. 순찰대의 굴은 이제 그녀의 집이 되었다.

아이들이 집을 떠나야 한다는 말을 처음 듣던 날, 그들은 너무 어려서 이해할 수 없을 정도로 잔인하고 어른스러운 농담이라고 생각했다. 학교 다니는 것은 나쁘지 않았으므로, 그것이 현실이 되어, 짐을 싸야 할 때까지도, 아이들은 두려워하지 않았다. 그러나 이제 학교는 달라졌다. 높은 나무들과 끝없는 평원 대신, 그들은 키 큰 가시덩굴로 둘러싸여 있었다.

"여기가 엄마가 우리에게 말한 동물원보다 더 나쁘다고 생각해?" 그들 중 한 명이 다른 사람에게 속삭였다.

"그럴 리가 없어. 동물원은 사람이 만든 거 맞지? 여기가 그렇게 나쁠 순 없어."

"조용히 해! 또다시 떠들면 너희는 인간들에게 보내질 거야!" 순찰대가 고함질렀다.

"정부 허가증이 없는 한 다른 사람들과 대화하는 게 금지되어 있다는 것을 몰라?"

"이제 잠을 자!" 그는 다시 으르렁거렸다. 이곳 어린 여우들은 이 모든 가시와 덤불 위에서는 잠을 잘 수 없을 것 같았다. 그들은 집에 있는 것처럼 나뭇잎과 잔가지가 있는 따뜻한 구멍을 원했다.

존은 아가타의 이름을 불렀다. 집안 곳곳에서 처절하게 메아리가 울렸다. 그는 모래톱을 훑어보았다. 얼마간 잠을 잔 것 같았다. 기다릴게요. 그는 속으로 생각했다.

그 기다림은 일주일 동안 계속되었고, 이제야 존은 세상이 얼마나 많이 변했는지를 깨달았다. 철조망보다 더 따가운 가시들. 쇠창살처럼 아팠던 덤불들. 여우 부족은 이제 달라졌다. 그것을 깨달았을 때, 그는 몰래 숨어서 집을 나갔고, 표지판을 보았다. 존은 표지판에서 이상한 점을 발견하지 못했다. 좋은 나무로 만들어진, 멋진 법이 적힌 판각들이 있는 표지판. 그러나 존은 차차 글자들을 이해하면서 오싹해지기 시작했다.

새로운 규칙들.

존은 생각했다. 왕은 이제 론의 노예가 되었다. 론은 이제 '지도자'로 변장했다. 그 규칙들은 틀렸다. 하지만 규칙들은 무언가가 옳은지 그른지를 결정하는 것이었다. "옳지 그른지" 존이 중얼거렸다. "그른지…" 그는 땅에 웅크린 채 하늘을 보았다. 그는 흙을 보았다. 갈 곳이 없었다. 그는 무엇에도 의존할 수 없었다. "혁명!" 존이 절규했다. "자비…자비…" 그는 중얼거렸다. "해야 한다." "할 수 없어!" 존은 앞뒤로 달렸다. 그는 마침내 "내가 해낸다!"라고 말했다. 그리고 그는 변화에 헌신하기로 했다. 바뀐 모든 것을 돌려내겠다!!!!!

절망과 탈출

14. 절망과 탈출

그는 걷고, 걷고, 또 걸어서, 성으로 걸어갔다. 성 주변에는 가시와 엉겅퀴가 있었고 여우들이 순찰 중이었다. 존은 뒤쪽으로 돌아갔다. 그곳에는 오직 두 마리의 여우만 있었다. "멈춰!" 그들은 포효했다. "정체를 밝혀라!" "인간입니다!" 존이 자신의 두건을 벗어 던지며 말했다. "두렵습니까? 제가 …해치는… 게 싫다면 그냥 저를 들여보내 주세요!" "허허, 우리가 두려워 보여?" 여우가 비웃었다. "왕과 새 지도자는 인간과 비교되지 않는 강한 힘을 가지고 있다. 자, 그래서 정체가 뭐라고?" 존은 그들을 물끄러미 쳐다보다 말했다. "내가 여기서 유일하게 제정신인 사람인 것 같네. 비교당하고 싶은 게 아니라면, 도대체 왜 싸우고 있니? 너흰 더 괜찮은 사람을 신뢰할 수 있어!"

여우는 총을 집어 들었다. 존은 재빨리 총알을 피한 후, 여우에게서 총을 빼앗았다. 다른 여우는 그를 쏘았다. 총알은 그의 귓가를 빠르게 스쳐 지나갔다. 존은 그에게서도 총을 빼앗아 두 총을 모두 그의 발아래에 놓고, 세게 밟아버렸다. 총은 즉시 산산조각이 났다. "저기~" 존이 말했다. "인간과 비교되고 싶지 않으면, 총을 잃어버리는 게 나을지도 몰라." 여우는 으르렁거리며 쏘아붙였다. 존 역시 으르렁거리며 쏘아붙였다. 그러더니 존은 여우처럼 자세를 바꾸어 네 발로 성안으로 뛰어들었다. 문을 지키고 있던 군인들은 늠름한 갈색과 빨간색의 형체가 안으로 뛰어들어오는 걸 보았을 뿐이었다.

총알이 사방에서 그에게 날아왔다. 존은 정신을 가다듬고 정문으로 가려고 노력했다. 그는 질주해서 문을 열고 그 뒤에 있는 문을 닫았다. 그 공간은 이끼가 많고 축축했다. 그것은 또한 이상한 냄새가 났다. 존은 군인들이 곧 따라잡으리라는 것을 알고는 고개를 들었다. 그곳에는 금이 갔다. 존은 천장을 만졌다. 그것은 그의 주위에서 무너져 내려 작은 구멍을 만들었다. 존은 벽을 따라 덩굴을 보았다. 그는 그것을 당겼다. 흙이 조금 더 무너져 내렸다. 존은 펄쩍 뛰어서 천장에 머리를 부딪쳤다. 그는 천장에 기어갈 수 있을 정도로 큰 구멍이 뚫릴 때까지 계속했다. 그는 천장으로 올라가서 한 번에 매우 많은 것들을 보았다.

그가 제일 처음 본 건 하늘을 가로질러 날아가는 총알이었다. 그것은 하늘을 가로질러 포물선을 만들면서 새를 명중했다. 새는 존의 머리에 떨어졌다. '비둘기'였다. 그다음에 그가 본 것은 군인들이었다. 여우와 인간. 존은 그 존재들이 장난감처럼 보였다. 그러고 나서 존은 지붕으로 올라섰다. 지붕은 나뭇잎과 흙으로 구성된 전통 여우 양식이었다. 지붕은 꽤 낮았다. 존은 거기서 왕의 방이 어디에 있을 것인지 집중하려고 했다. 그는 잠시 생각했고, 그러고 나서 지붕 한가운데로 뛰어들었다. 쿵하고 떨어졌다. 그의 무릎은 바위에 부딪혔다. 피가 흘렀다.

그는 누군가의 바로 앞에 내려앉았다. 존은 그의 얼굴을 보고 그가 왕 앞에 내려앉았다는 것을 보았다. 왕의 얼굴은 생기가 없어 보였지만, 존은 그가 고통받고 있다는 것을 알 수 있었다. 존은 그의 뒤에서 어떤 목소리를 들었다.

"왕을 동정하나?" 론이 물었다. 존은 헉하고 숨을 쉬었다. "너였어. 너였지? 여기 있는 모든 헛소리와 법들… 네가 지도자 맞지?" "그래." 론이 말했다. "이제야 깨달았구나." 론은 돌멩이를 하나 집어 들고 존에게 던졌다. 다행히 존이 그 돌은 잡았지만, 손에 상처가 나는 건 어쩔 수 없었다. "아프겠네?" 존은 그저 씩씩거리며 그를 노려볼 뿐이었다. "난 다 없애버릴 거야. 이 모든 쓸모없는 것들 말이야. 바위들은 강철이 될 거야. 나뭇가지들은 콘크리트가 될 거야. 나뭇잎들은 전구로 변할 거야." "그렇게는 안 될걸!" 존이 거듭 말했다. "그런 식으로는 안 돼."

"그렇지. 하지만 더 좋은 계획이 있어. 모든 여우가 인간이 될 거야." 존이 말했다. "그런 일이 벌어지게 가만두지 않아." 조용히. "뭐?" 론이 조롱 섞인 어조로 말했다. "여우가 인간이 되는 일이 벌어지게 가만 놔두지 않을 거야!" "오, 어떻게 하시려고?" "한다면 해!" 존이 말했다. 론은 방을 둘러보며 "넌 단 한 사람도 구할 수 없는데, 어떻게 할 수 있다는 거야?"라고 조롱했다. 그러고 나서, 왕을 부축해 밖으로 걸어 나왔다.

존은 그를 뒤쫓았고, 걷기 시작했다. 왠지 걷는 게 훨씬 더 빨리 느껴졌다. '진정해.' 존은 생각했다. 그러고 나서 그는 뭔가를 보았다. 존은 론이 함정을 만들고 있는 것을 보았다. 존은 매우 사악한 것에 대해 생각했고, 그것을 하기로 했다. '더 큰 이익을 위해.' 그는 생각에 잠겨 있다가, 착지했다.

"말도 안 돼." 아가타의 아이 중 한 명이 속삭였다. "그렇지 않아!" 다른 아이가 말했다. "봐봐. 뭔가 잘못됐어. 일어나고 있는 모든 일이 좋지 않아!" "그럼 왜 그들이 무엇인가를 바꾸겠어?" "맞아요! 우리는 지금 탈출해야 해. 엄마를 찾아서 여기서 나갈 거야." "가긴 어디로 가? 게다가, 엄마는 직장을 잃을 거야." 이 말을 들었을 때, 다른 아이들도 자신들이 무엇을 할 계획인지 확신을 갖지 못했다.

"하지만 여전히…" 다른 아이가 말했다. "그래도 우리는 다른 곳으로 도망칠 수 있어. 바다를 건너거나, 아무도 우리를 괴롭힐 사람이 없는 지역으로 가서 살자." "우리가 무엇을 먹고살겠어? 만약 엄마가 일하러 가지 않거나, 우리가 혼자 탈출한다면, 우리는 우리 스스로 모든 것을 사냥해야 할 거야. 그리고 우리가 직면할 위험들을 생각해봐! 학교의 경비원들은 총을 가지고 있어. 생각 좀 해! 우리가 사람들에게 보내질지도 몰라." 모든 아이가 몸서리를 쳤다.

"땅굴을 파면 되겠네! 우리는 여우니까! 우리는 동쪽으로, 해변을 향해 땅을 팔 거야. 아무도 거기에 있지 않을걸. 우리는 굴을 만들고, 그것이 안전해질 때까지 기다릴 수 있어." "그들이 우리를 찾으러 가지 않을 그거로 생각해? 그들은 우리보다 더 빨리 땅을 팔 수 있을걸?" 다른 어린 여우는 신음을 내며 "그것이 바로 우리가 지금 당장 가야 하는 이유지."라고 말했다. "지금?" "응. 지금, 얼른 준비해!"

그들은 잠결에 다른 사람들이 뒤척이는 것을 볼 때마다 멈추며 조용히 땅을 팠다. 마침내, 그 터널은 그들 모두를 숨길 수 있을 정도로 아주 깊었다. 그들은 들어갔고, 이번에는 끊임없이 땅을 팠다. 그들은 매우 오랜 시간 동안 동쪽으로 땅을 팠고, 그러고 나서 그들이 어디에 있는지 보기 위해 위로 작은 구멍을 팠다. 해가 떠오르고 있었고, 그들은 여우 지역의 가장자리에 있었고 미지의 땅에 가까웠다. "나는 좀 무서워." 그들 중 한 명이 말했다. "왜?" 다른 사람이 물었다. "이곳은 지하 감옥에서 너무 가까워." "그럼 땅을 파! 우리는 곧 해변에 도착할 거야."

그들은 가능한 한 빨리 땅을 팠는데, 왜냐하면 새벽이 되면 굴 안에 있는 모든 여우가 자신들이 없다는 것을 알 것이기 때문이다. 게다가 이미 해가 떠오르기 시작했다. 그들은 땅을 팠고, 때때로 그들이 어디에 있는지 보기 위해 밖을 내다보았다. 그러고 나서, 그들은 마침내 해변 근처에 있는 자신들을 발견했다. "학교가 변두리에 있어서 참 다행이다." 그들 중 한 명이 말했다. 그러고 나서 그들은 밖으로 나와서 바위, 가시, 진흙, 덩굴을 모으고, 그 구멍을 통해 학교 근처로 걸어간 다음, 그곳으로부터 그 구멍을 막았다. 그러고 나서 그들은 그 구멍을 완전히 덮기 위해 바위를 굴렸다. 마침내, 그들은 자유롭게 되었다.

아가타는 자신의 눈을 믿을 수가 없었다. 교대 근무를 마치고, 그녀는 숲속을 헤매고 있었다. 어찌 된 일인지, 그녀는 마치 마법에 걸린 것처럼 그 장소에 도착했다. 그곳에서, 그녀는 범죄자를 데리고 전쟁터로 이동하던 동료 한 명과 마주쳤다. 그녀는 자신이 전쟁터로 왔다는 것을 깨달았고, 돌아갈 필요가 있다는 것을 알았다. 그러나, 호기심이 발동한 그녀는 여우를 포로로 잡은 인간 군인을 따라가는 자신을 발견했다. 그 군인은 가끔 뒤를 돌아보았지만, 결코 그녀를 발견하지 못하는 것처럼 보였기 때문에, 아가타는 계속 따라갔다.

그곳에서, 아가타는 매우 특이한 것을 보았다. 그 인간은 여우를 작은 차에 태웠다. 물론, 아가타는 자동차를 잘 알지 못했고, 차가 얼마나 빨리 가는지 보고 놀랐다. 그녀는 진흙투성이 길을 따라갔고, 그 길이 해안 근처에 있다는 것을 알았다. 잠시, 그녀는 그들이 여우 왕국으로 돌아온 게 아닌가 생각했지만, 이내 그 해안이 인간의 땅까지 수백만 곰 걸음만큼 길게 이어져 있다는 사실을 기억했다. 그러고 나서 여우들은 한 사람이 조종하는 모터보트에 탑승했다. 겁에 질린 여우들은 모터보트에 탄 후, 작은 점이 되어 사라질 것이다. 인간을 하루나 이틀 더 추적한 후에, 그녀는 인간의 영역으로 들어오는 모든 여우를 이렇게 처리한다는 것을 발견했다. 그러나 그들은 어디로 갔을까? 아가타는 그것을 알고 싶었다.

"배고파요."라고 아기 여우 중 한 마리가 말했다. 그 아이들은 하루 동안 먹지 않았다. 해변에는 먹이가 없었고, 그곳의 모든 덤불은 뿌리째 뽑혀 있었는데, 아마도 몇 년 전 일이었을 것이다. 동물은 한 마리도 지나가지 않았다. 아이들은 화를 내기 시작했다. "우리 떠나는 게 어때?" 그들 중 한 명이 제안했다. "그러자. 여기 더 머무르다가는 굶어 죽을 거야. 뗏목을 만들어서 이 장소를 떠나자." 소심한 아이가 말했다. "우리 그냥 학교에 머물렀으면 좋았겠다. 그럼 적어도 음식은 먹었을 거야." "그래도 이제 돌아갈 수는 없어! 우린 떠나야 해."

그래서 아이들은 해변에서 통나무 몇 개를 굴려 넝쿨로 연결했다. 그리고 그 작업을 반복했다. 그들은 긴 막대기 몇 개를 노로 사용했고, 바다 쪽으로 움직였다. 마침내, 뗏목이 파도와 함께 뜨기 시작했고, 이리저리 흔들렸다. 굶주린 아이들은 먹을 것을 찾기 위해 가끔 물속으로 뛰어들었다. 그들은 아무것도 찾지 못했다. 그들은 결국 피곤해져서 잠을 잤다. 왜냐하면 잠이 들면 배고픈 게 느껴지지 않는다는 것을, 아이들이 잘 알고 있었기 때문이었다. 그들은 하루의 반을 잤고, 계속 자려고 했다. 그러나, 그들이 다시 일어난 유일한 이유는 그들이 배가 고팠기 때문이다. 이제 해변은 멀어져서 보이지 않았고, 그들은 망망대해 가운데에 있었다. "엄마가 보고 싶어." 아이 한 명이 갑자기 불쑥 말을 꺼냈다. 아무도 그의 말을 듣지 않았다. 모두 다시 잠이 들었다.

그 순간, 아가타 역시 여우수송선 위에 있었다. 그녀는 덤불 속에 숨어 있는 채 발견되었고, 사람들은 그녀가 탈출 시도하는 범법자 중 한 명이라고 생각했다. 지금 그녀는 모터보트 위에 있었고, 사람이 그것을 운전하고 있었다. 그녀는 비참하고, 몹시 아팠다. 그녀는 떠나지 않았으면 좋겠다고 생각했다. 그녀는 때때로 자신을 덮고 있는 방수포를 발톱으로 뚫고 배의 난간을 엿보았다. 그때 바다 한가운데 떠다니는 뗏목을 보고, 어디에서 왔는지 궁금해했다.

그녀는 물을 가르며 지나가는 배의 매끄러운 표면을 느꼈고, 두려움을 느꼈다. 인간들은 너무나 강력해서 이런 일을 할 수 있었다. 정말로 전쟁에 의미가 있었을까, 아니면 여우들은 그저 자신들의 운명을 향해 걸어가고 있는 걸까? 다른 여우들은 이미 어느 정도 무아지경에 빠진 것처럼 보였다. 아가타는 힘이 빠졌고, 바닥에 쓰러졌다. 태양이 빛났다. 여전히 모든 것이 완벽해 보였다.

존은 고개를 들었다. 거기에 아무도 없는 것과 아직도 자루가 있다는 것을 확인하고 안심했다. 그는 혼자였다. 그러나, 그곳은 어두웠고, 그의 기대와는 달리 왕은 그곳에 없었다. 존은 일어나서 주위를 둘러보았다. 존은 막대기들로 덮인, 일종의 구멍 안에 있었다. 일어나서 조심스럽게 막대 몇 개를 내려 쌓았고, 구멍 밖으로 몸을 들어 올렸다. 그는 숲, 인간의 영역 가장자리에 있는 자신을 발견했다. 존은 숲 밖으로 걸어 나갔고, 작은 식당을 보았다. 그는 비참할 정도로 배가 고파서, 안으로 들어가기로 했다. 그는 자루에서 돈을 꺼내며 앉았다. 한 여자가 휴대전화를 보고 있었다.

[5월 9일]이라고, 전화기에 표시되어 있었다. 존은 날짜를 잠시 바라보더니 기억을 떠올렸다. 구원의 섬! 존은 해변으로 달려갔다. 그는 필사적으로 주위를 둘러보다가, 쇠사슬로 연결된 모터보트를 보았다. 모터보트가 몇 대 더 들어갈 자리가 있었지만, 비어 있었다. 존은 망치로 쇠사슬을 끊어내고, 보트를 출발시켰다. 그는 운전하는 법을 배운 적이 없고,

섬이 어디인지 잘 모르지만, 갈 필요가 있어서, 가능한 한 빨리, 해안에서 배를 몰아냈다.

배고픔에 지쳐 자던 아이들은 바닷물의 차가운 물이 얼굴에 부딪히는 것을 느끼자 깜짝 놀라서 깨어나 자리에서 일어났다. 하얀 모터보트 한 척이 속도를 내며 지나갔다. 파도가 너무 빨라서 뗏목이 좌우로 덜컹거렸다. 그들은 모터보트를 한 번도 본 적이 없었고, 그것이 그들이 알지 못했던 새로운 종류의 물짐승이라고 생각했다. 그러고 나서 아기 여우들은 한 남자 인간의 얼굴을 보고 겁에 질렸다. "인간은 동물에게 어떻게 매력적으로 보일지 고민 좀 해야 해!" 파도가 그들을 배 쪽으로 옮기자, 한 아이가 비명을 질렀다. "우리는 어떻게 해야 할까? 여기서 도망쳐야 해!" 또 다른 아이가 말했다.

"앞발로 노를 젓자." 아직 완전히 잠이 깨지 않은 아이가 말했다. 다른 생각은 나지 않았고, 그래서 그들은 그렇게 했다. 여우 아이들은 앞발이 젖는 것을 싫어했지만, 뗏목을 보트에서 밀어냈다. 그러나 특히 날카로운 발톱을 지닌 한 아이가 배 너무 가까이에서 노를 젓는 통에, 통나무를 연결하는 덩굴을 잘라내 버리고 말았다. 뗏목이 하나둘 떨어져 나가기 시작하면서, 덩굴은 배의 바깥쪽에 있는 작은 갈고리 중 하나에 끼었다. 그들은 소리를 지르고 필사적으로 통나무를 잡았지만, 여우들은 물짐승이 아니라 수영을 할 줄 몰라서, 결국 그들에게 가장 가까운 것인 덩굴을 잡게 되었다.

"도와주세요!" 그들은 덩굴이 배의 엔진 쪽으로 그들을 끌어당길 때 소리를 질렀다. 그들이 말려들지 않기 위해 최선을 다하자 덩굴은 위엄있게 흔들렸다. 그들이 버티면, 앞에 있던 한 마리가 엔진으로 끌려 들어갈 것이다. 만약 그들이 놓는다면, 그들은 모두 익사할 것이다. 바로 그 때, 맨 뒤에 있던 아이가 다른 아이들이 엔진으로 끌려 들어가는 것을 지연시키려 하며 앞으로 밀고 들어왔다. 바로 그때, 그 배는 움직임을 멈추었다. 그들이 잡은 넝쿨이 느슨해졌고, 그들은 누군가 천천히 배의 갑판으로 나오는 것을 보았다. 그것은 사람이었다.

게다가, 그것은 바로 존이었다. 아이들은 모터보트를 본 것도 처음이었지만, 존 역시 처음 봤다. 그리고 그가 사람처럼 보였기 때문에, 매우 겁을 먹었다. 존은 겁에 질린 여우 아이들을 바라보며 그들을 일으켜 세웠다. 그러고 나서 그들에게 여우처럼 말했다. "너희들 다들 괜찮니? 왜 여기 있니? 집에 가야지. 너희 부모님은 어디에 있니?" "너는 여우 말을 할 수 있잖아!" 그들은 소리쳤다. 존은 "너희들은 누구니?" "물론 여우지." 그들이 대답했다.

"넌 뭐야?" 아이들도 존에게 물었다.

"나는… 내가 뭔지 모르겠어. 난 그저 존일 뿐이야." 존이 대답했다.

"존? 인간 존?" 그들은 눈이 휘둥그레 커졌다. "응, 유감이지만, 인간인 것 같네." 존은 한숨을 쉬며, "어떻게 나를 알아?"라고 물었다. "물론 우리 엄마 때문에. 여우 부족에서 '아가타'를 모르는 여우는 없지!" 존은 "너희들, 아가타 자식들이야?" "응, 맞아. 그리고 우리는 아저씨가 누구인지, 어쩌면 아저씨가 아는 것보다 더 잘 알고 있을 걸. 들어 봐. 우리 부족은 곤경에 처해 있어. 우리는 탈출했고, 아무도 우리를 찾을 수 없는 곳으로 가고 싶어. 우리는 엄마가 어디에 있는지 모르겠어." 존이 말했다. "정말 미안하지만, 난 지금 빨리 어딘가에 가야 하는데! 너희끼리 있는 건 위험한 것 같아. 만약 내가 섬을 발견한다면, 너희를 내려줄 테지만, 너희는 나와 함께 가야 할 수도 있어." 존이 말했다.

그들은 배가 그들 옆을 빠르게 지나갈 때 엄숙하게 고개를 끄덕였다. 존은 보았다. 그 배는 나뭇잎이라고 불렸다. 특이한 이름이라고 존은 생각했다. 그것은 그에게 나무를 연상시켰다. 그때 존은 갑자기 한기가 그의 등줄기를 타고 내려가는 것을 느꼈다. 나뭇잎은 그를 구원의 섬으로 이끈 그 파일의 제목이었다. 존은 "잠깐만!"이라고 소리를 지르고, 가능한 한 빨리 그 배를 따라갔다.

존은 다른 배가 바다를 가로질러 쌩 지나가면서 속도를 내는 것을 보았다. 아이들은 가능한 한 꽉 붙잡았고, 존은 그들이 난간을 잡을 수 있도록 가끔 속도를 늦췄다. 다른 배는 가능한 한 빨리 가고 있었고, 배의 맨 뒤를 덮고 있던 얇은 방수포가 날아갔다. 존과 아이들은 그들 중 한 명이 아가타인지는 몰랐지만, 모터보트의 뒷면에 있는 많은 여우를 보게 되었다.

아이들은 "여우가 있어! 저 물짐승 위에! 왜 저 물짐승 위에 여우들이 타고 있지?"라고 소리쳤다. "그것은 물짐승이 아니야, 그것은 배야!"라고 말했다. 존은 "그리고 그들은 배를 직접 운전할 수 없을 거야. 그들은 납치될 거야!" "누구한테?" 아이들이 물었다. 비록 이것 또한 론의 많은 계획 중 하나일지도 모른다고 느꼈지만, "내가 어떻게 알아?"라고 존은 말했다. 이 모든 일이 우연일 수 없었다. 그는 배가 어디로 가는지 알아야 했다. 그는 이것을 해야 했다.

존은 억지로 배를 움직이게 했고, 다른 배를 쫓았다. 그러고 나서, 그는 얼어붙었다. 배 안의 여우들에게 가까이 다가가자, 그는 그들과 서로를 꽤 명확하게 구분할 수 있었다. 그는 그들 중 한 명이 익숙해 보인다고 생각했지만, 다른 배를 따라잡기 위해 극도로 빨리 운전해야 했기 때문에 누군지는 잘 알지 못했다. 그러나 그가 따라잡았을 때, 그는 아이들이 "엄마다! 우리 좀 봐요!"라고 외치는 것을 들었고, 그가 배에서 본 사람이 아가타라는 것을 깨달았다. 그는 마침내 그녀를 만나게 되어 매우 기뻤지만, 그녀 역시 납치당하고 있다는 것을 깨달았다. 그는 아이들에게 조용히 하라고 지시했고, 아이들이 배를 따라잡으면 엄마에게 데려다준다고 약속했다. 그런데 존은 아가타가 왜 새끼들에게 대답하지 않는지 궁금했다. 이 모든 것이 이상하게 느껴졌다. 그는 몹시 메스꺼워지기 시작했다.

다른 목적, 같은 목적지

15. 다른 목적, 같은 목적지

"이것은 위선적인 정부에 대한 반란입니다." 여우가 조용히 말했다. "이것은 진정한 권리를 위한 싸움입니다. 모든 생명체를 위한 싸움입니다. 우리의 권리를 회복하기 위한 전쟁, 자유로워지기 위한 전쟁입니다. 그리고 더 많은 사람이 그런 권리를 가질 자격이 있습니다. 우리는 이것을 오랫동안 계획해 왔습니다. 만약 정부가 인간이 되려고 노력한다면, 우리는 반대의 길을 갈 것입니다. 우리는 인간이 만들어진 장소를 찾을 것입니다. 우리는 이유를 찾을 것입니다. 우리는 인간을 최초의 상태로 회복시킬 것입니다." 그가 말했다. "여우!" 군중은 포효했다. 적어도 절반은 소리를 질렀다. 나머지 절반은 다른 것에 익숙했다. 그들은 왕에게 도전하냐고 물으며 화가 나서 말했다. 하지만 여전히, 누군가 권력을 가져야 한다는 사실을 의심하는 자는 아무도 없었다.

여우는 연설을 이어갔다. "인간들이 우리에게 도전하는 것을 본 이후로, 우리는 지하 연합을 결성했습니다. 우리는 모두로부터 숨겨져 있었습니다. 우리의 목표는 아무도 듣고 싶어 하지 않는 것이었기 때문에, 아무도 우리를 알지 못했습니다. 그것은 숨겨진 진실이었습니다. 우리는, 그리고 우리만이, 통치할 자격이 있습니다. 여우가 우월합니다." 여우는 그의 연설을 멈추었다. "하지만! 우리는 모두가 힘을 가지길 원합니다. 그래서, 우리는 방법을 찾았습니다. 만약 우리가 모두 여우가 될 수 있다면, 우리는 모두 힘을 공유할 것입니다. 우리는 이것의 중요성을 깨닫기를 촉구합니다. 만약 당신이 우리의 종을 진심으로 사랑하고, 그리고 진정으로 세상을 사랑한다면, 이것이 세상을 구할 수 있는 한 가지 방법입니다. 그것은 우리가 항해하고, 바다로 나가고, 몇 년 전의 나무를 찾고, 그것의 힘을 사용한다는 것을 의미합니다." 여기서, 그는 고개를 들어 태양을 바라보았다. 군중 속의 여우가 "왕을 못마땅하게 여기는군요?"라고 소리쳤다.

"전혀!"라고 연설을 하는 여우가 소리쳤다. "왕이 무슨 생각 하고 있는지 아십니까? 왕은 포로이고, 슬프게도 우리 세상의 인간 간첩들의 말을 앵무새처럼 하도록 강요당했습니다."라고 그에게 질문한 여우가 말했다. "왕이 인간들의 역겨운 방식에 동의한다고 생각하나요? 그런 식으로 그를 의심하지 마세요!"

"자, 이제, 누가 모험을 하겠습니까? 누가 그 섬으로 여행하는 영광을 누리겠습니까?" 여우는 그 어느 때보다 열렬하게 청중에게 연설하고 있었다. "누가 우리 계획을 위해 섬에 가고 싶습니까?" 아무도 선뜻 나서지 않았다. "그래서- 아무도 없습니까? 아무도 우리나라를 구하려고 하지 않네요! 아, 아무도 자신의 안전만큼 부족을 아끼고 배려하지 않는 것이 얼마나 비극적인가요. 그토록 많은 것을 견디고 모든 것을 정복한 부족에게는 이 얼마나 슬픈 운명인가요! 위험이 있을 때마다, 항상 영웅이 있었습니다. 이제는 아무도 없습니다. 이것이 끝임이 틀림없습니다. 우리는 잔인하고 가학적인 인간들에 의해 지배를 받을 것입니다. 우리는 잔인하고 잔인하게 대우받을 것입니다. 우리는 노예가 될 것입니다. 오, 하지만 당신은 신경 쓰지 않을 것입니다. 당신은 인간의 하인이 되어 자연의 법칙을 뒤집기를 열망하는 것처럼 보입니다. 인간은 창조되지도 않았고, 억제되지도 말았어야 하는 생명체이기는 하지만, 그들은 세상을 지배하기를 원합니다. 하지만 누가 그들을 만들었을까요? 우리는 그들의 정당한 주인이고, 그들을 구할 책임이 있습니다. 그리고 그들을 구하기 위해서, 내가 말했듯이, 우리는 그들을 최초의 상태로 되돌려 놓아야 합니다. 하지만 아무도 행동하기를 원하지 않는다면…"

차츰 그의 목소리는 부드럽고 차분해졌다. 그는 얼굴에 미소를 띠면서 달래는 듯한 어조로 말했다. "아, 여러분은 안전에 대해 걱정하고 있군요. 걱정하실 것 없습니다. 왜냐하면 우리가 안전을 보장할 것이기 때문입니다. 위장하기 위해 인간 배를 탔고, 여우 전쟁포로들을 찾아내 전쟁터에서 그들을 구출했는데, 이것은 내게는 패배로 끝날 인간들의 승리를 위한 놀이인 것 같습니다. 우리는 몇 명을 구조했고, 그들은 영웅과 동행할 것입니다. 여러분은 많은 양의 좋은 음식과 엄청난 양의 담수를 가지고 항해할 것이고, 여러분이 돌아오면, 모두의 환영을 받고 별미와 안락함에 둘러싸인 채로 평생을 살 것입니다. 이제 누가 여행하기를 원하십니까?" 거의 모든 사람이 이제 가겠다고 했고, 연설하는 여우에게 큰 소리로 간청했다.

"자, 그렇다면-" 그는 다른 신하들을 바라보며, "가장 강한 사람 몇 명을 뽑아서 배로 가게 해라. 어디 있는지 알지."라고 말했다. 그러고 나서 그는 떠났고, 반란에 가담했던 다른 궁인들은 구원의 섬으로의 여행을 위해 사람들을 뽑기 시작했다. 선택된 여우들은 자부심이 부풀어 올라, 다른 여우들을 마치 민달팽이인 것처럼 내려다봤고, 남겨진 여우들은 끙끙 앓으며 선택된 여우들을 부러워하며 바라봤다. "공정하지 않아… 나는 편안함에 둘러싸인 기회를 얻고 싶어… 그렇게 사는 것이 어떤 것인지 보고 싶어." 한 여우가 집으로 돌아오면서 신음했다. "어쨌든 우리 같은 사람을 선택하고 싶겠니? 좋은 것은 항상 타인 몫이야." 다른 여우가 말했다. "글쎄, 어쨌든 너무 위험해. 스스로 시도하기 전에, 다른 여우가 갔을 때 어떤 일이 일어나는지 보는 것이 좋지. 안전하고 행복한 집에 그냥 있는 것이 더 좋을 걸?" 다른 여우가 가담했다. 그들은 모두 우울하게 집으로 돌아갔다.

선택된 여우들은 배에 올라 구원의 섬으로 출발했고, 다른 사람들은 모두 지켜보았다. 그들은 배에 올라타 조종사를 쳐다보았다. 조종사는 마치 바다에서 그들을 기다리고 있는 공포가 두려운 듯, 약간 초조한 모습이었다. 선택된 여우와 동행한 병사들은 조종사보다 조금 더 자신만만해 보였지만, 여우가 바다 동물이 아니라는 것과 여우가 숲속에서 지내게 되어 있다는 것을 알기에 여전히 떨고 있었다. 또한, 바닷물에 씻겨져 나온 인간 페인트통에 갓 잡은 토끼 몇 마리가 있었고, 물이 들어있는 페인트통은 단 두 개뿐이었기 때문에, 제공되는 음식과 물 또한 매우 미미했던 것으로 밝혀졌다. 선택된 여우들은 이제 아연실색했고, 그들이 어떻게 여행에서 살아남을지 궁금했다.

그 배는 반란군이 인간 항구에서 훔친 모터보트이고 명백히 인간을 위한 것이었기 때문에, 조종사는 난처한 처지에 처하게 되었다. 여우는 결국 배를 몰기 위해 네 발 모두에 이상한 나무 막대기를 붙였고, 브레이크를 찾는 데 어려움을 겪으면서 최고 속도로 운전하고 있었다. 배에 타고 있던 모든 여우는 처음 느껴보는 이상한 기분에 어찌할 바를 몰랐는데, 뱃멀미를 처음 해봤기 때문이었다. 배가 인간들의 배를 따라 인간 항구에 접근하면서 그 어느 때보다 이 여행에 대해 더 두려워하기 시작했다. 여우들은 숨으라고 지시받았고, 오직 한 명의 군인만이 때때로 고개를 들어 사람 배가 떠나는지를 확인했다. 그들은 항구를 출발하는 인간 배를 보자마자, 혼란스러운 운전자 덕분에, 다시 한번 최고 속도로 그들을 따라갔다. 한때 반짝이던 은색 바퀴를 초록빛이 도는 갈색으로 보이게 만들었던 운전자를 포함하여, 모든 여우는 이제 구토를 하기 시작했다. 여행의 시작은 순조롭지 않았다.

그들은 멈추지 않고 최고 속도로, 사람 배보다 훨씬 앞서갔다. 그러나, 그들은 사람 배보다 훨씬 앞에서 운전하고 있는 다른 사람 배를 보고, 이것을 깨닫지 못했다. 그들은 자신들이 뒤처졌다고 생각했고, 구역질 나게 빠른 속도로 운전했기 때문에, 망연자실했다. 그러고 나서, 배는 방향을 틀었고, 그들은 인간의 배들을 따라가지 못했다. 조종사는 가속기를 누르는 것을 멈추고 뒤를 바라보았다. 군인들과 여우들은 아직도 구원의 섬을 찾아서 세상을 구하는 것에 어느 정도 열중하는 눈치였지만, 한편으로는 (그러기엔 너무 멀리 오긴 했으나) 집으로 돌아가서 쉬고 싶기도 했다.

그래서, 그들은 파도가 출렁거리고 배를 가볍게 흔들기 시작한 바다를 가로질러 곧장 운전했다. 운전자는 여전히 가속기를 조절할 능력이 전혀 없었고, 이상한 방식으로 배를 계속 몰았다. 그들은 한 섬을 발견할 때까지 한동안 운전했고, 그곳에서 밤을 보내기로 했다. 그들 중 몇몇은 전설의 나무를 찾아 나섰고, 이곳이 그들이 찾던 섬일지도 모른다는 희망을 품었지만, 그들 모두는 마음속으로 비밀리에 의심을 품고 있었다. 다들 조금 어리석게 느껴졌다.

존은 다른 배를 향해 배를 몰았는데, 이제는 조금 더 천천히 달렸다. 아이들은 엄마가 그들을 발견해주길 바라며 밤을 새웠고, 이미 정오가 반이나 지났음에도 불구하고 깊이 잠들어 있었다. 그는 곤히 잠든 아이들을 깨워 방해하고 싶지 않았다. 어젯밤 크 큰 모터 소리와 두 배 사이의 거리에도 불구하고 엄마랑 이야기하고 싶어 애쓰던 아이들의 모습이 눈에 선했기 때문이었다. 존은 그들이 자신보다 더 쉬어야 한다고 생각했다. 그러나, 그의 마음속에는 아직도 무언가가 남아있었다.

그는 호텔에 있는 아이들, 그들만의 훌륭한 언어를 디자인한 어리지만 뛰어난 아이들, 그리고 론에 납치당한 그들의 가족에 대해 생각하고 있었다. 존은 또한 벤에 대해 생각했다. 존은 그가 어떤 사람인지 정말 몰랐다. 벤은 꽤 신비스러웠고, 그 순간에 그가 무슨 생각을 하고 있는지 아는 것은 어려웠다. 존은 벤이 그를 떠나고 그를 믿지 않았기 때문에 더욱 확신하지 못했지만, 또한 그에게 귀중한 정보를 남겼다. 그러나, 벤이 존에게 전화기를 맡겼기 때문에, 존은 여전히 벤이 어디에 있는지 또는 그가 어떻게 연락을 했는지 알지 못했다.

론은 바다를 바라보며 웃었다. 그는 지금 기다리고 있었다. 그의 완벽한 계획에는 결점이 없었고, 실수도 예상치 못한 일도 없었다. 그는 점점 더 많은 여우가 그의 아름다운 섬에 와서 그들이 론이 필요로 하는 모습이 되리라는 것을 알았다. 론은 자신에게 교육을 받은, 새로 창조된 피조물들이 다수가 되는 게 시간문제라는 것을 알았다. 그로부터 얼마 지나지 않아, 그는 자신이 지배하고 싶었던 세상을 지배할 수 있게 될 것이었다. 그는 섬에 데려온 몇 마리의 최면에 걸린 여우들을 바라보며, "나는 금요일에 배에 탈 것이다. 다음 날 돌아올게."라고 말했다.

그는 완벽한 통제를 원했다. 완벽한 통제력. 그가 일어나고 있는 모든 것을 알고 있을 정도로 완벽했다. 그는 여우들에게 최면을 걸어 그들을 완벽히 통제해야 했다. 이것이 그가 세상을 그가 원하는 대로 지배할 수 있는 유일한 방법이었다. 물론, 그들도 바뀔 필요가 있었다. 론은 여우들이 여우로 오래 머물 수 없다는 것을 알고 있었다. 론은 이것이 그의 가장 위대한 발견이라고 생각했다.

그가 나무를 발견한 것은 그가 인간을 창조하는 것, 그다음에 하나가 되는 것, 그리고 모든 사람을 만드는 것으로 이어졌다. 그는 나무를 통제하고, 그 나무를 소유하고, 사용하는 방법을 찾았는데, 이것은 너무 단순한 과정이었기 때문에 그는 그것을 더 일찍 발견하지 못한 자신을 부끄러워했다. 나무는 전혀 지능을 가지고 있지 않다. 이 나무는 비록 생명나무이지만, 당연히 똑같을 것이고, 더 강력할 뿐이다. 이런 것들은 항상 사용하기가 가장 편리하다. 그는 종종 혼잣말을 했다.

그는 또한 "나는 전쟁이 사람들을 지치게 하고, 그들이 강력한 지도자를 원하리라는 것을 알아. 나는 그 지도자가 될 수 있어. 지능이 있는 존재를 통제하는 가장 좋은 방법은 그들이 동의하도록 만드는 것이지. 전쟁은 다른 이유로 편리하다. 의도적으로 한 일처럼 보이지 않고 원하지 않는 것들을 없앨 수 있다. 생각하는 존재들은 쓸모가 없다. 그들은 위험하고 해롭다. 그들은 항상 힘이 있는 사람들의 의견에 동의하지 않을뿐더러, 모든 것을 의심한다. 그래서 나는 생각하지 않는 사람들이 필요해. 생각하지 않고 행동하는 사람들. 그들은 사회에 이상적인 유형이다. 그들은 그들의 강력한 리더 하나를 지탱하는 백만 개의 구성 요소 중 하나일 뿐이지. 이것, 그리고 이것만이 제가 실제로 필요로 하는 사람이야. 그렇게 생각하지 않아, 벤?"

벤은 그 이상한 질문에 침묵을 지켰다. 그는 마치 론이 하는 말을 하나도 이해하지 못하는 듯, 그저 땅을 응시했다. "어때?" 론이 물었다. 벤은 여전히 아무 말도 하지 않고 땅을 만졌다. "너 나 역겹잖아, 벤." 그가 말했다. "그게 얼마나 더러운 일인지 몰라? 진정한 아름다움은 자연스럽게 올 수 없어. 자연은 어떤 종류의 치료가 필요하고, 치료는 모든 것에 필요해. 그게 바로 제거의 아름다움이야. 하지만 너는 그것이 진정한 의미를 이해하지 못하는 것 같아. 너는 나를 실망하게 하는구나… 나는 너에게 보다 더 많은 것을 기대했어… 도대체 무슨 일이 일어난 거냐?"

벤은 여전히 대답하지 않았다. "요즘 존이랑 자주 같이 있는 것 같은데, 왜지? 그는 더러운 놈이야. 그는 끔찍한 실수, 그 자체야. 그리고 너는 그것을 누구보다 잘 알잖아. 왜 너 같은 남자가 그와 시간을 보내고 싶어 하니? 그리고 그의 편에서 일하는 것… 그건 아니지! 정말로, 네가 최근에 한 유일한 현명한 선택은 네가 나와 함께 하기로 한 선택이야. 그리고 지금도, 너는 우리의 계획에 전념하고 있지 않아. 너는 네가 나를 그 이상으로 믿고 있다는 것을 보여줘야 해. 나는 항상 너를 믿고, 널 돕고, 널 아끼잖아. 왜 너도 나를 위해 같은 일을 하지 않니?"

배가 물을 건너자 물은 잔물결을 부드럽게 일으켰다. 존은 절대 멈추지 않고 번개처럼 빠르게 다른 배를 따라가는 것에 지쳐가고 있었다. 존은 누가 그 배를 몰았는지 궁금했다. 물론, 아무도 배를 그런 식으로 몰 수 없었다. 처음에는, 이것이 약간 이상해 보였지만, 존은 배가 높은 파도 앞에서 멈추지 않는 것이 얼마나 이상한지 알아챘다. 존은 배가 프로그램된 것처럼 행동했다고 생각했다. 그러고 나서 그는 조종사에 대해 생각하기 시작했다. 누가 그 배를 그렇게 몰 수 있겠는가? 그때 그는 자신이 배를 따라가는 유일한 이유가 론에게 가기 위해서라는 것을 깨닫자 등골이 오싹해지는 것을 느꼈다. 론은 최면술사였다. 그러니까, 그 배는 프로그래밍이 되어 있었다. 프로그래밍 되어 있는 사람이 그 배를 운전하는 경우는 제외하고 말이다. 이것은 너무 멀리 간 생각이었고, 존은 무서웠다.

언제나 그랬듯이, 밤이 찾아왔다. 하늘은 좌우로 움직이는 별들로 빛나고 있었다. 별들은 하늘보다 어두운 바다 위에서 달빛과 함께 춤을 추며 부드럽게 반짝였다. 존은 여우와 함께 교육을 받아서 별자리들을 꽤 잘 알고 있었다. 그 별자리들은 아마도 인간의 별자리들과는 다를 것이다. 만약 인간에게도 별자리가 있다면 말이다. 그는 인간임에도 불구하고 그가 인간의 별자리에 대해 얼마나 조금 알고 있는지에 대해 이상함을 느꼈다. 그러나 그는 과연 사람일까? 존은 하늘을 올려다보았다. 별들은 항상 별들뿐이었다. 별들은 그가 그랬던 것처럼, 여기저기 떠돌아다니지 않았다. 별들은 그저 좌우로 흔들렸다.

그러고 나서 존은 무언가를 알아차렸다. 앞에 가던 보트가 멈추었다. 존도 멈추었다. 그는 다시 고개를 들었다. 무언가 변화하고 있었다. 아마도 그는 무언가를 보고 있는 중이었다. 별들은 움직이기 시작했다. 그것들은 확실히 움직였다. 별들은 뭔가가 되었다. 별들은 존에게 보내는 편지처럼 보였다. 아이들의 글자들. 처음에는 희미해 보였지만, 그 후에 점점 더 밝아졌다. 존은 그 글자들을 소리 내어 읽었다. 무슨 의미일까? 존은 그 글자들을 읽고 또 읽었다.

"아!" 그는 다시 고개를 들었다. "내가 어떻게 이걸 잊어버렸지… 이건 나무라는 뜻이야!" 그는 단어가 울리는 방식과 그것이 쓰였을 때의 모습을 좋아했다. 그러나 별들은 사라졌다. 별들은 나타났을 때처럼 갑자기 사라졌다. 하지만 뭔가 의미가 있을 것이다. 존은 어떤 것이 별들에 어떻게 영향을 미칠 수 있는지 알지 못했지만, 그 메시지는 너무 분명했다. 여전히 그가 아는 유일한 나무는 거대한 나무 프로젝트였다. 다른 것은 없었다.

아니다! 생명의 나무! 그는 거의 잊어버릴 뻔했다. "이 봐!" 존은 고개를 들어 위를 올려다보며 말했다. "나한테 말하려는 거라면, 그냥 말해줘. 이대로 이렇게 해도 될까? 내가 어떻게 해야 할까? 나는 지금까지 살면서 한 종족 전부를 구해본 적이 없어. 누구라도 그렇지 않겠어? 나는 도움이 더 필요해."

아무 일도 일어나지 않았다. 그는 아이들이 아직도 자고 있는지 확인하기 위해 뒤를 돌아보았다. 한 아이가 깨어 있었다. 존은 "너 그거 봤어?"라고 물었다. 아이가 답한다. "뭘요? 이상한 밤이네요. 너무 어두워서 별도 거의 안 보이고…. 그래도 달은 꽤 환해요. 이거 말인가요?" "다시 자도 돼." 아이는 고개를 끄덕이고 부드럽게 코를 골기 시작했다. 존은 '내가 그 언어로 또 무엇을 보았을까?'라고 회상했다. 파일이 있었지. 그 파일은 '위대한 나무 프로젝트'라고 불렸다. 그리고 그것은 마치 나에게 발견되기를 기다리는 듯했다…. 그것이 진정한 목적이었을까? 음, 그 프로젝트는 생명 나무를 사용하여 여우를 인간으로 바꾸는 것인데… 생명 나무의 목적은 무엇일까?'

존은 이것에 대해 한 번도 생각해본 적이 없었고, 자신이 그런 생각을 하지 않았다는 것에 놀랐다. 만약 그가 그 나무의 목적을 결정했다면, 그는 그것이 악인지 아닌지를 포함하여, 너무나 많은 것들을 알았을 것이다. 그러나 악이란 무엇인가? 어떤 것을 단순히 선악으로 분류할 수 있을까? 존은 매우 혼란스러워지기 시작했고, 그의 창조물이 그것의 목적에 어긋나는 것인지, 아니면 그 나무가 어떤 목적이라도 가졌는지를 궁금해했다.

그는 그 나무가 자신에게 어떤 종류의 메시지를 보내기를 바랐다. 여우와 인간이 최근에 들어왔던 그 어떤 말들보다 더 도움이 되고 현명한 메시지를 말이다. 어쨌든 나는 인간과 여우 중 어떤 것도 아니다. 존은 마치 기형이 된 돌연변이 생물이 된 것 같은 기분으로 생각했다. 그는 최소한 어떤 것에 속하기를 바랐다. 별들이 도움을 주는 것처럼 보였지만, 동시에 이 모든 혼란의 원인인 것 같았다.

그러나 별들을 조종할 수 있는 어떤 것은 강력하고, 정말 강력해야 했다. 그리고 그것은 그를 해할 것이 아니라, 좋은 힘처럼 느껴졌다. 그러나, 존은 예전만큼 그의 감정을 신뢰하지 않았고, 그 메시지에 대해 여전히 확신하지 못했다. 게다가, 그에게 보내는 메시지가 매우 중요하긴 했지만, 그가 신경 쓰는 것보다 더 많은 것을 고려해야 했다.

그의 주된 관심사는 아이들(섬과 배에 있는), 단서들, 론, 그리고 물론, 지금 존에게 가장 큰 미스터리인 것처럼 보이는 벤이었다. 그는 어떻게 해서 그가 메시지를 보낼 수 있었는지, 그리고 그가 어디에 있는지 궁금했다. 그는 아가타와도 상담하는 것이 도움이 되리라 생각했다. 존은 그녀의 부재를 더 느끼고 있었고, 만약 그녀에게 닿을 수 있다면 그녀에게 도움을 요청할 수 있기를 바랐다. 다른 배에 오르는 것이 그렇게까지 위험하지 않았다면, 그는 바로 그녀를 구조했을 것이다.

그때 존은 갑자기 그가 혼자라는 것을 깨달았다. 그 누구도 이제 그를 도울 수 없었다. 그는 그 나무에서 솟아난 모든 것들에 대해 생각했다… 존은 그것에 대해 좋은 것을 찾을 수 없었다. 일어난 끔찍한 일들의 절반이 그것에게서 오는 것처럼 보였다. 존은 또한 왕이 나무를 원래 자리에서 치우라고 명령한 후에 나무가 왕을 병들게 함으로써 복수를 했다는 것이 약간 소름 끼치는 일이라고 생각했다.

존은 그 나무가 문제를 일으키는 것처럼 느꼈다. 하지만 왜 그랬을까? 확실히, 나무가 그렇게 끔찍하고 강력한 것들을 내뿜는 데는 이유가 있을 것이다. 아마도, 그것은 자신의 바람에 반하여 나무가 제거된 것과 관련이 있을지도 모른다. 하지만 확실히 나무는 그런 것에 대해 생각할 수 없고 그것의 힘을 사용할 수 없다. 그럴 수도 있나? 하지만 그럴 수 있다면, 왜 나무는 다른 사람들이 그것의 힘을 사용하여 새로운 종을 만들도록 허락했을까? 생각할 수 있다고 말한다면 그 나무가 악하다는 것 외에는 다른 설명이 없다. 하지만 인간은 어느 정도로 사악한가? 존은 자신에게 물었다.

그는 호텔에서 일하면서 만났던 인간들과 그들의 행동에 대해 생각했다. 존은 그들의 행동이 여우들보다 특별히 더 사악하다고 생각할 수 없었다. 그러나 그렇다면 그 인간들이 창조되었다는 것은 좋은 일이었을까? 세상이 그들로부터 이익을 얻었을까? 절대 그렇지 않다고 존은 생각했다. 그래서, 인간이 창조된 것은 좋은 일이 아니라고 결정했다. 머릿속에는 여전히 자신이 만났던 인간의 아이들이 떠올랐지만 말이다.

그리고 그는 여우들에 대해 생각했다. 여우들이 무슨 잘못이라도 한 적이 있을까? 존은 이에 대해 생각했고, 갑자기 즉각적인 대답이 떠올랐다. [인간훈련센터]. 론이 행하는 훈련을 본 후부터는 어떤 것이든 훈련한다는 것은 그리 멋진 것 같지 않았다. 존은 책을 꺼냈다. 어디서부터 시작해야 할지 모를 정도로 너무나 커진 책을 펼쳐 들었다. 막막해서, 그는 그저 눈을 감았는데, 갑자기 그의 손이 평소와 다른 느낌으로 페이지를 넘기고 있었다. 존은 정확히 어떻게 된 것인지는 알지 못했지만, 눈을 떴다. 그리고 바로 그때, 그가 그 페이지에서 처음 본 것은 [인간훈련센터]였다.

존은 그 단어들을 보고, 긴 장을 하나하나 읽었다. 사실, 다른 배가 떠난 후에도, 존은 여전히 그 책을 힐끗 보면서 배를 몰았다. 그 책에는 그가 원하는 정보가 있었지만, 그것은 그가 예상했던 것보다 훨씬 더 끔찍했다. 그가 알지 못했던 일들은 그야말로 충격적이었고, 그의 어린 시절 미스터리들은 모두 해결되고 있었다. 왜 그가 성에 가야 했는지, 왜 부족 내에서 유일한 인간인지, 왜 다른 인간들은 (지금의 호텔 자리인) 중심부에 있는지, 왜 마법을 배우지 못했는지, 여우들이 그를 어떻게 생각하는지, 그리고 어떻게 그를 조종하는지, 그리고 그들이 모든 것을 어떻게 조종하는지 등이다.

그 장을 다 끝냈을 때, 그는 어떻게 느낄지 몰랐다. 그는 항상 여우들이 얼마나 멋진지, 그리고 완전한 완벽함에 대해 배웠다. 존은 이 가르침이 완벽하다고 생각할 수 없었다. 여우들은 그들이 잘못이라고 말한 모든 것을 했다. 어쩌면 그보다 더 나쁠지도 모른다고, 존은 생각했다. 적어도 인간들은 무슨 일이 일어나고 있는지 알고 있었다. 여우 중 누구도 그간 무슨 일이 일어났는지 알지 못했다. 그들은 지금 일어나고 있는 일에 대해서도 역시 잘 모를 것이다. 그들의 잘못이란 소리는 아니다. 소수의 책임자들이 그 부족에서 일어나고 있는 모든 일을 통제할 수 있도록 그렇게 했다. 그러자 존은 자신의 딜레마가 무의미하다는 것을 깨달았다. 이런 상황에서 어떤 것을 좋은 것이라고 말하는 것은 불가능할 것이다. 어쨌든 완벽한 것을 찾으려 노력하는 것은 무의미했다.

회상

16. 회상

벤은 도망치기 위해 필사적으로 숲속을 질주했다. 섬은 완전히 론의 손에 들어갔고, 벤은 이 모든 것을 끝낼 수 있는 유일한 방법이 있다는 것을 알았다. 그는 그것을 찾아야 했다. 그는 그것을 파괴해야 했다. 그는 그것에 어떤 위험이 따르는지, 그것이 또한 무엇을 파괴할지 알지 못했다. 그가 아는 모든 것은 론이 알지 못하는 무언가가 있다는 것, 그것이 론의 몰락으로 이어질 수 있다는 것뿐이었다….

이 모든 것은 그가 그날 호텔을 뛰쳐나왔을 때 시작되었다. 그는 완전히 분노에 휩싸였고, 무엇을 해야 할지 확신이 없었다. 벤은 존과의 관계가 불공평하다고 느낀 순간, 순수한 분노로 존을 떠났다. 그는 존이 어떤 식으로든 그에게 연락하는 것이 불가능하도록, 그가 접촉할 수 있는 모든 장치를 호텔에 남겨 두었다.

그는 해변을 향해 걸어갔고, 벤치에 앉아 다음에 무엇을 해야 할지 생각했다. 벤은 평소의 그답지 않게, 호텔을 떠난 후에 무엇을 할지에 대해서는 전혀 계획하지 않았다. 그는 벤치에 앉아 그가 무엇을 할 수 있을지 생각했다. 그에게는 많은 딜레마가 있었지만, 딜레마는 아이스크림콘처럼 머릿속에서 녹고 있었고, 다소 왜곡된 상태로 그의 머릿속을 빙빙 돌고 있었다. 그는 머릿속에는 윙윙거리는 라디오가 있는 것처럼 느껴졌고, 엄청난 두통이 있었다. 두통 때문에 벤은 다른 문제에 대해 생각하기 힘들었다. 너무 짜증이 나서, 그는 아주 조금이라도 성가신 일이라고 생각되는 모든 것에 엄청난 화가 났다. 벤은 기분이 이상했고, 생각할 수 없었다. 그러다가 그는 잠이 들었다.

다음 날 아침 깨어났을 때, 벤은 다른 기분을 느꼈다. 그는 이제 모든 생각이 맑고 자기 고유의 생각이라 느꼈고, 그의 내면의 분노가 사라진 것처럼 느꼈다. 그는 자유로움을 느꼈다. 그러고 나서, 그가 다시 생각하려고 했을 때, 그는 기분이 이상해졌고, 자신에 대해 혼란스러워했다. 그는 최근에 자신이 한 일들을 떠올렸지만, 마치 다른 사람의 행동인 것처럼 인식되었다. 낯설게 느껴졌다. 그는 자신을 전혀 이해할 수 없었다. 그때, 다른 기억들이 그의 뇌리에 넘쳐나기 시작했다.

그는 자신의 방에 있었고, 잠들어 있었고, 론이 조용히 들어왔고, 자신의 마음을 침범했다…. 벤은 이제 모든 것을 기억했다. 그는 일어난 모든 것을 기억했다. 그는 통제되었다. 최면에 걸렸다. 론의 노예. 자신과는 전혀 다르다. 그는 온몸에 땀을 흘리기 시작했고, 호텔로 돌아가기 위해 일어섰고, 다시 쓰러졌다. 그는 그 어느 때보다 약해져 있었다.

그때 누군가 그에게 다가왔다. "도움이 필요한가?"라고 론이 물었다. 벤은 혼란스러워하며 그를 쳐다보았지만, 이내 한 가지 생각이 떠올랐다. "응." 그것은 희망과는 전혀 달랐지만, 그가 가진 가장 큰 희망이었다. 론은 벤의 손을 잡았고, "벤, 다시 만나서 기쁘고, 혼자 만나서 더욱 기쁘네. 혹시 누군가가 널 기다리고 있니?" "아무도 나를 기다리고 있지 않아." 벤이 말했다. "그러니까, 너는 존과 일하는 것을 그만두었단 말이군…. 그러니까, 그… 내 말은, 네가 그에게서 무엇을 보는지 모르겠어. 너 같은 사람이 너의 지식, 능력, 그리고 생각을 그를 위해 사용한다는 것은 정말 끔찍해. 당신은 가치 있는 사람과 함께 있을 자격이 있어. 정말로 너를 알고, 정말로 너를 아끼는 사람. 나 같은 사람. 네가 나와 다시 함께하기를 바라네." "그래." 벤이 말했다. "그럴게." "그런다고! 음,

좋아. 하지만 말해 봐. 너랑 그놈한테 대체 무슨 일이 있었던 거지?"

벤은 약간 창백해지고, 침울해 보였는데, 그러다가 그는 갑자기 표정을 바꾸었고, 얼굴이 붉어졌다. 벤은 "내가 그를 위해 일한다고? 아니. 그가 나를 위해 일했지."라고 말했다. "넌 꽤 행복해 보였어." "…" "타인이 너를 위해 일하니 즐거웠나 보지?" "글쎄, 만약 그와의 사업이 잘 진행되고 있다면, 나도 그것에 이바지했을 수도 있다고 생각하는데." "아니. 그건 순전히 나의 노력과 결단력으로 이룬 것이었어. 하지만, 어떤 일들은 그다지 순조롭게 진행되지 못했는데, 거기엔 네가 영향을 미쳤을 수도 있겠네." 벤이 물었다. "내가 너보다 그를 더 돕고 싶다고 생각해?" 론이 말했다. "차라리 날 도와준다면 기쁠 텐데, 상황 때문에 널 믿기가 힘드네. 하지만 나는 자비로운 지도자야. 나는 과거의 일들에 대해 더 논의하지 않을 거야. 이제 미래에 관해 이야기하자." 존은 벤의 손을 잡고 말했다. "그리고 구원의 섬보다 미래에 관해 이야기하기 더 나은 곳은 없지."

그들은 함께 보트로 걸어갔고, 배에 올랐다. 벤은 조종사가 약간 정신이 혼미해 보인다는 것을 재빨리 알아차렸다. 그는 어떤 방식으로든 최면에 걸렸을 그것으로 추정하고, 론을 힐끗 쳐다보았다. 론은 바다를 바라보고 있었다. 보트는 섬을 향해 놀라운 속도로 질주했고, 벤은 금방이라도 잠이 들 것 같은 조종사를 쳐다보지 않을 수 없었다. 이미 꽤 곤란을 느끼고 있던 벤은 메스꺼움을 느꼈고, 론이 이런 상황에서도 절대적인 편안함을 느끼고 있다는 사실에 약간 두려움을 느꼈다. 나는 내 계획을 실행해야 한다고 벤은 생각했다. 그렇지 않으면 미래는 이런 모습일 것이다.

그들이 섬에 도착했을 때, 벤은 주위를 둘러볼 수 있었다. 론은 정신이 혼미한 조종사에게 무언가 중얼거렸고 그는 속도를 높였다. 그들은 이제 혼자였다. "여기에는 아무도 없어요." 벤이 말했다. "사람들? 오, 비록 내가 그들을 사람이라고 부르지는 않겠지만, 어떤 존재들은 있어. 하지만, 그들은 모두 멀리 있고, 우리의 시야에서 벗어나 있지. 걱정하지 마. 그 덕에 우리는 자유롭게 이야기할 수 있으니까. 알다시피, 그 모든 혼잡함도 없고, 불순함도 없지." 론이 대답했다.

"불순함?" 벤이 물었다. "응, 불순함. 보다시피, 벤, 나에게는 계획이 있다. 세상을 개선하기 위한 계획이 있지. 지금, 나는 끔찍한 것들을 보고 있다. 어떤 사람들은 그들이 마땅히 받아야 할 것보다 훨씬 더 적게 받는 반면, 어떤 사람들은 그보다 훨씬 더 많이 받고 있다. 보다시피… 어떤 존재들은 매우 원시적이지. 그들은 오랫동안 존재해 왔고, 진화할 기회가 주어지지 않았다. 그들은 거의 유용한 것을 하지 않고 그저 계속 나아갈 뿐이야. 하지만, 어떤 존재들은 다르다. 어떤 존재들은 신중하게 설계되었고, 훨씬 더 새로운 것들을 하고 있다. 내 목표는 옛 시대의 존재들에게 새로운 존재가 될 기회를 주고, 그래서 그들이 새로운 존재들처럼 삶을 즐길 수 있도록 하는 거지. 새로운 존재들에 대한 한 가지 사실은 그들이 새로운 방식으로 생각한다는 거야. 어느 쪽이든, 진정으로 자신을 위해 생각한다고 말할 순 없지만, 오래된 생물들의 경우, 그들은 절대로 전통을 포기할 수 없다. 그들의 마음은 전통에 고정되어 있으니까. 만약 네가 새로운 존재들을 교육한다면, 과거에 어떤 전통이 존재했든 상관없이, 네가 원하는 대로 생각하도록 만들 수 있지. 놀랍지 않아?"

벤은 그렇게 생각하지 않았지만, 고개를 끄덕였다. 론은 계속해서 말했다. "그 오래된 생물은 바로 여우야. 새로운 존재는 우리가 만든 그 생물체고! 바로 인간! 하지만 너도 알다시피, 여우는 생명 나무를 사용하여 인간이 될 수 있지. 우리는 작은 부분만 보았지만, 나는 생명 나무를 발견했고, 그것을 조종하는 방법을 찾았어. 나는 이제 모든 생명의 길을 바꿀 수 있다. 네가 나를 도와준다면 기쁠 거야. 위험하진 않아. 난 널 돌볼 거야. 난 널 위험에 빠뜨리지 않을 거야. 이런 이유로 네가 그 나무를 사용하게 하거나 그 새로운 생물들을 교육하지 않을 거야. 나는 모든 배를 이미 준비해놨지. 너는 네가 할 수 있는 한 빨리 사람들을 데려와 그들을 넘겨주기만 하면 돼. 그들은 싸움을 걸지도 몰라. 이해했지?"

벤은 "전혀 동의하지 않아."라고 말했다. 론의 얼굴이 억지로 미소를 지었다. "하지만 벤, 정말 멋진 기회야. 그리고 보이지 않니? 넌 여기 갇혀 있잖아. 넌 내가 없으면 나갈 수 없어. 난 여기서 너에게 하고 싶은 것은 무엇이든 할 수 있지만, 아무도 모를 거야. 내가 너였다면, 감히 반대하지 못했을 거야." 벤은 론을 바라보며 말했다. "조건이 하나 있어." 론이 "뭐야?"라고 물었다.

"내가 배를 돌보는 동안 최면을 걸지 마." 론이 헉하고 숨을 쉬었다. "알고 있었구나?" 벤이 말했다. "물론 알고 있었어. 제대로 생각할 수도 없었고, 그래서 네가 하는 일에 대해 조금 눈치챘어. 널 비난하려는 의도는 아니지만, 단점은 있다. 최면을 걸면 사람들이 네가 원하는 대로 하게 만들 수 있고, 그건 네게 매우 바람직하다고 여겨질 거야. 그런데 단지 그게 네가 원했던 것이라면, 넌 내가 아니라도 누구든지 그렇게 만들 수 있어. 그렇지만, 네가 나를 원하는 유일한 이유는 너와 함께 일하고 나무를 사용했던 내 경험 때문이지. 내가 최면에 걸린다면 나 자신으로서 경험을 살려 생각을 할 수 없을 거야. 게다가, 네가 말한 것처럼, 나는 여기에 갇혀있어. 네가 없으면 나는 나갈 수 없어. 네가 잃을 게 뭐가 있겠어?"

론은 다시 한번 억지로 미소 지으며, "물론."이라고 말했다. 벤은 "그럼 내가 널 위해 일을 할게."라고 말했다. 론은 잠시 벤을 바라보며 "벤, 네 선택에 의한 것처럼 말하지 마. 네 선택이 아니지. 넌 그저 나에게 선택받을 만큼 충분히 특권을 누릴 뿐이거든. 어쨌든 난 네가 나와 함께 일하기를 원한다는 걸 고맙게 생각한다. 이제 생명의 나무를 보여줌으로써 작은 감사 선물을 주도록 하지. 자, 나를 따라와."라고 말했다

…그들 둘 다 론이 그의 말을 후회하며 살리라는 것을 이때는 알지 못했다.

론이 생명의 나무가 있다고 주장하는 곳에 이르렀을 때, 벤은 어리둥절했다. 론이 나무에 대고 무언가를 중얼거리기 전까지, 그는 아무것도 보지 못했다. 작은 줄기 중 하나가 자라기 시작하더니, 이내 스무 그루보다 더 큰 소나무가 겹겹이 쌓인 거대한 나무가 되었다. 그것은 많은 색깔을 가지고 있었다. 모든 부분이 아주 명랑하지는 않았지만, 각각의 부분은 생명으로 가득 찬 것처럼 보였다. 그것은 벤이 인간을 만들 때 보았던 생명 나무와는 다른 것처럼 보였다. 그 나무는 그를 매혹하는 것처럼 보였는데, 이것이 얼마나 위험하고 강력한지는 쉽게 느낄 수 있었다. 벤은 론을 쳐다보았고, 론마저도 놀란 표정을 지었다.

"나는 항상 이 나무가 내 힘의 가장 좋은 표현일 수도 있다고 느껴." 론은 말했다. 벤은 론이 그런 나무에는 맞지 않는다고 느꼈지만, 동의하지 않는 것이 최선이라고 생각하며 그저 고개를 끄덕였다. 그러고 나서 론은 벤을 바라보며 말했다. "음, 넌 일을 시작하는 것이 좋겠다. 난 몇

가지를 확인해야 할 필요가 있어서, 이 섬을 잠시 떠나 있어야겠어. 그러나, 만약 이 섬에 어떤 일이 발생하면, 난 즉각 알게 된다는 걸 잊지 마." "아무 일도 안 생길 거야." 벤이 대답했다. "아무것도 할 수 없지." 론이 웃으며 말했다. 그러고 나서 그는 그 섬을 떠났다.

벤은 우선 그의 신뢰를 얻는 것이 최선이라고 생각했다. 벤은 벤이 지킬 가치가 있다는 것을 증명해야 했다.

그러고 나서 그는 주위를 둘러보더니, 나무로 걸어 올라갔다. 그는 생명의 나무 씨앗을 보고, 그 씨앗이 무엇을 했는지 기억하면서, 그 씨앗을 모두 없애야 할지 말아야 할지에 대해 머릿속에서 고민했다. 그러나 그가 올려다보았을 때, 또 다른 씨앗은 아무 일도 없었다는 듯이 막 자라난 뒤였다.

그는 다른 것을 고르려고 했고, 이번에는 작은 목소리가 "우아!"라고 말하는 것을 들었다. 벤은 그의 뒤를 돌아보았다. 아무도 없었지만, 그 나무는 살짝 움찔거렸다. 벤은 깜짝 놀랐지만, 소리가 정말로 나무에서 났는지 보기 위해 몇 개의 씨앗을 더 골랐다. "아!" 그것은 분명히 말하고 있었다. 벤은 식물에 사과해야 한다는 생각에 우스꽝스러움을 느꼈지만, "미안해"라고 중얼거렸다. 그 나무가 언어를 이해할 수 있는지 궁금했다. 그 나무는 잠깐 아무것도 하지 않다가, 마치 극도의 편안함을 느끼며 침대 위에서 몸을 웅크리는 사람처럼 더 작아졌다. 그 나무와 씨앗의 힘은 편안함을 느끼면서 더 작아지는 것처럼 보였다.

벤은 이 식물의 힘을 더 조사할 필요가 있어서, 나무의 힘이 자라게 하려고 그 나무를 발로 찼다. 생명의 나무는 즉시 자라났고, 나무껍질은 인상을 찌푸린 얼굴로 변했다. "나빠!" 벤이 나무의 얼굴을 보고 다시 발로 찼다. 이번에는, 일련의 이미지들이 그의 마음을 채우기 시작했다. 전쟁. 기근. 부조화. 벤은 즉시 론이 왜 그 나무를 그렇게 좋아했는지 깨달았다. 나무는 세상을 조종하는 매우 간단한 방법을 제공했다.

"우와…" 감정이 그의 마음에서 물러나 세상에 녹아들 때 벤은 중얼거렸다. 그는 그것을 믿을 수 없었다. 그렇게 단순하고 강력한 것, 그러면서도 통제하기 쉬웠다. 그것은 완벽했다. 그것은 또한 축 늘어져 있었다. 벤은 나무에 약간의 연민을 느껴서 그것을 껴안았다. 나무는 다시 한번 줄어들고, 다시 한번 평온해졌다. "이 나무는 더 많은 일을 할 수 있어." 벤은 생각했다. '하지만 고통으로 움직이는 게 유일한 방법일까?' 벤은 실험하기로 하고, 작은 연못을 발견할 때까지 섬 주변을 걸었다. 그는 연못에서 물을 받아 나무에 주었다. 나무가 좌우로 흔들리더니 벤을 살짝 스쳤고, 그를 완전히 다른 세계로 끌어당겼다.

그는 존의 호텔 방에 있었고, 침대에서 허공을 응시하고 있는 존의 옆에 서 있었다. "존?" 존은 움직이지 않았다. "존? 내 말 들리니?" 아무 일도 일어나지 않았고, 벤은 자신이 거기에 있지 않은 채, 존을 보고 있는 것이 틀림없다고 결론 내렸다. 바로 그때, 벤은 무언가가 그를 스치는 것을 느꼈고, 그는 자신이 조금 전까지 있었던 구원의 섬으로 돌아갔다. 벤은 존을 다시 보고 싶어서, 다시 연못으로 가서 물을 길어와 나무에 물을 주었다. 이번에는 스스로 해내기 불가능해 보였던 순간이동 대신, 전화기를 드는 자신의 모습을 상상하고 번호를 누르려고 했지만, 이윽고 자신의 전화기를 그곳에 두고 온 것을 기억했다. 벤은 한숨을 내쉬었다.

이 일은 끔찍하게 진행되고 있었고, 만일 론이 그 나무를 사용했다는 것을 알게 된다면…. 그가 지금까지 해왔던 일 중 유일하게 유용했던 것은 바로 나무를 다루는 방법을 알아낸 것과 나무가 어느 정도 자기 고유의 마음을 가지고 있다는 것을 발견한 것이었다. 이것은 처음에는 놀라운 발견처럼 보였지만, 그가 이 정보를 활용할 수나 있을까? 결국, 론은 나무를 완벽하게 통제하고 있었고 존의 세계로 몰래 들어가는 것은 거의 무의미해 보였다. "적어도, 나는 론이 알지 못하는 것을 알고 있다." 벤이 중얼거렸다. "나무를 긍정적인 방법으로도 통제할 수 있다는 것!"

하지만 부정적인 것들이 세상을 바꾼 것만큼, 세상이 바뀌지는 않았다. 그저 가장 보고 싶어 하는 사람이 누구인지만 보여줬을 뿐이었다. 벤은 아무것도 할 수 없었다. 벤은 절망적이었다. 그가 모르는 무언가가 더 있을 것이 분명했다. 이 나무 뒤에는 더 많은 것이 있어야 했다. 그 모든 비밀을 알 수만 있다면…. 론이 옳다고 느꼈다. 그는 나무로 아무것도 할 수 없을 것이다. 그는 탈출할 수 없었다. 그는 아무도 없는 이 끔찍한 섬에 갇혔다. 그래, 탈출이 그가 기대할 수 있는 전부였다. 벤은 전보다 더 기분이 나빠져서 나무를 떠났다. 그는 론을 따라가지도, 만나지도 않기를 바랐다. 이렇게 이 모든 것이 시작되었다.

벤은 이와 유사한 절망 속에서 나흘을 보내면서 자신이 잘못된 사람들을 믿고 절대 만들지 말았어야 할 일들을 만들어내고, 자신이 영리하다고 생각하면서 함정에 빠져든 어리석은 사람이라고 느꼈다. 물론 그는 결코 구원을 바랄 수는 없었다. 그는 모든 것에 대해 자신을 증오했다. 이것이 바로 론이 자신을 발견한 상태이기도 했다. 모래로 뒤덮인 섬의 해안가에서 신음하고, 떨고, 무언가를 중얼거렸다. "이제 일할 시간이야." 벤이 천천히 일어섰을 때, 론이 말했다. 벤은 여우들을 론에게 데려왔고, 그들에게 무슨 일이 일어날지 모르는 척했다.

며칠 후, 매우 나른해 보이는 한 남자가 벤을 론에게 데려갔고, 론은 그와 이야기를 나누고 싶다고 말했다. 벤은 약간 걱정이 되어 고개를 끄덕이고 론에게 무엇이 알고 싶은지 물어보기만 했다. "오, 그냥." 론이 말했다. "네가 요즘 좀 피곤해 보였어. 나랑 같이 일하는 게 불편하니?" "아니, 전혀. 난 그냥 이 근처에서 무슨 일이 일어나는지 조금 더 알았으면 좋겠어. 나는 이곳에 대해 아무것도 모르고, 그것은 내가 무엇을 하고 있는지 이해하지 못할 때 내가 일하는 것을 어렵게 만들어." "글쎄, 네가 이 프로젝트를 이해할 수 있을지 모르겠지만, 이것을 몰라서 나를 신뢰하기 어렵다면, 너에게 말해 줄게. 너도 알다시피, 나는 프로젝트 같은 것을 하고 있어." "프로젝트?"

"응, 프로젝트. 그것의 주요 초점은 여우이지만, 나는 이 프로젝트를 모든 사람에게 확장해서, 그들이 진정으로 진화된 종으로서 오는 행복을 즐길 수 있도록 할 계획이야. 또한, 사람들에게 진정한 자유에 대해 가르치고 싶다. 네가 원하는 것을 하는 것은 자유가 아니다. 그것은 방임이다. 나는 최근에 인간이 된 사람들에게 진정한 자유에 대해 가르칠 계획이다." "그리고 그게 뭐야?" "좋은 지도자를 찾고, 그에게 복종하며, 그와 하나가 되는 것. 사람들은 이런 식으로 훨씬 더 많은 자유와 즐거움을 찾을 거야. 나에게는 어렵지만, 나는 좋은 세상을 만들기 위해 약간의 희생이 필요하다는 것을 안다."

"그럼 그 최면술은 어떻게 되는 거야? 그건 왜 그러는 거야?" "오, 그건 단순히 네가 별 도움이 안되는 주변 사람들과 함께 있었기 때문이야. 이건 모두 너에게 최선의 이익이면서, 존에게는 별로 도움이 되지 않는 일이기도 하지…. 그런 일이 나를 괴롭히다니 믿을 수가 없어. 왕이 그 나무에 대해 그렇게 큰 소란을 피우지 않았더라면, 우리는 그 괴물을 상대하지도 않았을 거야. 난 선택의 여지가 없었어. 신하 중 한 사람인 척하다가-" 론이 톡 쏘아붙였다. "왕에게 최면에 걸었어. 유일한 문제는 그가 지금 빙의되었다는 거야. 전체 계획에 속도를 좀 내야 했지만, 지금은 괜찮아." "멋지네." 벤이 말했다.

"바이러스는 어때, 바이러스도 널 괴롭히지 않아?" "아, 그거? 바이러스가 진짜라고 생각해? 하! 단지 소란스러운 사람들을 통제하는 방법일 뿐이야. 그래도 바이러스는 잘 먹히지. 나는 존이 너를 조금 둔하게 만들었다고 봐. 정말로 날 신경 쓰이게 하는 건 그 나무야. 나무는 매우 강력하지만 통제하기 어렵지. 나는 나무를 통제하기 위한 장치로 다른 것을 사용해야 할지도 몰라." "다른 것?" "그건 네가 걱정해야 할 건 아냐. 너도 알겠지만…"

"그 나무는 다른 사람과 연결되어 있을 거야." "글쎄, 뭐, 그렇게 볼 수도 있겠지." "만약 다른 사람과 접촉할 수 있다면 그건 꽤 위험한 일이야. 만약 그들이 위험한 사람을 안다면 어떨까? 마치… 존처럼?" "그렇지, '그들'은 존과 어느 정도 가까이 살고 있다. 확인 좀 해야겠어."라고 말하면서, 론은 여전히 피곤한 표정인 조종사와 함께 일어나서 배에 올라탔다. 벤은 론이 말하는 '그들'이 존이 그에게 그렇게 진지하게 소개하려고 했던 아이들인지 아닌지 생각해보았다. "아이들이 진짜였네." 벤은 생각하고는 멍하니 나무 쪽으로 걸어갔다.

그는 나무를 바라보며 천천히 물을 주었다. 나무는 다시 한번 우아하게 몸을 흔들며 벤을 존의 세계로 끌어당겼다. 그는 여전히 기분이 좋지 않은 표정으로 방을 천천히 왔다 갔다 하며 존을 응시했다. 벤은 한동안 존의 전화기를 응시하더니 이내 걸어갔다. 그는 존이 만든 이상한 컴퓨터를 켜면서 자신의 새로운 계획이 효과가 있기를 바랐다. 그는 존의 전화번호와 기타 필요한 정보를 입력한 다음 존의 전화기를 집어 들고 자신이 알고 있는 모든 정보를 기록했다.

갑자기 벤은 컴퓨터 화면에 단어들이 점점 더 많이 나타나며 갑자기 에너지가 솟구치는 것을 느꼈다. 그리고 얼마 지나지 않아 그 단어들은 론의 세계에서 힘차게 서 있는 나무로 다시 사라졌다. 그는 약간 걱정이 되었다. 그가 설정한 시간은 너무 짧아 보였고, 시간은 너무 정확해 보였다. 존이 올 것인가? 더 중요한 것은, 존이 마땅히 해야 할 일을 해낼 수 있을까 하는 점이었다. 그것은 존에게 어떤 영향을 미칠까? 벤에게는 어떤 영향을 미칠까? 세상에는? 벤은 생각하기 시작했다. 딜레마는 간단하지 않았지만, 그것이 해결되기를 기다리며 존을 응시하고 있었고, 크고 굵은 글씨로 그의 마음에 낙서하고 있었다. 다음날 론이 돌아오는 순간까지, 그 낙서는 존의 머리 주위를 헤엄쳐 다녔다.

벤은 론을 보는 것을 절대 좋아하지 않았지만, 자신의 걱정 대신 론을 생각하는 것이 기뻤다. 딜레마는 어느 쪽이든 희생을 감수해야 했고, 양쪽 모두 모든 것을 파괴할 수밖에 없었다. 그는 할 수도 있고, 멈출 수도 있다. 벤은 2주가 걱정을 피하기에 충분한 시간이라고 판단하고, '바쁜 일'과 '론'이라는 약으로 자신을 진정시켰다. 그러나 둘 다 언젠가는 섬을 떠날 마음이 있었고, 나무를 다시 보기를 은밀히 바랐지만, 이것은 벤이 기대했던 것이 아니었다. 그 나무는 그의 모든 걱정의 발단이긴 했지만, 그러면서도 그 나무는 그가 유일하게 끌렸던 부분이었다. 그는 그 나무를 사랑하기도 싫어하기도 했지만, 론이 떠나는 것을 보는 순간 그곳으로 가고 싶은 충동을 참을 수 없었다.

하지만, 그 나무는 바뀌어 있었다. 나무의 차이점이 너무 뚜렷해서 벤은 곤란을 느끼기까지 했다. 나무는 못생겨졌고, 물을 줬을 때 더 반응하지 않았다. 대신 저항하고 진화하려는 강력한 충동으로 가득 찬 것 같았다. 그러나 그 에너지의 핵심은 여전히 매우 똑같았고, 더 많은 것을 얻기 위해 노력하는 생명으로 가득했다. 그는 그 변화가 어떤 식으로든 좋은 것인지 아닌지 결정하려고 애썼지만, 문득 론과 최근에 나눴던 논의가 떠올랐다.

*

"정말로 날 신경 쓰이게 하는 건 그 나무야. 나무는 매우 강력하지만 통제하기 어렵지. 나는 나무를 통제하기 위한 장치로 다른 것을 사용해야 할지도 몰라." "다른 것?" "그건 네가 걱정해야 할 건 아냐. 너도 알겠지만…" "그 나무는 다른 사람과 연결되어 있을 거야." "글쎄, 뭐, 그렇게 볼 수도 있겠지." "만약 다른 사람과 접촉할 수 있다면 그건 꽤 위험한 일이야. 만약 그들이 위험한 사람을 안다면 어떨까? 마치… 존처럼?" "그렇지, '그들'은 존과 어느 정도 가까이 살고 있다. 확인 좀 해야겠어."

*

벤은 기분이 나빴다. 그럴 수밖에 없었다. 대답은 그저 바로 앞에 있었다. 그 나무의 새로운 상태는 그가 믿기를 거부했던 어떤 것 때문이었다. 벤의 눈은 가장 깊은 공포로 떨었고, 그의 두 생애 최초로, 그는 슬픔을 느꼈다. 그는 또한 두려움을 느꼈다. 그가 두려워했던 미래가 마침내, 그를 삼킬 준비가 된 상태였다. 그는 손을 나무 위에 올렸고, 누군가가 벤에게 손을 얹었다.

"네가 우리 나무에 그렇게 관심이 있는 줄 몰랐네." 론이 위험할 정도로 다정한 어조로 속삭였다. "아니, 그냥 지나가는 중이었어…. 그리고 네가 떠난 줄 알았어." "그냥 지나가다가 내가 떠나는 동안 우연히 그 나무를 만졌구나? 정말 궁금하군. 믿을 수 없는 우연이네." "왜 믿을 수 없는 일인지 모르겠네. 너는 네가 여기 있는 동안 항상 그 나무와 함께 있었고, 너는 나에게 그 나무를 만지는 것이 그렇게 끔찍한 일이라고 말한 적도 없잖아. 제발 내가 이 나무의 아름다움을 존경하게 해줘. 너도 우리가 같은 생각이라는 것을 알고 있잖아."

"벤, 누군가가 진실을 피하기를 원할 때 난 그것을 느낄 수 있어." "글쎄, 그러면 내가 진실을 말하고 있다는 것을 알게 될 거야." 벤은 론이 하는 게임을 그저 재미있다는 뜻으로 보이려고 노력하며 말했다. "네가 나를 볼 수 없다고 해서 내가 너를 볼 수 없다는 뜻은 아니야. 나는 모든 곳에서 너를 감지하고, 내 힘은 너의 힘을 초월해." 벤은 단지 고개를 끄덕이고, 그가 알고 싶지 않았던 것을 알게 된 채로, 멀리 걸어가기만 했다.

이제 진실은 너무 분명해졌고, 모든 것이 그의 잘못이었다. 하지만 그가 그 상황에서 벗어날 수 있는 유일한 방법은 그것을 하는 것이었고, 그것은 그야말로 끔찍한 일이었다. 어떻게 그가…. 그러나 이것이 모든 문제를 해결하는 열쇠였다. 론의 '프로젝트', 전쟁, 그리고 론과 그의 관계가 이것으로 모두 해결될 수 있었다. 그 희생이 그가 그것을 하는 것을 막을 수는 없었다. '하지만 그럼 희생 자체는 어떠한가? 그들이 무엇을 그렇게 잘못해서 나는 그들에게 그런 운명을 선고해야 할까?'라고 벤은 생각했다. "그래도 나는 해야만 해." 그는 중얼거리며 미친 듯이 달려갔고, 나무의 파괴를 향한 여정을 시작했다.

현실적인 희망의 시작

17. 현실적인 희망의 시작

전쟁으로 인해 최근 많은 집단이 생겨났다. 어느 날, 론의 격리센터의 6층을 차지하고 있던 몇몇 아이들이 불가사의하게 납치되었을 때, 다시 그렇게 해야 할 의무감이 느껴졌다. 아이들이 사라진 후, 그들의 부모님들은 그날 무슨 일이 있었는지 물어보기 위해 호텔의 프런트에 전화했지만, 결국 그들의 아이들이 여우에게 납치되었다는 만족스럽지 않은 대답을 얻었다. 양쪽의 부모님 모두 도움을 간절히 원했지만, 아무 정보도 알아낼 수 없었다. 마침내, 그들은 절망에 빠졌고, 아무것도 하지 않고 몇 주를 보냈다.

마침내, 아이들 없이 계속 살아내야 한다는 것을 받아들인 후, 부모들은 현관으로 나갔다. 웬디는 그들의 장난감을 하나씩 모으기 시작했고, 최근에 사라졌던 물건들을 찾기 시작했다. 이 물품 중에는 그녀의 메모장과 펜도 있었다. 웬디는 천천히 메모장을 열었고, 작게 휘갈겨진 글자들을 발견하고, 아이들이 글쓰기를 연습했다고 생각했다. 그녀는 보다가 눈시울이 촉촉해지려 해서, 자신을 진정시키고, 반대편을 바라봤다.

그곳에서, 웬디는 부서진 벽과 말린 나뭇잎과 앞발에 막대기를 들고 있는 큰 여우를 발견했다. 저 여우가 그녀의 아이들을 납치한 여우일 수도 있을까? 그녀는 어떻게 해야 할지 모른 채, 여우를 응시했다. "우리 아이들에게 무슨 짓을 한 거야?" 그녀가 물었다. 여우는 소리를 질렀고, 그러고 나서 으르렁거렸다. 웬디도 여우를 무섭게 노려보고 "대답해!"라고 말했다. 웬디는 공포가 밀려오는 동시에 그 짐승을 공격하고 싶어 했다.

그녀는 아직도 손에 펼쳐져 있는 공책과 케이크 먹을 때조차 사용할 수 없을 정도로 뭉툭한 장난감 포크를 들고 여우를 향해 걸어갔다. 여우 또한 이빨을 드러낸 채, 그녀에게 걸어왔다. 웬디는 자신이 여우와 상대가 될 사람인지 궁금했지만, 여우에게 자신이 강하다는 것을 보여주기 위해 앞으로 걸어갔다. 그녀는 천천히 앞으로 나아갔는데, 꼭 천천히 발을 끄는 것처럼 보였다. 여우는 갑자기 웬디에게 다가왔고, 웬디는 플라스틱 포크로 여우를 최대한 세게 때렸다.

"리암, 도와줘!" 그녀는 아직도 멀리 있는 침실에서 입을 다물고 있는 남편이 듣기를 바라면서 외쳤다. 여우는 갑자기 멈추었고, 마른 잎사귀를 잡으며 이번에는 사람의 말에 조금 더 가까운 무언가를 말했다. 웬디는 잠깐 쳐다보았고, 그러고 나서 그녀의 메모장을 보았고, 낙서들 옆에 영어 단어와 발음이 있다는 것을 깨달았다. 그녀는 여우가 자신이 아이들에게 한 짓에 관해 물어봤다는 것을 깨닫고 이상한 말투로 "그들을 몰라. 당신은 우리 아이들을 어떻게 하나?"라고 더듬더듬 물었다. "그들을 몰라." 여우가 대답했다.

그러고 나서 여우는 그녀를 쳐다보며 "당신들 아이들에게 무슨 일이 있어?"라고 물었다. 웬디는 "그들은 여우의 손에 잡힌다."라고 말했다. 여우는 "나의 아이들은 사람의 손에 잡힌다, 과거, 몇 주였다"라고 대답했다. 웬디는 기분이 이상했다. 이 언어는 신비한 힘이 있어서 그녀 앞에 있는 그 생물체를 덜 증오하며 이해하기 시작했고, 그녀도 모르는 사이에 웬디는 자신의 공책을 들여다보고 있었다.

"이 언어, 인간의 언어?"라고 여우가 물었다.

"아니요. 어떻게 그렇게 말을 잘하는지 알아?"

"모르겠어. 내 아이들 공책이 안에 있어, 보고 읽었어." 여우가 한숨을 쉬었다.

"맞아. 네 아이들(그녀는 여우를 향해 손짓을 했다)과 내 아이들은 아마 같은 언어를 알고 있을 거야. 내 생각엔. 벽 구멍으로 말해."

"그럼 우리 아이들은 어떻게 되는 거야? 내 아이들은 여기서 사라진 거야. 내 생각엔 네 아이도 여기서 사라진 것 같아. 그럼 누가 그들을 데려가는 거야? 사람이 그들을 데려가는 거야, 아니면 여우가 그들을 데려가는 거야?"

"몰라. 이 호텔은 그냥 나빠. 인간과 여우는 함께 일할 수 없어. 그래서 거짓말을 해." 웬디가 말했다. 그들은 거짓말을 했다.

"좋아. 그들은 왜 거짓말을 하는 거야?"

"아마도 그들은 주의를 산만하게 하기를 원하지 않아. 그들은 너와 나에게 여기에 대한 좋은 생각을 주기 위해 거짓말을 할 거야."

"아니. 그들이 우리 아이들을 데려가는 이유는 없어. 그들은 우리가 알기를 원하지 않아. 그들은 우리 아이들에게 사람의 편을 빼앗지만, 우리 아이들은 데려가지 않았어."

"그래서, 사람이 아니야! 여우가 아니야! 그러면 뭐지? 이 호텔은 많은 비밀을 가지고 있어. 그들은 반대편에 사람이 있다는 것을 비밀로 해. 그리고 지금 뭘 하지? 사라진 아이들에 대해 거짓말을 해. 여긴 다른 나라로 건너가기 위한 유일한 장소. 여기 중간에서 싸움을 하지 않아. 나는 그들이 호텔에 많은 돈을 주기 위해 싸움을 일으킨다고 생각해." 여우가 꽤 의기양양하게 말했다.

"하지만 아이들을 납치하는 것, 호텔을 위해 나쁜 생각이야. 호텔을 위한 큰 계획 아냐. 전쟁 위한 큰 계획 아냐. 통제를 위한 큰 계획이야. 우리는 나가고 싶어."

"난 무서워. 더는 안전하지 않아. 아무도 믿을 수 없어."

"그렇다면 우리 신뢰를 쌓자. 그럼 우리 믿을 존재가 생겨."

"인간과 여우? 아니, 우린 신뢰를 쌓을 수 없어, 절대! 난 널 좋아하지만, 인간과 여우는 함께 할 수 없어. 인간은 여우에게 나쁘다. 아마 여우도 인간에게 나쁘다."

"하지만 나는 너에게 나쁘지 않다. 너도 나에게 나쁘지 않다. 그리고 호텔과 전쟁이 사람들 두렵게 한다. 아주 두렵다. 우리는 무서운 사람들이 사라지거나 이기기 전까지 믿는다."

여우는 꼬리를 흔들었다.

"그게 무슨 뜻이야?" 웬디가 손을 내밀며 물었다.

"난 널 믿는다는 뜻이야."

"그리고 이건-" 웬디가 '앞발'을 흔들었다. "내가 널 믿겠다는 뜻이야." 웬디는 미소를 지으며 말했다. 여우는 귀를 앞으로 내밀었다. 웬디는 그것을 여우의 미소와 같은 것으로 받아들이고 "곧 보자"고 말했다. 여우는 고개를 끄덕이고 벽 반대편으로 돌아갔고, 웬디는 그 이상한 느낌을 온전히 즐길 수 있었다. 그녀는 남편이 알면 어떻게 생각할지 궁금했다. 그가 화를 낼까? 놀랄까? 걱정할까? 웬디는 이 모든 사건이 얼마나 초현실적이었는지 생각하다가, 진정하고 안으로 걸어 들어갔다. 그녀는 리암을 바라보며 "소식이 있어!"라고 말했다.

"무슨 소식?"라고 리암이 물었다. 웬디는 침을 꿀꺽 삼켰다. 그녀는 무슨 말을 해야 할지 잘 몰랐다. "신경 쓰지 마, 나중에 얘기하자." 그녀는 빈방 중 하나로 재빨리 뛰어들면서 말했다. 이제 와서, 그녀는 그것을 말할 수가 없었다. 그녀는 단순히 남편의 반응이 두려웠다. 이건 잘못된 것 같았고, 실제로 그랬다. 그녀는 그것이 단지 그녀의 상상이었으면 좋겠다고 생각했다. 여우나 계속 거짓말하는 호텔을 상대하는 것만으로도 그녀는 충분히 버거웠다. 굳이 그녀가 남편에게 말할 필요가 있을까? 왜? 비밀일 수도 있다. 하지만, 아, 어떻게 하면 오랫동안 비밀을 지킬 수 있을까? 정말… 그녀는 방에서 걸어 나왔어요. '이걸로 끝내야 겠다. 그에게 말할 거야.' 그녀는 리암에게 다가가서 "야… 어, 나, 그건… 신경 쓰지 마!"라고 말하고는 다시 뒤로 도망쳤다.

5분 후, 그녀는 머릿속으로 대본을 준비했다. 그녀는 방에서 다시 한 번 걸어 나왔다. "리암, 나 얘기하고 싶어." "무슨 일 때문에?" "그냥… 여보도 알겠지만, 많은 일들이 벌어지고 있고, 나는 그냥…그게 뭐가 잘못되었다는 것이 아니라, 사실 무언가가 잘못되었다는 건데, 또다시… 아그! 미안해! 나중에 얘기해!" 웬디는 헐떡거리며 방으로 돌아갔다. '난 말 못해.' 그녀는 생각했다. '이대로는 절대로 말하지 않을 거야. 뭔가 다른 일을 해야겠다.'

그녀는 펜과 종이 몇 장을 잡은 다음, 테라스로 걸어가서 그녀의 아이들이 만든 공책을 집어 들었다. 그녀는 편지들과 단어들을 보고 나서 편지를 썼다. 두 시간이 걸렸지만, 그것은 꽤 잘 쓴 편지였다. 그녀는 편지를 반대편으로 던졌고, 훨씬 더 침착해진 채, 그녀의 남편에게 돌아갔다.

"그래서, 무슨 말을 하고 싶었던 거지?" "내일 정오에. 나랑. 발코니로 가야 해." "왜?" "아이들… 우리 아이들. 아이들 물건. 제발." "아, 아이들 물건을 챙기자고? 좋아. 내일 정오? 왜 정오야?" "나는 '내일 하자.'는 식의 일이 되지 않도록 시간을 정하고 싶었어." 리암은 고개를 끄덕였다.

웬디는 침실로 들어가서 숨을 몰아쉬었다. 그녀는 어떤 식으로 얼떨떨하다고 느꼈고, 자신이 그렇게 성공했다는 것에 놀랐다. 그녀는 완벽하게 거짓말을 했다. 아이들 이외에 생각할 다른 것이 있다는 것은 멋진 일이었다. 갑자기 이런 생각이 들자 그녀는 압도적인 죄책감이 밀려왔다.

'하지만, 이건 모두 아이들을 위한 일이다. 나는 아이들을 도우려고 노력 중이야.' 그녀는 너무 끔찍하고, 완전히 끔찍하다고 느꼈지만, 이 일을 저질러 버렸고, 이제 이 일에서 벗어날 수 없다고 확신했다. '하지만 왜 우리 남편을 같은 운명에 처하게 한 거야?' 그녀는 생각했다. 여우들은 분명히 위험했고, 그런데도 그녀는 그들을 신뢰하고 있었다. 이제 그녀는 무엇을 할 수 있을까? 내면의 죄책감이 부글부글 끓어 올랐고, 자신이 끔찍한 아내이자 엄마가 된 것 같았다. 죄책감에서 벗어나려고 발버둥 칠수록 죄책감이 자신을 사로잡았고, 자기 생각이 목을 조르는 것 같았다. 갑자기 너무 피곤해져서 그 상태 그대로 잠이 들었다.

다음 날 정오에, 웬디와 리암은 현관으로 걸어 나왔다. "청소할 것이 별로 없네." 리암이 말했다. "어, 그래. 사실 할 말이 있어." 웬디가 말했다. "뭔데?" "아이들… 여우들이 그들을 데려가지 않았어." "글쎄, 그럼 누가 데려갔지?" "잘 모르겠어. 하지만 분명 그들은 아닐 거야. 호텔과 관련이 있는 것 같아." "잘 들어, 웬디, 네가 어떻게 확신하는지 모르겠지만 우리는 여우들과 전쟁을 하고 있어. 호텔이 우릴 보호하고 있다고."

"아니, 호텔은 우릴 속였어. 호텔 반대편에는…. 아, 신경 쓰지 마. 여우 군인들은 몇 명의 아이들에게 시간을 낭비하지 않을 거야. 이성적으로 생각해. 호텔은 모든 것에 대해 너무 모호하고, 보안만 압도적이야. 뭔가 이상해." "호텔 보안은 여우 때문이야! 맞아, 아마도 여우들이 우리 아이들을 데려가지 않았을 거야. 하지만 호텔은 잘못한 게 없어." "아니! 우리 아이들을 데려간 것은 여우라고 우리에게 말한 게 바로 호텔이었다고. 그러니깐, 만약 여우들이 우리 아이들을 데려가지 않았다면, 그들은 아무런 이유 없이 거짓말을 한 거야! 이 호텔에 뭔가 문제가 있는 게 분명해." "진정해." 리암이 말했다.

"오 안 돼… 거의 10시 20분이네. 그녀가 늦네. 편지를 못 받았나?" 웬디가 중얼거렸다. "누구에게 편지를 보냈는데?" 리암이 수상한 표정으로 물었다. "여기." 웬디가 주머니에서 작은 공책을 꺼내며 말했다. "내가 현관을 청소하고 있을 때, 이것과 펜을 발견했어. 안을 봐봐." 그녀가 말했다. 리암은 그 공책을 응시했다.

웬디가 계속해서 말했다. "꽤 흥미롭지? 얼마 전에 우리 사전이 바닥에 있었던 것이 기억나. 왜 그런지 모르겠어? 아이들은 알파벳과 다른 단어들을 찾아보고 있었어. 그들은 읽는 방법을 거의 알지 못하지만, 분명히 정의를 하나하나 읽어 보고 단어를 쓴 것 같아. 이 공책은 아이들 자신의 사전이야. 그들이 새로운 언어를 만들어냈어." 리암은 다소 다른, 다소 친숙한 언어를 보고 망연자실해 보였다. "왜?" 그가 물었다.

그 순간, 두 마리의 여우가 부서진 벽으로 다가왔다. "늦어서 미안해." 여우 한 마리가 웬디에게 아이들 언어로 말했다. "괜찮아." 웬디가 대답했다. 리암과 수컷 여우 둘 다 망연자실해 보였다. "나는 우리 아이들 아빠랑 얘기 많이 해." 여우가 다시 말했다. "우리 아이들 아빠는 이제 말을 알아." 그녀는 자랑스럽게 말했다. "내 남편은 아니야." 웬디가 말했다. "그는 너 몰라." "너는 일찍 오다, 말은 안하다?" 웬디는 고개를 끄덕였다. "그게 뭐야?" "응." 웬디가 말했다.

"너랑 다른 사람, 뭐라고 불러?" "웬디와 리암." "너, 리암?" "웬디" "나, 선샤인, 그, 스톰." "그리이-히스, 그로올-라?" 웬디가 말했다. "이런 뜻." 선샤인이 태양을 가리키며 말했다. "나는 부른다. 그는 부른다. 뜻은….(그녀가 구름을 가리켰다)" "훌륭해! 그리고…(그녀는 손가락으로 비를 흉내 냈다) 무서워!" 웬디는 고개를 끄덕이며 감탄했다. "무서워! 훌륭해!" 리암은 여전히 얼었고 스톰은 아직도 약간 충격 속에 있었다. 웬디는 "이제 나는 우리 아이들 아빠에게 말을 해."라고 말했다. "응."

그리고 웬디는 리암을 바라보며 마지막으로 여우를 만났을 때 무슨 일이 있었는지 설명하려고 했다. 리암은 걱정스러운 얼굴로 쳐다보며 웬디에게 여우를 그렇게 쉽게 믿어서는 안 된다고 말했다. 결국, 여우들의 진짜 속마음을 누가 알겠는가, 게다가 여우들을 믿을 수 없다는 사실을 뒷받침할 증거는 더 많아졌다. 웬디는 한숨을 쉬며 설명하려고 했지만, 리암은 이제 아내가 이 여우들에 대해 거짓된 환상을 갖고 있다고 확신했다. 그들과 얘기라도 해달라고 빌었지만, 리암은 그 짐승들에게 시간을 낭비할 이유가 없다고 말했다.

그날 이후로 웬디는 매일 여우들을 만났고, 리암에게 그들이 단지 여우라고 해서 사악할 수는 없다고 설명하려고 했다. 그녀는 잔인한 인간들과 성인들에 관해 이야기했고, 여우들이 모두 사악할 수는 없다는 걸 설명하려 애썼다. 그녀의 말이 옳을지도 모르지만, 리암이 보기에 그 여우들은 호텔을 지지하는 것처럼 보였다. 그는 이것을 웬디에게 설명했지만, 웬디는 전혀 그런 걸 느끼지 못했다. 그녀는 그에게 그는 단지 편견이 있을 뿐이고 그들이 여기에 있는 것처럼 여우들도 갇혀있었을 거라고 말했다. 리암은 그녀에게 그들이 인간의 곁으로 건너가려고 한 것이 분명하다고 말했고, 웬디는 그들이 여우의 영역으로 가려고 했다고 말했다.

몇 주 동안 이런 굴레의 대화를 거듭하고 난 뒤, 마침내 리암은 아이들의 언어를 배웠고, 웬디에게 이것이 모두 소용없다고 설득하는 것을 포기했다. 그러던 중 웬디와 여우가 매일같이 만나는 자리에 리암도 참석했을 때였다. 그는 이상한 느낌이 들기 시작했다. 그 새로운 언어는 거의 마법처럼 보였고, 그는 그 언어와 자신이 하나가 되는 것을 느꼈다. 그는 그 단어들의 의미를 충만하게 느낄 수 있었고, 몇 주 후에 그가 무언가 잘못된 말을 했을 때에도 그것을 느낄 수 있었다.

그리고 그들이 더 이야기할수록, 더 많은 것들이 이상하게 보였다. 여우들은 그들에게 여우 영역에서 벌어지고 있는 회의들과 진행 상황에 대해 말해줬다. 인간들은 이것을 매우 혼란스러워했지만, 곧 이것이 두 세계 사이에서 꾸준히 증가하는 증오와 어떤 관련이 있을지도 모른다는 것을 깨달았다.

이 모든 사건에는 뭔가 기이한 것이 있었고, 그들은 자신들이 잘못된 위험으로부터 도망치고 있고, 그렇게 함으로써 곧 진정한 위험에 빠지게 될까 봐 두려워했다. 그들은 자신들의 아이들과 같은 사건이 더 많이 발생할 것 같은 두려운 직감이 들어, 계속 조사하겠다고 결심했다. 그래서, 그들은 계획을 세우기 시작했다. 그것이 그들의 아이들을 구하는 직접적인 길은 아니었을 수 있지만, 그것이 같은 운명으로부터 많은 다른 아이들을 구할 방법이었다. 그들의 계획은 간단했다. 그들은 탈출하고자 했다.

"어떻게 해야 할까?"라고 웬디가 현관에서 매일 회의를 하던 중에 물었다. "우리는 너무 높이 올라가면 뛰어내릴 수 없다." 그녀는 말했다. "우리는 복도로 걸어 들어갈 수도 없고 현관문 밖으로 나갈 수도 없다." 스톰이 말했다. "불이 켜지지 않을 때 (다른 사람들은 이것이 밤을 의미하는 것으로 받아들였다) 우리는 우리가 가진 것을 잡고, 묶고, 내려간다." "그거 효과 없다."라고 선샤인이 말했다. "우리에게 너무 높아, 우리의 방법이 필요해. 다른 사람이 '그게 뭐지?' 의아할 무언가가 필요해." "시선 분산할 거!"이라고 웬디가 영어로 중얼거렸다. 리암도 끄덕였다. "뭔가 큰 것." 계속해서 선샤인이 말했다. "우리로부터 멀리 떨어진 것." 모두가 침묵 속에 생각에 빠졌다. 그들과 멀리 떨어진 무언가로 시선을 분산시킬 수 있을까? 탈출하기에 충분한 것일까?

많은 제안이 있었지만, 지금까지 무관심했던 리암이 "당신은 센터로 가서 당신을 확인하고 할 일이 적힌 서류를 건네는 여우와 이야기해요."라고 말하기 전까지, 그 중 어느 것도 충분히 좋은 것 같지 않아 보였다. "그들은 거기에 위협적인 게 있고, 그건 정말 공정하지 않다고 말합니다." "그건 중요하지 않아요." 웬디가 신이 나서 말했다. "당신은 센터에서 무언가 큰 것을 만들고 우리와 함께 달립니다." 여우들은 이해하는 것처럼 보였다.

"우리는 마법을 사용한다. 대자연의 힘은 예전 같지 않지만, 소란을 일으킬 만하다." 선샤인이 말했다. 그들은 모두 미소를 지었다. "우리는 '쾅'하고 '소란'을 일으킨다. 우리는 잡힌다."라고 스톰이 말했다. "우리가 시간을 벌어 줄게요." 선샤인이 말했다. "오늘은 물건을 가져오고, 센터에서 어떻게 할지 계획을 세우고, 내일은 모든 걸 준비하고, 해가 가운데 있을 때는 '소란한 시간'을 가져요."라고 웬디가 말했다. "이제 물건을 가지러 가고, 다 끝나면 이리로 와요(그는 땅을 가리켰다)."이라고 스톰이 말했다.

그들은 다른 사람들을 힐끗 보고 나서 각자 집으로 들어가 호텔 밖에서 유용하리라 생각하는 모든 것을 챙기기 시작했다. 누군가 그의 571개의 식물을 가져가겠다고 고집을 부렸지만, 웬디는 리암에게 250개만 가지고 오라고 설득했다. 리암은 그가 남겨야 할 321개의 식물을 보면서 깊은 한숨을 쉬었지만, 웬디가 그에게 가장 좋아하는 음식(채소가 없는 크림 수프)을 만들어 준 후 곧 회복되었다. 그녀의 남편은 수프를 먹어보라고 한 번도 권하지 않고, 웬디는 결국 대부분의 물건을 혼자서 챙겼다. 그녀는 꽤 화가 났고, 수프 외에는 아무 생각도 하지 않았던 리암은 웬디가 접시를 그에게서 빼앗아가며 그에게 소리를 지르기 시작했을 때 혼란스러워했다. '그래도 아직은 평범한 날인 것 같네.'라고, 그는 생각했다.

한편, 지하 여우 협회는 바다를 항해하고 있었고, 조종사의 얼굴은 두 번 만에 더 핼쑥해졌다. 여우들은 이제 그 섬을 찾을 생각을 거의 포기한 상태였고, 그저 집으로 돌아가기만을 바랐다. 그들은 모두 침묵했고, 때때로 머리를 이리저리 흔들었지만, 그들 앞에는 광활한 바다 외에는 아무것도 보이지 않았다. 그러나, 그들 중 몇몇은 집으로 돌아갈 때 예정된 부와 명성의 약속을 여전히 기억하고 있었다. 그들은 나무가 있는 섬으로 그들을 안내하기 위해 만들어진 지도를 보고 그들이 있는 곳과 비교해 보았다. 거대한 물웅덩이에서 눈에 띄는 특별한 물체가 없었기 때문에, 그들은 모두 희망이 없어 보인다고 생각했다. 여우들은 신음했다. 그들은 남은 음식이 많지 않았고, 이제 그들에게 약속된 부보다 굶주림에 더 직면해 있었다.

그러나 바로 그때, 선장이 배를 멈추고, "저기!"라고 소리쳤다. 그는 숨을 헉 들이마셨다. "구원의 섬?" 한 선원이 물었다. "아니, 그건 아니지만 우리가 찾고 있던 다른 섬이야. 지도에 따르면, 구원의 섬은 이 섬으로부터 단지 며칠밖에 안 걸려. 마치 나무들이 있는 것처럼 보이네. 아마 과일도 있을 것이다. 이것이 우리가 몇 주 만에 본 첫 번째 섬인 것 같다!"라고 여행 내내 지도만 '뚫어져라' 쳐다보던 다른 선원이 외쳤다. 그들은 너무 기뻤고, 다시 한번 그들의 여정을 새롭고, 멋진 삶을 위한 여행으로 바라보기 시작했다. 거친 바다나 바람, 심지어 식량 부족도 그들을 더 괴롭힐 수 없었다. 그들은 어느새 그 섬에 있었고, 언젠가는 그들이 영웅으로 환영받는 집에 돌아갈 수 있을 것이다.

한편, 존은 생명의 나무를 생각하며 배를 운전하고 있었다. 그는 가능한 한 빨리 그 섬에 도착하고 싶었지만, 뒤처지기 시작했다. 그는 이 배의 유일한 조종사였고, 그가 쫓아가는 배는 멈추지도 않았다. 그는 아이들처럼 피곤했고, 이 배가 그들이 원하는 곳으로 그들을 이끌지 심각하게 의심하고 있었다. 해 질 녘, 배는 조금 느려졌고, 그들은 더 가까이 보기 위해 속도를 높였다. 그들은 익숙한 모양과 심지어 익숙한 얼굴을 보기 시작했다. 존은 숨을 멈췄고, 아이들은 눈을 비비었다. 그들 중 가장 어린 아기가 "엄마! 엄마야! 엄마, 들려? 무슨 일이 있었던 거야?"라고 울 때까지, 그들 모두는 그저 그 형체 중 한 명만을 바라보고 있었다.

맏이는 즉시 그의 입을 막고 속삭였다. "쉬! 엄마가 잡혔어! 그들은 분명히 그녀를 어딘가로 데려가고 있을 거야!" "다른 여우들은?" "그들도 분명히 잡혔을 거야." 맏이가 대답했다. "왜?" 다른 여우가 가능한 한 큰 소리로 속삭이며 물었다. "우리는 몰라." 존이 중얼거렸다. "아저씨는 엄마를 따라갈 거야, 그럴 거지?" 막내가 물었다. "물론, 아저씨는! 아저씨가 또 무엇을 할 수 있겠어! 아저씨는 우리한테 엄마를 바로 데려오고 모든 것을 바로잡을 거야. 그것이 아저씨가 배를 따라간 이유야!"라고 맏이가 막내를 안심시켰다.

존은 침묵했다. 그는 배를 구원의 섬으로 몰아야 했다. 한편 그는 아가타를 구해야 했다. 그는 구원의 섬이 그녀의 목적지인지 의심했다. 그는 구원의 섬을 선택해야 했고, 답은 너무 늦기 전에 구원의 섬을 찾아야 했다. 하지만 아이들… 그들은 도와줄 부모가 필요했다. 아가타는… 벤 외에 그의 인생에서 가장 중요한 사람이었다. 그는 아마 구원의 섬에 있을 것이다. "자, 가요!" 막내 아기가 말했다. 존은 더는 아무 것도 생각하지 않고, 다음에 '무엇'이 올지 궁금해하며, 배를 따라갔다.

이 '무엇'은 그가 예상했던 것보다 훨씬 빨리 다가왔다. 그가 배를 쫓기 시작하자마자 바다의 파도가 아이들의 언어로 '협력, 도움'을 뜻하는 이상한 모양을 만들었다. 누가 그런 이상한 메시지를 보내고 있는 걸까? 무슨 의미일까? 존은 생각한다. '이건 내가 돌아가야 한다는 뜻일까?' 그는 '하지만 이미 여기까지 왔는걸. 협력은 아마도 아이들과의 협력을 의미할 것이다. 아, 벤이 있지…. 하지만 내가 배를 따라가지 않는다고 더 나은 방법이 있을까?'라고 그는 잠시 멈춰서 아가타의 아이들을 바라보다가, 그가 실제로 무슨 말을 하는지 생각하지 않고 갑자기 말했다.

"얘들아, 할 말이 있어. 나 지금 일종의 임무를 수행하고 있어. 나는 몇 가지 일을 하기 위해 섬에 가야 해. 물론 너희 엄마를 구하려고 노력하겠지만, 섬에 가는 걸 내 우선순위로 삼아야 해. 일단 저 배를 따라가겠지만, 그 섬을 보게 된다면 우리는 잠시 멈춰야 할 거야. 정말 미안하지만, 그건 나에게 똑같이 중요한 일이야." "괜찮아요." 막내 아기가 말했다.

"아저씨가 엄마를 구할 수만 있다면." "어?" 존이 묻는다. "너희 정말 괜찮겠니?" "아저씨는 이 배의 선장이야. 우리가 달리 뭘 할 수 있겠어?" 라고 가장 나이 많은 아이가 약간 투덜거렸다. "아저씨가 해야 할 '똑같이 중요한' 것이 무엇이든, 만약 그것이 엄마 같은 사람을 구하는 것보다 우선이 된다면, 뭔가 대단한 일이기를 바랄 뿐이야." 존은 매우 혼란스러워했다. 그들이 비꼬고 있는 것일까? "아저씨는 좋은 사람 같아. 아저씨가 우리를 구했으니까, 아저씨는 엄마도 구하게 될 거야. 하지만 그 사람들이 엄마를 다치게 했을 때, 아저씨가 엄마를 떠난다면, 나는 결코 아저씨를 용서하지 않을 거야." 가장 어린아이가 말했다. "맞아, 그런 일이 생기면, 우리는 아저씨를 절대 용서하지 않을 거야." "완전~!" "절대 안 돼!" 다른 아이들도 거들었다.

맏이는 "하지만…"이라고 덧붙였다. "우리는 이제 아저씨를 믿어." 존이 미소지었다. 그것은 그가 오랜만에 처음으로 느낀 행복 같은 것이었다. 그때 앞서가던 배가 멈춰 섰다. 조종사처럼 보이는 실루엣이 돌아서서 나흘 동안 빙글빙글 돌더니 다시 최고 속도로 운전하기 시작했다. 존은 그들이 우리가 따라가고 있다는 걸 알고 있다는 느낌을 받았다.

기적

18. 기적

바로 4일 전에, 5층에 살던 인간들과 여우들이 호텔에서 탈출했다. 그 '소란한 시간'은 다른 모든 사람의 주의를 딴 데로 돌리기에 충분했고, 모든 사람은 그것을 마치 어제 있었던 일처럼 평생 기억했다. 스톰이나 선샤인이 다른 사람들에게 말했을 때, 그 이야기는 항상 여우 센터의 복도에서 시작되었다.

스톰과 선샤인은 다락방으로 걸어가면서, 둘 다 모든 일이 얼마나 잘 될지에 대해 생각하고 있었다. 그들이 입구에 도착했을 때, 그들은 살며시 방문을 두드렸고, "회의 중이야"라고 말하는 투덜거리는 목소리를 들었다. 그들은 심술궂은 여우가 안에 있는 존재가 누구든 간에 말을 걸 때까지 기다렸고, 벽을 만지며 무언가 중얼거렸으며, 창문을 열었다.

웬디와 리암의 이야기는 보통 여기서 시작된다. 그들은, 창문 바로 바깥에, 여우 센터의 지붕에 있었다. 그들은 선샤인과 스톰이 그들에게 오케이 사인을 주는 것을 보았고, 그들은 천천히 지붕을 가로질러 걸어갔다. "아! 리암, 이건 내 인생에서 가장 높은 곳임이 틀림없어! 나는 떨어질 거야…. 떨어질 거야." "진정 좀 해." "우리가 어떻게 여기까지 올라왔지? 너무 무서워…. 아무것도 걸치지 않고서는 뛰어내릴 수가 없어!" 리암은 한숨을 쉬었다.

그러고 나서, 리암은 그녀의 손을 잡았다. 그들은 반대편으로 걸어갔다가 다시 원래 있던 곳으로 걸어왔고, 모든 커튼이 닫혀 있는지를 다시 한 번 확인했다. "리암, 우리는 커튼이 닫힐 때까지 방에서 기다렸을 수도 있어…. 왜 그들은 문과 창문을 모두 잠가야 했을까? 정말 끔찍하네…." "누군가 밖으로 걸어 나오면, 붙잡힐 거야! 이제 제발 내려오렴!" "가아!"라고 웬디는 현관으로 뛰어내리며 소리 질렀다.

"여보도 살아 있네!" 리암은 들고 있던 방수포를 그녀에게 건네주며 말했다. "난간 위로 이걸 휘두르고 늘어진 양쪽을 잡아. 일단 내려오면, 내게 전해줘. 그러니까, 당신이 아직 살아 있다면." 웬디는 얼굴이 빨갛게 달아오른 채, 계속해서 '더 잘할 수 있을 거야.' 같은 소리를 중얼거렸다. 그들은 난간을 따라 계속 미끄러져 내려갔고, 드디어 5층에 도착했다. 그들은 모든 물건을 모아 벽 반대편으로 밀어 넣었다. 그들은 감히 소리를 낼 엄두도 내지 못한 채, 거기서 잠자코 기다렸다. 마침내, 저 멀리 어딘가에서 비명이 들렸다.

"그들이 해냈어!" 웬디가 말했다. "그것이 효과가 있을 거라고는 전혀 생각하지 못했어." 리암이 호텔 꼭대기가 산산이 조각나는 것을 지켜보며 중얼거렸다. 바로 그때, 그들은 노크 소리를 듣고 그 구멍을 통해 기어가서 여우 쪽의 문을 열었다. "우리는 해요!"라고 선샤인이 어린이 언어로 말했다. "빨리 와요!" 그들은 짐을 모으고 복도를 뛰어 내려갔다. "그래서," 리암이 말했다, "당신은 해낸다. 어떻게?" 선샤인은 웃으며 신나게 이야기하기 시작했다.

"우리는 복도에 있고, 자연과 마법을 부른다. 우리는 문을 두드리고, 그들이 '이리와'라고 말하고 커튼이 닫힐 때까지 문을 두드린다. 그들은 눈치채지 못하고, 그래서 우리가 들어가서 이야기한다. 우리는 계속 겁먹은 척하고, 다른 여우를 만났다고 말하다. 그들은 무섭다고 말하고, 뭔가를 시도한다. 그러고 나서, 회의가 끝나면, 우리는 방으로 달려간다.

쾅 하는 타이머도 거의 틀리고, 우리는 또한 많은 시간을 쓰다. 호텔 여우 수다쟁이. 그래도 나는 여우가 여전히 방의 다음 사람이라고 생각한다고 말한다." 이렇게 더듬더듬 수다를 떨면서, 그들은 호텔 문에 도달했다. 밖으로 뛰쳐나가 즉시 웬디와 리암의 집으로 달려갔는데, 그 집은 호텔에서 걸어서 20분 거리에 있었다.

그들은 거기에 앉아서 다음에 무엇을 할지 계획을 세웠다. 웬디는 핸드폰을 켜고 말했다. "나는 전에 뭔가를 하고 있어. 이건 인간이 말하는 것, 우리는 멀리서 이야기하고 보고 들어. 인터넷이라고 부르는 것 있어, 그러니까…." "잉-라-헤트?"라고 여우가 물었다.

"응. 사진이나 단어 주고, 너 그거 올린다, 수백만이 본다. 나, 호텔 사진 찍는다, 사진, 거기 놓는다. 나, 또, 광고 낸다. 그들 인터넷 올리는 것, 좋아한다. 너 볼 수 있는 선택권 없다. 하지만 내가 도와줄 수 있다. 호텔은 틀렸다. 우리 도움 필요하다. 다른 사람들은, 우리에게 문제 아니다. 당신의 아이들이 있는 곳 찾아라. 그렇다면 우리에게 말하라. 우리도 노력하지만, 된다고 생각하지 않는다. 우리, 이런 일, 다시, 일어나지 않도록, 노력한다. 이제, 너 믿을 필요 없다, 하지만, 우린, 너, 믿는다."

"빨리 돌아와." 리암이 말했다. "아이들과 함께." 선샤인이 다가와 앞발로 웬디의 손을 잡고 흔들었다. "당신을 믿는다는 뜻이야." 그녀가 말했다. "그리고 이것은-" 웬디는 손으로 그녀의 귀를 접고 말했다. 그러고 나서 그녀는 그녀를 바라보며 손을 흔들었다. "이것은 작별을 의미한다." "하지만 안녕. 나 이것 다시 사용하기 바란다." 선샤인이 손을 흔들었다. "나, 그럴 거라 생각해." 그녀는 문을 나오면서 말했다.

그들은 마을을 지나 숲으로 걸어갔고, 꽃, 덤불의 냄새를 다시 한번 맡았고, 위대한 나무를 보았고, 그들의 발아래의 비옥한 흙, 자라나는 풀을 느꼈고, 높은 풀밭을 달려갔다. 그들은 전쟁 지역을 피했고, 곧 반대편으로 갈 수 있었다. 여우 부족. 그러나, 다른 위대한 나무가 서 있던 곳에, 새로운 규칙이 있는 큰 나무 표지판이 있었다. 전쟁 그 자체보다 그들에게 더 큰 충격을 준 새로운 규칙들. 그 부족이 그 짧은 시간 동안 얼마나 많이 변했는지 믿을 수 없었다.

"음, 선샤인." 스톰이 말했다. "우리가 무엇을 해야 하는지 알 것 같아." "전부?" 선샤인이 물었다. "아니. 그들은 모든 아이를 학교에 가두었어. 그들은 우리 아이들을 데려갔을 수도 있고, 설령 그렇지 않더라도, 우리는 그 아이들을 그곳에 머물게 둘 수 없어. 그들에게 무슨 일이 일어나는지 누가 알겠어? 우리는 우리와 같은 가족을 더 만들면 안돼. 그렇지 않아?"

"그럼 하자. 우리는 어떻게든 할 거야. 우리는 항상 그렇게 해낸다."라고 선샤인이 말했다. "우리는 그 지역 모든 학교를 찾는 것으로 시작할 수 있어."라고 중얼거렸다. "눈이 멀었어?" 선샤인이 말했다. "그들은 모든 학교의 이름을 적어놨어." 그녀가 말했다. "가장 가까운 것, 저기 있어." 리암이 언덕 위를 가리키며 말했다. "그럼 우리는 오늘 밤 거기에 갈게." "어떻게? 총기는 합법이고, 보안요원은 아마도 미쳐버릴 텐데? 모든 남자는 의무적으로 입대해야 하고." 스톰이 표지판을 읽으며 말했다.

"어떻게 하면 들키지 않고 이것을 할 수 있을까?" "어떻게든." 선샤인이 중얼거렸다. "우리는 항상 어떻게든 해야 하니까?" "당신은 이미 두 번이나 말했어." 신음하는 스톰. "우리가 그렇게 할 거란 걸 알아, 스톰." 선샤인이 말했다. "우리는 우리와 같은 가족을 더 만들면 안 되잖아?" 그녀는 스톰이 방금 한 말을 반복하며 말했다.

스톰은 들은 척도 하지 않고 숲 쪽으로 다시 걸으며 웬디에게 따라오라고 손짓을 했다. "어디로 가는 거야?" 선샤인이 물었다. "우리는 숲의 가장자리에 집을 짓고 있어. 너무 오래 걸리지 않을 거야. 작은 구멍만. 우리는 빨리할 거야. 아무도 우릴 찾지 못하게 어떻게 학교에 갈 수 있는지 계획 세울 거야. 그러면 밤이 될 것이고, 우리는 언덕 위에 있는 학교에 갈 거야. 무사히 돌아온다면-" "물론이지." 선샤인이 말했다. "-그럼 우리는 우리가 살 수 있도록 구멍을 만들 거야." "그것 때문에 우리는 꽤 바빠질 거야." 선샤인이 말했다. "이곳은 두 개의 구멍을 위한 완벽한 장소야." 그는 갑자기 멈추며 말했다. 그는 땅을 파기 시작했고, 웬디가 도와주면서, 그 구멍은 단지 30분 만에 끝났다.

그러고 나서 그들은 어떻게 그 아이들을 구할 것인지 생각하며 계획을 세우기 시작했다. 그들은 모든 여우가 잠이 잘 들 정도로 충분히 늦을 때까지 말다툼했다. 그들은 여전히 무엇을 해야 할지 확신이 없는 채 밖으로 뛰쳐나갔고, 덤불로 만들어진 거대한 벽 앞에 서 있었다. 스톰은 안을 들여다보았고 여우 몇 마리가 자신들만 한 총을 들고 있는 것을 보았다. 스톰은 선샤인에게 상황이 얼마나 심각한지 말했다. 선샤인은 한숨을 쉬며 "그들이 깨어있는 거지?"라고 물었다. "다시 한번 보세요. 정말로 그들이 깨어있는 것이 확실해?" "음… 그들 중 일부는 깨어 있어."

"그들의 총 중 하나를 가져다가, 우리 근처에 숨어 있을 좋은 장소를 찾으면 허공으로 쏴. 오, 저 덤불 같은 곳!" "그래. 당신 먼저 거기에 들어가 있어. 내가 총을 잡을 때를 대비해서. 그 남자 손에서 총을 빼앗아 덤불로 달려갈게. 그는 계속 날 찾을 거야." 스톰이 덤불 벽 아래에서 총을 꺼내며 대답했다. 그는 덤불로 살금살금 다가가더니, 몇 번의 시도 끝에 방아쇠를 당겼다. 선샤인은 총을 집어 들고는 다람쥐 한 마리나 겨우 숨길 수 있을 것 같은 수십 개의 덤불 뒤로 전력 질주하며, "여기 있어!" 라고 속삭이듯 울부짖었다. 수십 마리의 무장한 여우들이 나오자, 그녀는 나무 뒤로 몸을 피했다. 그들은 총을 사방에 쏘았다. 그들은 선샤인과 스톰을 모두 간발의 차이로 놓쳐서, 이 부부를 전율하게 했다.

그러고 나서, 놈들이 앞으로 나아가기 시작하자, 선샤인은 덤불로 전력 질주하여 총의 뒷부분과 그녀의 이로 덤불을 찢어발기고, 가장 가까이 있는 새끼 세 마리를 붙잡았다. 그녀는 아이들의 입을 막고, 스톰에게 함께 달려가자고 손짓했다. 그리고 숲 가장자리에 새로 지은 집으로 달려갔다. 거기에 그들과 아이들만 있다고 확신했을 때, 선샤인은 아이들의 입에서 앞발을 떼고, 겁먹지 말라고 일렀다. 그녀는 아이들에게 무엇을 하고 있는지 설명했고, 아이들은 여전히 약간 불안하기는 했지만 곧 진정되었다. 스톰은 토끼 몇 마리를 잡아서, 아이들에게 조금 먹였다. 그리고 아이들에게 자신의 아이들을 아느냐고 물었다. 그들은 아이들의 이름을 들어본 적이 없다고 하며, 아이들이 어디에 살았는지 물었다.

"숲에서 동쪽으로 조금 가면 있어. 우리가 있는 곳의 반대쪽에 살았어." 스톰이 말했다. "아이들은 이 근처 아무 데도 가지 않을 거예요. 하지만 우리는 아이들이 있을지도 모르는 학교 몇 개를 알고 있을지도 몰라요." 그들은 말했고 그들의 집 근처에 있는 학교 몇 개에 대해 말했다. 웬디와 리암은 고개를 끄덕였고, 그들은 매일 밤 집을 나설 것인데, 그 시간 동안 구멍 밖으로 한 발자국도 나가지 않고 안전하게 숨어서 지내야 한다고 말했다. 아이들은 고개를 끄덕였고, 그들은 보름달을 바라보며 잠이 들었다. 더 많은 아이가 매일 합류했다.

한편, 웬디와 리암은 밖에서 그들이 무엇을 할 수 있는지 알아보려고 애썼다. 그들은 거리의 사람들에게 나눠줄, 도움이 될 수도 있는 모든 것을 인쇄해 두었지만, 그것이 실제로 효과가 있는지 확신하지 못했다. 모든 사람은 춥고, 힘들고, 진실을 외면하고, 모든 것을 정상적으로 되돌리고 싶어 하는 것처럼 보였다. 그들은 마을 광장으로 걸어갔고, 누군가가 연설하는 것을 보았다. 그것은 전쟁에 대한 연설인 것 같았다. 그들은 귀를 기울이기 시작했다.

"우리는 싸워야 합니다. 여우들은 우리의 가장 중요한 것들을 빼앗아 가고 있습니다. 하지만 우리는 싸울 것입니다. 우리는 지금 우리가 직면하고 있는 폭력으로부터 우리의 종족을 보호하려고 노력할 것입니다. 우리는 세상을 전쟁에 대한 두려움 때문에 움츠러들어야 하는 곳으로 만들지 말아야 합니다. 승리만이 이 말도 안 되는 악에 맞서 평화를 이루는 유일한 방법입니다." "저 사람은 제정신인가?" 웬디가 속삭였다. "사실상 모든 사람이 그렇게 생각해. 모든 게 그래 보이지 않아? 우리는 그것에 대해 아무것도 할 수 없어. 모든 사람은 여우들이 평화를 깨뜨렸기 때문에 여우를 싫어하지."

"하지만 우리가 먼저 침략하지 않았나?"라고 웬디가 반문했다. "맞아, 여우들이 공격적으로 변해서, 우리가 먼저 시작해야 했기 때문이지? 사람들이 정말 무슨 일이 일어나고 있는지 알고 있다고 생각해? 내 말은… 사람들은 그들이 믿고 싶은 것을 믿는다는 거야." "그래서, 그들은 높은 연단에 올라 중요한 연설을 하는 사람들만 믿는다고? 무슨 일이 일어나고 있는지 아는 사람들 말고?" "아주 그렇지." 웬디는 리암을 쳐다보며 "집으로 돌아가요."라고 말했다. "우린 포기할 필요 없어!"

웬디는 뒤로 물러서서, 조용히 집 주변의 골판지 상자들을 모아, 테이프로 붙이기 시작했다. 그녀는 골판지 상자를 들고 리암에게 따라오라고 말했다. 리암은 자신이 하는 일을 이해하고 미소를 띠었다. 웬디는 마을의 한가운데까지 달려가서 골판지 상자 더미 위에 우뚝 섰다. 몇몇 사람들이 그녀를 쳐다보았다.

"…여우는 우리에게서 모든 것을 빼앗아 갈 것입니다. 여우들은 우리의 존엄성, 우리의 평화, 우리의 삶을 파괴할 것입니다. 우리는 평화를 위한 싸움에 동참할 더 많은 전사와 더 많은 사람이 필요합니다." 웬디는 평소보다 조금 더 큰 소리로 말했다. "전쟁이 평화를 위한 것인가요? 만약 우리가 그렇게 한다면, 우리는 우리의 적들과 얼마나 다를까요?" 누군가가 휴대폰으로 그녀의 연설하는 모습을 촬영하기 시작했다.

"우리와 같은 사람들은 어디에나 있습니다. 흠이 전혀 없는 것은 아니지만, 여전히 평화를 갈망하고 있습니다. 여기에는 여우 왕국도 포함됩니다. 물론 모두가 악에 맞서 싸우지는 않습니다. 하지만 우리는 멈춰야 하고, 평화의 이름으로 싸우는 대신 평화를 요청해야 합니다. 누군가는 왜 이것이 잘못되었는지, 우리가 얼마나 많은 힘을 가졌는지 아는 게 왜 중요한지 깨달아야 합니다. 우리가 이것을 멈출 수 있다고 믿는다면, 우리는 할 수 있습니다. 우리는 다른 사람들을 지배할 필요도 없고, 지배당할 필요도 없습니다. 평화를 요청함으로써 우리가 얼마나 진정으로 힘이 있는지 보여줍시다!"라고, 웬디는 자신이 진짜로 무슨 말을 하는지 완전히 확신하지 못한 채 말했다.

웬디는 상자를 가지고 그냥 돌아왔고, 전쟁을 구걸하는 그 남자의 말을 듣지 않으려고 노력했다. 그녀는 자신의 연설을 비웃는 사람들, 지적하는 사람들, 그리고 틀렸다고 말하는 사람들의 말을 듣지 않으려고 했다. 그녀는 리암과 함께 돌아왔고, 그들은 나머지 날 동안 아무 말도 하지 않았다.

그들은 세상이 그들을 진정으로 이해하지 못하리라는 것을 깨닫고 절망했다. 그들은 한숨도 자지 않았고, 전혀 다른 세상에 빠져들기 위해, 밤을 새워가며 책을 읽었다. 그들은 다른 모든 사람처럼, 자신들이 처한 세상에서 탈출하기 위해 필사적이었다. 그들은 자신의 아이들을 위해 무엇을 할 수 있을까? 그들도 다른 사람들과 같다면, 그들은 다른 사람들을 위해 무엇을 할 수 있을까? 그들은 결국, 아무것도 아니었나? 전쟁을 격려하는 사람들만큼은 돕는 것일까? 비현실적으로 낙관적인가?

다음 날, 웬디는 핸드폰을 켜고 방금 일어난 모든 일에서 그녀의 마음을 돌리기 위해 차분한 음악을 찾아보려고 했다. 갑자기, 그녀는 얼어붙었다. "리암, 봐봐." "뭔데?" "인기 급상승 동영상!!!" "[다음으로 우리가 전쟁해야 하는 이유가 뭘까]?" "아니, 그거 말고." 그녀가 그에게 핸드폰을 보여줬다. "너… 농담하는 거지! 우리는 비디오도 찍지 않았어…" 리암이 거의 비명을 지르며 말했다. "분명히 누군가는 찍었겠지! 어제, 그 연설, 우리 인터넷에 떠돌아다니고 있어!" 웬디가 말했다. "우리가 해냈다고 생각해." 리암은 화면상의 웬디를 바라보며, 믿을 수 없다는 듯이 말했다.

그러는 동안 벤은 여전히 나무를 베려고 안간힘을 쓰고 있었다. 그는 나무가 줄어들 때까지 기다렸다가 바위를 깎고 나서 뿌리를 자르려고 했다. 나무는 마치 소중한 것을 보호하는 것처럼 단순히 몸을 웅크렸다. 벤은 나무를 뿌리째 뽑고, 발로 차고, 자르려고 했지만 움푹 팬 흠집조차 만들어지지 않았다. 그는 바위 칼을 나무뿌리에 꽂았을 때, 갑자기 솟구치는 죄책감을 느끼고 몸을 덜덜 떨었다.

그는 악과 악 중 하나를 선택해야 했고, 망연자실했다. 그가 아무것도 하지 않기로 했든, 무엇을 하기로 했든 간에, 그것은 세상에 끔찍한 일로 이어질 수 있다. 그는 마치 푸딩을 먹는 것처럼 칼을 나무에 꽂았지만, 그것을 뒤로 빼내자 그대로였다. 이것은 아마도 그에게 멈추라는 메시지였을까? 그는 잠시 멈춰 서서 주위를 두리번거렸다. 그는 그게 무엇인지 완전히 확신할 수는 없었지만, 윙윙거리는 소리, 무엇인가가 튀어 오르는 소리를 들었다. 그는 잠깐 그 소리의 근원이 나무였을지도 모른다고 생각했지만, 나무는 결코 그런 소리를 내지 않았다. 그 소리는 귀에 거슬렸고, 어떤 면에서는 친숙하게 들렸다.

벤은 바다 쪽을 바라보았고, 보트가 다가오는 것을 보았다. "론." 그는 보트가 멈추고 교활한 표정의 키 큰 남자가 배에서 내려오자 중얼거렸다. 그는 벤이 그곳에 있다는 것을 눈치채지 못한 것 같았다. 사실, 그는 섬이 그곳에 있다는 것, 혹은 자신이 그곳에 있다는 것만 어렴풋이 알고 있는 것 같았다. 그의 눈은 나무 위에 붙어 있었고, 나무는 쪼그라들고 다소 비참한 상태에서도 그가 찾는 유일한 것 같았다. 론이 가까이 왔을 때, 그는 나무 옆에 있는 벤이 피투성이가 된 손에 돌칼을 들고 있는 것을 그제야 알아차린 것 같았고, 속삭이듯이 말했다. "내가 분명 주의를 줬다고 생각했는데!"

"아무것도 하지 않는 것에 대해?" 벤이 이상하게 차분한 목소리로 말했다. "내가 보고 있다고 말했잖아." "그런데도 나를 막지 못해?" "오, 나나 나무에 해를 끼칠 수 있긴 하고?" "천하무적인가 봐?" "그렇지." "하지만 난 나무를 사용할 수 있었어." 이 말을 들은 론은 벤에게 약간 당황한 표정을 지으며 말했다. "어떤 식으로? 네가 나무를 성가시게 한 것은 분명하지만, 어쩌면 넌 너무 어리석어서 나무가 나에게만 이익이 된다는 것을 깨닫지 못했을지도 모르겠네." "나는 나무에 물을 줬어." "그리고 아무 일도 없었지." 론이 말했다. 벤은 어리둥절했다. 벤이 나무에 물을 줄 때, 나무가 자신을 어느 정도 도와줬다는 것을 벤 자신은 꽤 잘 알고 있었다. 론은 이것을 이해할 수 없었을까? 벤은 억지로 미소를 지었다.

"실제로, 벤, 너의 존재는 여러 면에서 나에게 유익이 되었다. 넌 쓸모 있었고, 멍청했어. 넌 믿을 수 없고, 날 배신하고 싶다는 것을 보여줬지." "내가 너를 절대 믿은 적이 없다면?" "오, 넌 날 믿었어. 넌 날 믿었어. 넌 네 안전을 보장하기 위해 날 따랐고, 내 힘을 신뢰하기 어려워 보였을 때, 다른 사람으로 믿음의 대상을 바꿨을 뿐." "아마도 내가 원래 따라갔던 사람보다 더 나은 것 같네." 론은 비웃었다.

"넌 나에게 이제 쓸모가 없어. 네가 충분히 믿음직했다면, 아마도 나의 승리 후에 널 붙잡을 수 있었을 수도 있었지만, 넌 자비를 받을 자격이 없다는 걸 증명했을 뿐이야. 하지만, 전세가 역전되었으니, 지금이라도 나를 섬긴다는 것을 보여준다면, 넌 다른 사람들이 마주하게 될 운명에서는 벗어날 수도 있지." "다른 사람들?" "나 말고 다른 사람을 선택하는 사람들~ **같은 사람들!" 갑자기 보트가 지나가며 큰 엔진 굉음을 냈기 때문에, 벤은 론이 마지막에 한 말을 들을 수 없었다 여우 몇 마리가 배에서 내려 론과 마주 섰다. 여우들은 "사악한 인간들!"이라고 여우어로 말했다. 목소리를 낮추는 것조차 신경 쓰지 않았기에, 론이 여우어를 이해하는 것 같으니 적잖이 당황했다. 론은 여우어로 물었다. "뭐하러 왔어?" "그 나무! 다치기 싫으면 우리에게 정당한 재산을 내놔." 여우들이 대답했다. "정당한 재산?" "나무는 한때 왕국의 것이었다." 그들은 말했다. "그래, 그리고 너희들은 그것을 버렸지. 너희는 그 나무의 힘을 몰라. 그냥 놔둬. 그렇지 않으면 너희가 다치게 될 거야." "하! 우리는 총과 마법을 둘 다 사용할 수 있어. 넌 무장하지 않았고! 우리 왕을 위해 나무를 넘겨줘." "내가 왜 당신의 왕을 신경 써야 하지?" 론이 나뭇가지 하나를 비틀면서 물었다. 나무가 꿈틀거리더니, 물을 뿜어내기 시작했다. "내 배들이 곧 올 거다." 론이 말을 이어나갔다. "도망칠 수 있을 때 도망쳐라." 다른 배가 섬에 접근하자 군인들은 뒤로 물러섰다. "너흰 남아있기로 결정한 건가?" 론은 호기심 많은 아이처럼 말했다. 군인들은 몸이 떨렸다.

다른 배가 섬에 접근했고, 론은 배를 가리키며, 손가락으로 초읽기를 시작했다. "열, 아홉, 여덟, 일곱! 여섯. 다섯, 넷, 셋, 둘. 하나." 여우들은 떨면서 가만히 있었다. 배는 멈췄고, 여우 몇 마리와 함께 사람 한 마리가 배를 내려왔다. "정말 대단한 군대를 가졌구나, 존!" 론이 비꼬며 말했다. "네 기대보단 대단할 걸." 존은 여전히 떨고 있는 여우들을 힐끗쳐다보며, 맞받아쳤다.

그러고 나서 존의 시선은 벤에게 머물렀고, 잠시 무언가에 대해 걱정하는 듯했다. 여전히 손에서 피가 흘러내리는 채로 벤은 존의 눈을 응시했다. 론은 이 예상치 못한 사건에 전혀 놀라지도 않았고, 미소를 지었다.

존은 나무를 향해 달려가다가, 뿌리 몇 개에 걸려 비틀거렸다. "도둑들이 더 많아졌네!" 론이 소리쳤다. "하지만 오직 한 사람만이 나무를 소유할 수 있지." 존이 나무의 뿌리를 쓰다듬을 때, 론은 속삭이듯 말했다.

잠시 후, 온몸이 진흙투성이가 되어 거의 알아볼 수 없을 정도로 지저분한 아이들 몇 명이 땅에서 기어 나왔다. 그들은 즉시 존을 알아보았다. "어떻게…" 존이 아이들의 언어로 말했다. "뿌리!" 그들은 이구동성으로 말했다. 존은 웃기 시작했다. "다 너희들이 한 거였어? 별들, 파도, 컴퓨터…" "컴퓨터?" 그들은 어리둥절한 표정으로 물었다. "뿌리라고 말한 줄 알았는데."

론은 잠시 존을 노려보았지만, 존은 물러서지 않았다. 벤은 여전히 단순히 놀란 표정이었고, 움찔거리며 나무에서 조금 물러섰다. "우리가 말한 게 아닌데…." 아이들은 말했다. "네가 그랬구나?" 드리머가 나무에 물었다. 나무가 반응이 없자, 드리머는 말을 이었다. "그렇지만, 우리는 아니었어." 존이 그들을 쳐다보았다. "너희들은 나무와 대화할 수 있어?" "응!" "어떻게?"

"이 언어가 나무의 언어였어! 나무가 우리에게 일종의 신호를 보낸 것 같아." "와. 무슨 일이 일어난 거야? 정말, 전혀 몰랐어." "글쎄, 긴 이야기야." 드리머의 말을 알렉스가 똑같이 받았다. "그래, 정말 긴 이야기야!" 타블로도 거들었다. "설명하는 데 시간이 걸릴 텐데, 우리는 설명에 너무 서툴러." 그러자 스프라웃이 덧붙였다. "하지만…." 존은 그 말이 무슨 뜻인지 즉시 이해했다.

존은 나무를 보았고, 그 나무가 이전과는 완전히 달라 보인다는 것을 알아차렸다. 그것은 우아하고, 장엄하고, 아름다웠지만, 어떤 면에서는 약간 고통스러워 보이기도 했다. 존은 그 나무가 그에게 어떤 이야기를 들려줄지 궁금했다. 그는 질문들로 가득 찼고, 그 나무는 아마도 그 모든 것에 대한 답을 가지고 있을 것 같았다. 그는 심호흡하고 나서, "무슨 일이 일어난 거죠?"라고 물었다.

"모든 것." 존은 무언가가 그에게 말해주는 것을 느꼈다. "나는 혼자서는 많은 것을 할 수 없었고, 나는 단지 모든 사람과 동등할 뿐이었어. 어떤 방식으로든 나를 사용하기는 쉬워. 상상할 수 있는 최악의 것들에도 말이야. 내가 해야 할 일을 정반대로 해야 하는 것은 무척 어려웠지. 알잖아, 내 진짜 목적. 오롯이 나로 존재하는 것. 그래서 나는 도움을 요청했어. 그러자 누군가 대답했어."

"이 아이들?" 존이 물었다. "그리고 너도. 너는 나를 위해 많은 것을 했어." "너는… 누구야?" 존이 물었다. "모든 것이야, 내 생각에. 내가 정확히 어떤 사람인지 말하기는 어려워. 그렇지만 나 아닌 것은 없어." "너라고 생각하는 무언가가 있니?" "성장" "성장?" 존은 혼란스러워했다. "응." "컴퓨터로 메시지를 보낸 사람이 너였어?" "약간은? 나만 보낸 건 아니야." "뭐라고?" "분명히 저 아이들 말고도 누군가가 널 도우려고 했어." "누가?"

나무는 존이 잘 안다고 생각하는 것 같았다. 그의 머리는 여전히 이 모든 새로운 정보를 이해하려고 노력하고 있었지만, 그의 마음은 이미 그에게 답을 줬다. 그러고 나서 존은 "저 아이들에게는… 무슨 일이 있었던 거야?"라고 물었다. "아이들은 나랑 의사소통할 줄 알기 때문에 여기에 왔어. 그들은 갇혀있었지만, 나랑 의사소통할 수 있다는 것을 깨닫고 나에게 무언가를 해달라고 부탁했어. 그들은 누군가에게 뭔가를 끔찍이 말하고 싶어 하는 것 같았어. 그들은 놀라워. 그들은 어떤 계획, 아마도 너를 여기에 어떻게 데려올지에 대해 이야기하고 있었어."

"너는 모든 것을 알고 있지 않니?" "아마도 나는 모든 것을 알고 있을 거야. 네가 말하는 모든 단어, 네가 보는 모든 것, 전부 나야." "이건 이해하기 어려워." "글쎄, 항상 그래." "어쩌면 내가 알고 싶은 것을 말해줄 수도 있겠네?" "말해봐."

"나는 내 진정한 목적이 무엇인지 알고 싶어. 나는 내가 누구인지 모르겠어. 내가 왜 태어났는지 모르겠어. 모든 사람은 자기가 누구인지 알고 있는 것 같은데. 왜 나만 알 수 없지?" "하지만 난 네가 누구인지 안다고 생각하는데? 가끔 난 네가 스스로 누구인지 아는 몇 안 되는 존재 중 한 명이라고 느껴져." "하지만 난 그냥 모르겠어. 세상에 나 같은 존재는 없어."

"정확해! 넌 변수 같아. 물음표이기도 하고. 넌 새롭고, 이상해. 그리고 사람들이 스스로 아직 모르는 걸 깨닫기를 바라며 계속해서 하는 질문이기도 하지. 넌 특별해, 왜냐하면 넌 알려지지 않았거든. 그게 바로 너야. 그게 너야. 그게 너의 한계고, 그게 너의 목적이야. 그게 너의 모든 운명이었지. 모든 것." "하지만 이제 내가 뭘 할 수 있을까? 전쟁, 여우, 바이러스, 아가타, 엉망이 된 모든 것. 나는 할 수 있는 일이 없어." 존은 주위를 둘러보며 필사적으로 말했다.

"넌 혼자가 아니야. 모두 자신도 모르는 사이, 세상을 변화시키고 있지. 너만 더 어려운 일을 겪을 필요는 없어." "흠, 그렇다면…. 넌 뭘 하고 싶어? 뭘 할 거야?" 존이 물었다. "나? 나는 돌아가고 싶어. 내가 있었던 곳으로 돌아가고 싶어. 나도 언젠가 다시 떠나야겠지만, 누구나 항상 집으로 돌아가야 하지." "집으로?" "그래!" "내가 널 데려다줄게." 존이 말했다. "나한테 배가 있어. 내 배는 아니지만 너는 타도 돼. 난 배를 돌려줘야 해." 나무는 왜 존의 배를 타야 하는지 알아채지 못한 것 같았다. "괜찮아."라고 나무가 사양했다. "*네가* 여기 타도 돼."

이번에는 나무가 웅장한 배가 되면서 말했고, 론은 이제 심각하게 불안해 보였다. 벤은 약간 몸을 떨고 있는 것 같았고, 아이들은 입이 점점 벌어지고 있었다. 존은 진정으로 이해한 유일한 사람이었는데, 나무가 하는 일이 그를 놀라게 할 것이라고는 전혀 예상하지 못했다. 존은 활짝 웃으며, 아이들이 배에 올라타는 것을 도왔다. "살면서 이게 가장 멋진 일이야!"라고 감탄했다. 모두가 한 마음으로 함박웃음을 지었다.

존은 시선을 피하는 벤을 쳐다봤다. 벤은 "미안해."라며 "선택의 여지가 별로 없었지만, 기다리고 싶지도 않았어."라고 말했다. 그는 무릎까지 물에 잠긴 존에게서 조금씩 멀어지며 덧붙였다. "그래." 존은 벤을 끌어당겨 바다와 해안을 가르는 지점에 서게 했다. "네가 나의 이야기를 모르는 것처럼, 나도 네 이야기를 다 알지 못해. 서로 알아가는 것도 우리가 차차 해야 할 다른 일이야. 우리는 많은 것을 함께 해야 할 텐데, 그것도 너는 꽤 열심히 해야 할 거야."

"나는… 하지만 나는 할 수 없어. 너 같은 사람들은 기적을 만들 수 있지만, 나는 그냥 너를 방해할 거야. 이번에 내가 했던 것처럼. 나는 어떻게 올바른 선택을 해야 할지 모르겠어. 나는 이걸 할 수 없어." 벤이 말했다. "너는 너무 이기적이야." 존이 말했다. "한 번 망쳤다고 해서 그만둘 거야? 네가 한 일을 되돌리고 싶지 않아? 넌 겁먹을 자격도 없어. 우리는 함께 할 거야, 그리고 우리는 해낼 거야. 네가 도와주려고 했다는 걸 난 알아." "나… 난 자격이 없어." "응, 포기할 자격이 없지." 존이 말을 이었다.

"하지만 넌 내가 한 일을 알고 있잖아. 난 그 배를 이용할 자격이 없어. 내가 네 앞길에 방해물이 되리라는 걸 깨달아야 해. 그리고 넌…." "누가 날 여기까지 오게 했니? 그리고 만일 내가 이 모든 걸 몰랐다면 어떻게 되었을까? 아마 구원의 섬은 나에게 아무 의미도 없었을 거야."

"내가 구원의 섬이라는 이름을 지어준 사실이 없었다면." 론이 갑자기 끼어들어 으르렁댔다. "이곳이 왜 구원의 섬이라고 불리는지 알아?" 존도 지지 않고 말을 계속 이어갔다. "왜냐하면, 지금부터라도 넌 구원을 찾아봐야 하니까!" 론의 얼굴에 웃음기가 싹 사라졌다. "내 구원은 말이야, 오점인 널 이 세상에서 없애는 거야." 론이 말했다. 론은 여우들을 바라보았다. "이 오점을 없애는 걸 도와주는 자들의 목숨은 살려주겠다!" 론이 존을 가리키며 말했다. "너도 마찬가지야, 벤." 그러자 벤은 일어서서 존을 향해 걸어갔다. 론은 미소를 지었다. 그다음 벤은 론을 마주 보고, 론과 존 사이에 섰다.

"타." 벤은 존에게 속삭였다. "나머지는 내가 알아서 할게." 존이 배 쪽으로 돌아섰을 때, 갑자기 파도가 일기 시작했다. 배는 여우들 쪽으로 밀려갔고, 바닷물이 벽이 되어 배와 론 사이에 우뚝 섰다. 배에 올라탄 존은 벤이 잡을 수 있도록 손을 내밀었다. "같이 가자!"

론은 그 모든 걸 쳐다보며 말했다. "모두가 여전히 내 영향력 아래 있어. 나는 이 섬을 벗어날 수 있지. 아무 것도 중요하지 않고, 너흰 아무 것도 바꾸지 못했어." 존은 잠시 아무 말도 하지 않은 채, 그저 미소만 지었다. "우리가 함께 해낼 수 있을 거라 생각해." "함께? 누구와 함께? 넌 여우도 아니고 사람도 아닌데, 과연 누가 네 편이지? 네가 뭔데? 네가 누군데?" "나." 존이 말했다. 바닷물 벽이 천천히 떨어지면서, 론과 존은 서로 밀려났다.

그들은 론의 세계에서 걸어 나왔다. "집으로 가자!"라고 존이 말했다. "집이 어디지?" 알렉스가 물었다. "바로 여기." 존이 말했다. "내가 가장 나다울 수 있는 곳이 바로 집이야. [지금, 이 순간]이 바로 집이지." "난 집이 장소라고 생각했는데." "모든 곳이지." 존이 말했다. "집에 오신 것을 환영합니다."라고 드리머가 킥킥 웃으며 말했다. "여기 있는 모든 사람들이 가는 곳인가요?" "그래. 우리 모두 집을 찾도록 노력하겠습니다." "우리 부모님은 어디 있어요?" 누군가 물었다. 존은 정말 누구인지 구분할 수 없었다. 벤은 조용히 배의 돛대로 갔고, 존은 눈앞에서 여러 개의 이미지가 깜박이는 것을 보았다.

*

배 위에 우울하게 앉아 있는 아가타,
아이들을 안고 숲속을 달리는 여우 부부,
그리고 마주 보고 있는 숲에서 들리는 총성에도 불구하고
평화를 알리는 팻말을 들고 서 있는 인간 부부.

*

"모든 것이 여전히 우리를 해치려고 할 때, 집은 어디지?"
"어떻게- 어떻게 해야 하지?" 아이들이 물었다.

"함께." 존이 단호한 표정으로 말했다.
"그리고 우리는 해낼 거야. 반드시 해낼 거야."

* 옮긴이의 말

이새롬

수지를 처음 만났을 때가 기억이 난다.

"선생님이 꼭 만나보셔야 할 학생이 있어요~!"

결혼하면서 서울에서 부산으로 이주해 온 나는 당시 똘똘한 부산 학생들을 대상으로 주로 글쓰기 과외를 하고 있었다. 학부모 중 한 분이 마침 방학 때라 잠시 한국에 들어온, 세 살 때 캐나다로 넘어간 8세 소녀를 만나보라고 권하셨다. 어머님들끼리 친한 친구 사이셨기 때문에, 이벤트처럼 마련한 자리였다.

방문을 열었을 때, 생각보다 더 마르고 자그마한, 까만 가죽 재킷을 입은 새침한 수지와 눈이 마주쳤다. 서로 탐색전을 하듯이 응시하다 다소 어색하게 소개를 하고 이야기의 물꼬를 텄다. 소설을 쓰려고 한단다. 뭐 생각해 둔 게 있냐고 물었더니, 한 구절을 생각해 왔다고 했다. '수상한 직원 존!'이었다.

수상한 직원 존이라~.

"수상한 직원 존은 어디에서 일하는데?"
"호텔이요."
"호텔?"
"네, 여우 호텔이요!"
"왜 여우 호텔이야?"

수지는 빗발치는 질문에, 한 박자씩 쉬어가며 상상의 나래를 펼쳤고, 차분하게 이야기를 즉석에서 그려내고 있었다. 이야기에 빠져들수록, 나는 이 요정같이 깜찍한 몸에 그렇게 광활한 세상이 숨겨져 있다는 게 믿기 힘들었다. 묻고 또 묻고, 듣고 또 듣고…. 밝았던 창밖은 어느새 어두워져 있었고, 다소 경계하는 듯이 앉아 있던 수지는 어느새 방방 뛰면서 방 안을 분주히 돌아다니고 있었다.

단숨에 세 시간이 넘게 흘러버렸고, 놀랍게도, 이 이야기의 큰 줄거리는 결론 빼고는 떠올린 첫날 모두 결정이 나버렸다!!! 우리가 단숨에 얼마나 흥분했는지 상상할 수 있을까. 마치 이야기가 우리 둘 사이로 흘러서 파도처럼 밀려오는 것 같았다. 그저 노크만 했을 뿐인데, 열린 문틈으로 범람해온 이 이야기!

나를 만나기 전까지 글이라는 것은 단 한 번 써본 아이였다. 그리고 무려 그 한 번의 경험이 너무 절망적이어서 앞으로 영영 붓을 꺾으려 했단다. 웃음이 나올 뻔했지만, 수지는 제법 진지했다. "무슨 글이었는데?" 학교에서 한 쪽짜리 동화 쓰기를 숙제로 내줬다고 했다. 수지는 다섯 쪽을 써갔다. 기대했던 좋은 평가를 받지 못했고, 글쓰기 선생님이 양식에 맞지 않는다고 했단다. 용이나 왕자나 공주가 나왔어야 했는데, 수지가 펼친 소설에는 거대한 블랙홀이 나왔다. 그 너머엔 차원이 다른 세상이 펼쳐져 있었고, 거기서 주말 동안 악당과 싸우고 집으로 돌아온 주인공의 이야기였다. 현실에선 아무도 모르는 주인공만의 비밀. 수지가 다시 쓸까 물어보니 그럴 필요 없다고 하셨고, 그 말로 어린 수지는 평생 절필할 생각을 하게 되었단다. 그러다가 나를 만났다.

부산에서 몇 번 만난 이후, 수지가 캐나다 크랜브룩으로 돌아가서도 우리의 창작은 계속되었다. 직접 눈을 마주치며 이야기할 때보다는 소통이 덜 자연스러웠지만, 통신이 원활할 때나 그렇지 못할 때나 우리는 꾸준히 페이스톡으로 연락하며 이야기를 완성해 갔다. 처음엔 수지가 연필을 쥐고 서툰 글씨로 삐뚤빼뚤 글을 적으면 수지 부모님께서 사진을 찍어 보내주곤 하셨다. 나는 수지의 정성 가득한 줄글을 매주 해독해서 타이핑해두고, 수지에게는 감상을 들려줬다. 막히는 부분이 나오면 서로 치열하게 의견을 내고, 쓰고 지우고를 무한 반복 했다. 얼른 전화를 끊고 글을 적고 싶어 할 때도 있었지만, 울고불고, 모든 게 싫고, 글은 쳐다도 보기 싫어할 때도 적잖이 있었다.

어르고 달래서 억지로 적게끔 하기도 하고, 때로는 그냥 왕창 쉬어버리기도 했다. 캐나다에 살지만 독서 자체를 워낙 좋아하는 친구라 가리는 게 없었기에, 이참에 한국 고전소설이나 고전수필을 왕창 읽히기도 했다. 수지가 독수리 타법으로 워드 프로그램을 쓸 줄 알게 되면서, 내 일은 한결 수월해졌다. 전 세계가 바이러스 위기로 침잠해 갈 때, 우리는 이야기에 더 몰입해, 그 안에서 우리만의 위안을 찾기도 했다.

나에게 있어 가장 아찔했던 순간은, 못 보던 사이에 수지가 훌쩍 커버려서, 더는 소설에 관심이 없을 때였다. 이제 수지는 세상이 어떻게 돌아가는지 제대로 알고 싶어 했고, 정치나 역사 문제에 더 관심을 가졌다. 상상력이 넘쳐서 날마다 날마다 이야깃거리가 쏟아져나오고, 영감을 받아서 조잘조잘 하나라도 더 떠들고 싶어 하는 일은 이제 거의 없어졌다. 내가 아무리 콕콕 쑤셔봐도 더는 쓰고 싶은 무언가가 나오지 않았다. 나는 더 채근해서 소설을 서둘러 마무리하지 않은 게 너무나 후회되기도 했다. 반짝하는 어린 시절은 너무나 짧은 한때구나!

게다가 초등학교 고학년 수지는 세상에 존재하는 모든 책을 다 섭렵할 기세였고, 이제는 눈이 너무나 높아져 웬만한 명작 소설을 읽어도 만족스럽지 않아 했다. 그러니 자신이 2학년 때 시작한 소설은 어떻겠는가! 어쩔 땐, 마음에 하나도 안 든다며, 열심히 쓴 걸, 원본도 남기지 않고 미련 없이 싹 지워버리기 일쑤였다. 실로 가슴이 타들어 가는 순간이었다. 그 이후 치열한 다툼 같은 대화 끝에, 원본은 남기는 걸로 합의를 봤다.

그 와중에도 몇 번이나 거물급 소설 소재가 수지 머릿속에 들락날락했지만, 여우 호텔을 붙잡고 있느라, 아쉽게도 아이디어에만 그치고 빛을 잃어가기도 했다. 이미 몇 년 전에 머릿속에서 끝난 소설이 글이 되어 나오기까지는 시간이 너무 걸렸다. 특히 학교생활도 열심히 하는 수지였기에, 과제가 많아질수록, 소설 쓰기에 투자할 시간은 점점 줄어들었다. 그런데도, 수지는 웬만하면 매주 30줄씩 꾸준히 글을 쓰고 있었고, 이 점에 있어서 나는 수지를 정말 인간 대 인간으로 몹시 존경하게 되었다.

지지부진하던 과정에서 둘 다 마지막 스퍼트를 낼 수 있었던 계기가 있었는데, 그것은 [2023년 대한민국 스토리 공모대전]이었다. 마침 수지네 가족이 한국에 들어올 일이 있었는데 그 몇 주가 딱 공모전 응모 기간이었다. 모처럼 얼굴을 맞댈 수 있는 시간이어서, 어떻게 귀하게 쓸 수 있을까 싶었는데, 수지에게 마침 딱 잘 맞는 기회였다. 70페이지까지의 원고와 30페이지의 요약본이 필요했다. 70페이지의 원본은 수지가 그동안 영어로 써둔 걸 번역기의 초벌 번역 후 내가 수정하는 걸로 해결하기로 했고, 수지는 3주 동안 30페이지의 한글 트리트먼트와 기획 의도, 등장인물 소개 등을 쓰기로 했다. 오랜만에 한국에 와서 수학 학원도 다니고, 놀러도 다니고, 무척 바빴음에도 수지는 매일 밤에 시간을 냈다. 심지어 부모님은 옆에서 주무시는 데에도 아랑곳하지 않고, 수지는 몇 시간 동안 꼼짝도 않고 앉아서 집중해서 한글로 트리트먼트를 완성했다.

마감일이 정해진 장문의 글을 적는 건, 그것도 가장 편한 언어가 아닌 다른 언어로 적는 건(물론 부모님이 신경 쓰시고, 혼자서도 남다른 노력을 한 덕에 수지는 한국어 말하기나 읽기도 한국에서 자란 것처럼 잘 하긴 했다) 성인에게도 결코 쉬운 일이 아니다. 그 모든 압박감을 홀로 묵묵히 견뎌낸 수지였다. 특히 마감 며칠 전에 수지는 도파민과 세로토닌, 노르에피네프린이 팡팡 터지는, 진정한 몰입의 기쁨을 경험했고, 자신도 놀라워 했다. 그리고 그렇게 완성된 트리트먼트를 기반으로, 캐나다로 돌아가 소설을 약 4년 만에 편안하게 완성할 수 있었다.

보통 초등학생들이 응모하는 공모전은 아니었고 큰 기대를 하지도 않았지만, 글 잘 쓴다고 내로라하는 2000명이 넘는 성인 응모자들 사이에서 수지는 12 퍼센트 안에 들어 예선을 통과하는 기염을 토했다. 이는 수지보다도 나와 수지 어머님께 무척 흥분되는 일이기도 했다. 수지와 너무 정서적으로 밀착해 있었기에 객관적으로 글을 못 보고 있을 수도 있는 상황에서 어느 정도 객관적 지표가 되어 준달까. 그리고 한편으로는 이제 나에게 압박감이 넘어 왔다. 나와 첫 책을 내기로 약속한 상황에서, 원석과도 같은 이 글을 과연 딱 맞는 독자들에게 연결해 줄 수 있을 것인가! 그런 고민에 수지가 진작에 완성한 글을 반년 이상 시간을 끌어 교정하고 번역을 하게 되었는데, 그냥 서두를 걸 그랬나 싶기도 하다.

너무 장황했지만, 이 이야기에는 정말 많은 것이 녹아 있어서, 조금이라도 흥미롭게 읽은 독자에게는 이 뒷이야기를 공유하고 싶은 마음이 있었다. 형식적으로 세련된 글이 아닐지 몰라도, 누구에게 배워서가 아니라 그저 글이 흘러나와 가고 싶어 하는 방향대로 난생처음 조종을 해 본 글이어서 더 의미가 있을 수도 있겠다. 한 아이의 성장 과정과 날것의 고민이 오롯이 담겨 있는데, 세상에는 이를 공감해줄 더 많은 사람들이 기다리고 있을 것만 같은 느낌도 든다.

여우 세상에서는 여우 말고 인간에 더 가까운 존재, 인간 세상에서는 인간 말고 여우 습성에 더 가까운 존재인 주인공 존은, 어쩌면 캐나다로 이주해 한국인으로 살고 있으면서, 때때로 한국에 올 때면 스스로 캐나다인에 가깝다고 느끼는 수지의 혼란할 수 있는 정체성 문제를 대변해주고 있는지도 모른다. 거기에서 그치지 않고, 과연 생명이라는 게 무엇인지 본질적인 탐구를 하고 있을 뿐 아니라, 자연 입장에서는 오점일 수도 있는 인간의 거북한 입지를 외면하지 않고 성찰해가고 있다. 그저 아이답다고 여겨지는 밝기만 한, 뻔한 결론이 아니라 오래 살아오면서 다소 세상살이에 지친 어른들마저 진심으로 공감할 수 있는 지점의 정서를 파고들어 간다는 점이 어쩌면 나에게는 충격의 연속이었다. 언젠가 수지가 내 눈을 그윽하게 쳐다보면서 "선생님 눈은 굉장히 '앤틱'해요. 아주 오래된 영혼 같아요."라고 말해서 묘한 위로가 된 적이 있는데, 어쩌면 수지는 더 오래되고 성숙한 영혼을 지닌 존재일지도 모르겠다.

살면서 신이 우리 피조물을 외면한 것 같은 절망감을 느껴본 적 있지 않은가. 신이 우리를 '잘못' 만든 것은 아닐까. 그저 '오점'이 아닐까. 그리고 어느 날 갑자기 우리를 창조한 신이 나타나, 첫 단추부터 잘못 끼워진 존재이니, 너희를 없애버리겠다고 나오는 게 아닐까. 말로 입 밖에 낸 적은 없지만, 마음속 깊은 곳 어딘가에는 존재하던 막연한 그 공포를 수지는 제대로 끄집어내고 있다. 그리고 그 상황에서 당당한 수지만의 해법을 내놓고 있다. 시작이 어찌 되었든, 그 과정 자체에서도 우리는 의미를 찾고 있고, 여러 복잡한 얽힘 속에서 주인공과 악당의 자질 사이를 왔다 갔다 하며, '함께' 무언가를 구현해 내고 있다. 생명은 그저 존재하는 '모든 것'이며, '모든 것'에서 '악'이라 규정되는 무언가를 제외하는 것은 말이 안 된다. 우리는 그 '모든 것'의 일부로서, 때때로 지치고 극심한 고립감을 느끼면서도, 어떻게든 서로를 알아보고 작은 희망을 보고 뭐든 할 수 있는 것을 조금씩 해낼 수 있는 것이다.

그 사이 수지는 중학생이 되었고, 크랜브룩에서 밴쿠버로 이사를 했다. 그리고 이제는 더 심오하고 심미적인 새로운 소설을 쓰고 있다. 날마다 새롭고 존귀한 우리 수지가 또 어떤 이야기를 펼쳐낼지 나는 늘 궁금하다. 그리고 이제는 다른 독자들과도 이 마음을 나누고 싶다. 귀한 시간을 내어 마지막까지 우리와 함께 해준 독자분들에게 무한 감사를 드린다. 어린 수지가 싹 티운 생명의 씨앗이 여러분의 가슴 속에도 싹 티우길 바라며, 어떤 절박하고 외로운 상황에서도 늘 연결되어 있길 진심으로 바란다. "우리는 '함께' 해낼 거야~!"

늘 도와주시고, 응원해주시는
사랑하는 아빠, 엄마, 글쓰기 선생님,
진심으로 감사드립니다.